沉鳞

病鹤斋 著

贵州出版集团
贵州人民出版社

图书在版编目（ＣＩＰ）数据

沉鳞 / 病鹤斋著. —— 贵阳 : 贵州人民出版社,
2016.10
ISBN 978-7-221-13637-4

Ⅰ.①沉… Ⅱ.①病… Ⅲ.①长篇小说 – 中国 – 当代
Ⅳ.① I247.5

中国版本图书馆 CIP 数据核字 (2016) 第 245133号

沉鳞

病鹤斋 著

出 版 人　苏　桦

出版统筹　陈继光

选题策划　大鱼文化

责任编辑　徐　晶

流程编辑　胡　洋

特约编辑　廖　妍

装帧设计　刘　艳　逸　一

封面绘制　阿卫衙

出版发行　贵州人民出版社（贵阳市观山湖区会展东路SOHO办公区A座
　　　　　邮编550081）

印　　刷　长沙鸿发印务实业有限公司（长沙黄花工业园三号　邮编410137）

开　　本　32开（880mm×1230mm）

字　　数　220千字

印　　张　8.5

版　　次　2017 年 1 月第 1 版

印　　次　2017 年 1 月第 1 次印刷

书　　号　ISBN 978-7-221-13637-4

定　　价　28.00 元

沉鳞 \ 目录

沉鳞＼ 目录

楔
子

自洪荒后，天下三分，分山、海、陆。陆中有国，名楚。楚之南有山，名昆吾。

楚人常言"宁居海外千里，不近昆吾一尺"，昆吾山上盘踞着洪荒时代的众多异兽。

昆吾山周围曾有众多小国，但都逐渐被昆吾山收拢，人烟罕见。千百年来存活并发展壮大的国家就只有楚国，唯一的原因便是楚国的国巫都是出自昆吾的异兽，成为国巫的异兽会为楚国卜算继承人，也会成为楚国帝王的护国兽。

这一山一陆一人一兽的联合，奠定了楚国成为帝国的基石。

但千百年来最为广袤的海域却一直置身事外，海边似乎是一个永世的世外桃源，人们都幸福无争却也懵懂无知地生活着。

说他们幸福是因为这片汹涌的海域不曾有过大的风浪与灾难，东海的县志上只有两条有关异兽出没的记录。

第一条记录格外简单，简单到不看县志的人根本不会知道，遥远的百年前曾有异兽出没。

海滨礁崖有异兽出没，午时至，次日投海。

寥寥数字记录的传奇，只存在于口口相传的故事里。

相传那个异兽站在崖边的时候还是人的模样，赤发黑袍，只是周身都围绕着火焰坐在崖边唱了一夜的歌。歌声不是很响，却穿透黑夜，弥漫在整个东海的上空。好奇的民众聚集在崖下围观，有不懂事的孩子抬头问："那是什么啊？怎么以前没见过？"周围的大人就解释说："那是异兽，我们海边没有出过异兽，你当然没见过。"

没想到这么轻的议论声也被那周身是火的异兽听到，他转过身来冲着人群微笑，露出了尖锐的獠牙，说："这里也曾有异兽，诞生于海，呼啸于天地。"

人群被吓得慌乱四逃，那异兽却带着灼目的火焰，毅然地投了海。

火焰在涛浪中骤然熄灭，只留下了黑夜、黑海与歌。

而第二条记录则在八年前：

海有异浪，浪头有妖兽，时人称蛇女。府衙拘蛇女半月，后得昆吾之主长央君点化。

至今乡民们闲聊时还会提到当时的凶险："你不知道那蛇女有多可怕，尾巴一甩浪有十丈高，幸亏昆吾山主人及时赶到，不然那妖兽不知道得伤多少人。"

当时的昆吾山主人将蛇女收服时，有沿海的渔民感激地前来相送："多亏了长央君啊，我们东海没怎么出过异兽，要不是您我们真不知道怎么办了。"

长央君笑答："举手之劳，不过这片海，曾经也出过异兽。"

东海的乡民们未曾预料到，此后这世间的颠覆，都与这两次看似平淡无奇的"异兽出没"有关。

这两条相差百年的记录，看似毫无联系，却在县志上留下了同一句话：

这里也曾有异兽，诞生于海，呼啸于天地。

第一章　国巫与丞相

一、初入楚国

姬沉鳞坐在茶馆里，戴着翠竹编的斗笠，将眉目都掩在阴影里，听着周遭喧嚣，喝着一杯简朴的清茶。

经历了早上的事情，她有点蒙，当然也有点饿。

但饿得前胸贴后背的姬沉鳞却只点得起两个白面馒头，她十分清晰地感受到了来自店小二的蔑视。

若是以前在昆吾山，姬沉鳞老早就一爪子把他掀翻在地，按在地上打了。但是现在却不行，在这楚国境里绝不能被人发现！

姬沉鳞顾影自怜地咬了一口冷馒头，下山的时候她以为自己能当上国巫坐拥财宝走上人生巅峰。

姬沉鳞姓姬，姓的是楚国的国姓。她倒不是什么皇亲国戚，这是昆吾山的宗规，国巫的候选人会被赐国姓。

对，如此穷困潦倒的姬沉鳞是楚国下一任国巫。

但是来到楚国后的遭遇却完全和姬沉鳞想象中不一样，本来昆吾山主人与楚王已经提前约定好了国巫的到达日期，姬沉鳞只要入宫，一切册封事务便都会准备好。

以往的诸任国巫都是这样过来的。

但当姬沉鳞步入楚国朝堂时，帝妃众臣见了姬沉鳞却丝毫没有见了国巫的敬畏，反而全都像见了鬼一样。

"你是何方鬼怪？"

姬沉鳞在大殿上听到楚后惊颤着问出这一句时，简直有点哭笑不得，她凑近了一些，伸出了自己的爪子。

"我，的确是妖怪啊。"

那是一双雪色的蛟爪，在金碧辉煌的大殿中莹白如月辉。

姬沉鳞的确是一只真正的妖怪，更准确地说是——异兽。

楚国自古便有国巫一职，而国巫的另一个身份便是国家的护国尊兽。自古护国兽皆出自昆吾，昆吾山实际上是妖怪异兽聚集的山，每当帝位更迭时，昆吾山主人便会选出天赋异禀的异兽成为楚国的护国兽。

在楚国，这是个众所周知的事情。

可偏偏他们见了姬沉鳞，却反应过激。一个个盯着姬沉鳞看，看得她毛骨悚然，鳞片都快竖了起来。

堂上一个眉须皆白的官员，看得怔了神，忽地像是想起了什么一拍大腿，喊了句："快去喊左相！"

看着朝堂上各种不寻常的现象，以及飞奔而去似是报信的快马，姬沉鳞作为一个未来国巫，作为一条大蛟，居然厾包地害怕了起来。

于是她做了一件千百年来其他国巫绝对没有干过的事情。

楚纪年八七三年，日中，国巫姬沉鳞，遁逃于朝。

是的，姬沉鳞"嗖"的一下从朝堂上跑了出去，化作了真身从宫墙上飞跃了过去。

作为第一个从册封大典上逃跑的国巫，姬沉鳞此时正委屈地坐在茶馆里啃着馒头，听说书人给其他茶客说书。

说书人今天说的这段，是前朝帝女与归尘宗迟苏主人以及神童安知鱼的故事。

楚国除了有护国兽国巫制，继承人的选择也颇为奇怪。帝女是不同于公主的存在，虽然都是帝王的女儿，但帝女却是皇位继承人的第一人选。帝女的诞生都是国巫根据天象推算而得，历代帝女皆有盛世之才，被称为神赐。

但楚国历朝将近九百年，真正登上帝位的帝女却只有寥寥五位。大多帝女生来体弱，心性寡淡，都在及笄前早夭而亡。所有早夭的帝女都没有葬进皇陵，而是被葬在了极隐秘的山川河海中。

有人说，帝女是神赐，也是诅咒。

前朝帝女姬天伐，是楚国月嵘夫人之女，甫一入世，便惊为天人。十四岁前，姬天伐都没有任何早夭的迹象，所有人都以为下一个女帝就要诞生，楚国的下一个盛世就要到来。

但在姬天伐及笄前夜，她独自夜游未央湖，坠湖溺水而亡。那夜整个国都盛装装扮，为了迎接第二日帝女的及笄之礼，却不曾想到，一夜之间红绸变白绫，举国同丧。

未央湖是宫城外一个极大的人工湖，据传未央湖与千里之外的海域相连，所以更显得深邃碧绕。

姬天伐在毫无征兆的情况下坠入湖中，住在周围的居民都没有听见任何呼救声，只记得那天夜里，未央湖上燃起熊熊烈火，水与火相映衬，如同仙境与鬼域的相互倒映。

最后姬天伐的葬礼十分潦草，未进太庙也没有追封，直接葬入了隐秘的陵墓。

有人说，帝女这名字煞气太重。姬天伐，天伐，与天相伐终归是要惨烈而归的。

但偏偏，帝女的名字也是由国巫占星所得的。

神赐的与神诅咒的，会是同一个人？

台下的茶客起哄道："天伐帝女的故事楚国谁不知道，老六你这段子也快讲烂了吧？"

那说书人老六把折扇一抚，"啪"的一声又合上了，扬着眉道："你懂什么？我这回讲的可是宫闱秘史，那清高于世的迟苏主人可是有一段红尘往事的。"

迟苏主人原是楚国望族宋氏的嫡子，丰神俊秀，通达于世，但偏偏他醉心于神思，幼年得归尘宗大师亲自指点，未及双十便已成为归尘宗的迟苏主人。

以寂寥无欢，红尘修行于世。

这一修行，却是浇灭了无数少女的春心。

茶庄的老板娘闲着无事也嗑着瓜子凑过来道："这我倒是听说过，说那天伐帝女原是与迟苏主人有婚约的。只要天伐帝女过了及笄，成功渡过了命中之劫，迟苏主人便会与其成婚，成为宋氏第一个皇夫。"

底下的茶客也纷纷点头应和。

姬沉鳞啃着馒头倒也听得津津有味，却看到说书人在折扇后一笑，继续朗声说道："如果要讲的都是诸位知道的事情，那我老六还怎么吃说书这碗饭。我讲的这一版，说的是——神女有心，襄王无梦。那迟苏主人并不中意于帝女天伐，真正对帝女天伐费尽心思的却是那神童安知鱼，当今的少年宰相。"

少年宰相安知鱼的名声可比早夭的帝女天伐大得多，即使远在昆吾的姬沉鳞也对其有所耳闻。

安知鱼是定国侯家的幼子，他原本不叫安知鱼，这个名字还要溯源到他五岁那年对弈围棋国手顾拂雪时的一个小插曲。当时两人棋至中场，胶着不下，顾拂雪向先帝请求封棋暂停，休息片刻。

在休息过程中，顾拂雪仍愁眉不展，思考着下招。但是五岁的安知鱼却四处奔游，也不顾及当场的皇亲国戚，扯着顾拂雪的袖子，拉到了一旁的荷雨荷池边，说："该休息的时候就休息，顾叔叔你看池塘里的鱼游得多开心。"

顾拂雪简直快急哭了，自己堂堂一代国手，却在一个五岁幼童手上下不来台，还被这熊孩子拖来看什么鱼，没好气地回了句："子非鱼安知鱼之乐？"

据传闻，当时的安知鱼回了句："子非我安知我不知鱼之乐？"把顾拂雪噎了半天。

在场的归尘宗扫尘大师闻言拊掌称妙，称安知鱼为"红尘清醒人"，还问他愿不愿意修行。

小小的安知鱼手里握着荷叶糯米圆子，想了片刻说："不能吃肉，我还是做个红尘混沌人吧。"

先帝看到这一幕，龙心大悦，称赞安知鱼才思敏捷，特赐名"知鱼"。

之后的十多年里，安知鱼的才智几乎超越了常人所能认知的范围，他十二岁入仕，十五岁便已封相。

说书人老六喝了口茶继续讲道："你们可知道，原本最厌功名利禄的安知鱼为何入仕吗？"

一位茶客问："为啥？老六你可不能卖关子。"

老板娘也在旁边附和："老六你今儿要是说再听下回分解，我可再不让你来这里说书了。"

"哎，别别。请听我细细道来，安知鱼入仕那年……"

台下的茶客被这么一点拨，猛然想起来："那一年春，帝女天伐坠湖而亡。也是那一年，宋氏迟苏公子成为归尘宗的迟苏主人！"

老六十分得意地点点头："不错，全部的症结，都在帝女天伐的诡异死亡上。安知鱼入仕是为了查出帝女天伐的死因。"

姬沉鳞听到这句话时刚好吃完了最后一个馒头，想再坐一会儿，但因为身上没钱，遂准备假装在听书，她问了句："那按照你的说法，八年前帝女姬天伐十五岁，安知鱼才十二岁啊，难道真要女大三，抱金砖？"

姬沉鳞的话还没说完，就发现周遭人的目光立刻怒意满满，有些客人差点就要拿手上的茶杯来砸她了。

姬沉鳞心想：坏了，帝女在楚国是极其尊贵的存在，何况是姬天伐那样盛名的帝女。自己这样口无遮拦地诋毁帝女，看来是要被这群人按在地上打了。

现在唯一一个办法就是——跑！

姬沉鳞露出了自己的爪子，想着化成原形跑得快些。没想到昆吾山第一蛟来到楚国的两次露爪，居然都是为了逃跑。

以后回了昆吾山能被他们笑三十年！

简直丢人！不对，丢蛟！

刚准备跑，门外就传来禁卫军的马蹄声。

像是有人来搜查什么，姬沉鳞立刻敛去了蛟爪，趁着混乱从人群中走了出去。

出去的时候，姬沉鳞与禁卫军前领头的青衫少年擦肩而过。

那少年眉目清朗，仿佛若隐若现隐含着山川。在姬沉鳞走过的时候，少年下意识地扭了扭头。

吓得姬沉鳞赶紧压低了斗笠檐，加快了脚步，隐约听到身后的交谈声。

"安大人，已经寻了半日了。国巫大人是昆吾护国兽，不过是与帝女相……"

细碎的脚步声，混着浅啸而过的袖风，几乎掩过了那少年清冽的应答声。

"不管她是不是，我只是想再看一眼天伐当年的模样。"

二、归尘宗迟苏主人

天色渐昏，楚国国都内仍旧弥漫着让人窒息的压迫感。

姬沉鳞身无分文，也无处可去。她漫无目的地走到了城外青崖山中的一个碧潭旁，那潭水清寒，周遭也没有什么人家。

姬沉鳞化为蛟身，伏卧在了碧潭里。

在昆吾山，多的是妖怪异兽，上至赤翼金鹏，下到蝼蚁穴鼠，千般生灵却唯独只有姬沉鳞这一条蛟。

姬沉鳞是一条雪色的蛟，她额上有白玉般的蛟角，鳞片繁丽，只是身后的尾巴，光秃秃地沉在水的最底端，如同一条蛇尾。

姬沉鳞趴在潭水里，几乎要将潭里的水挤得漫了出来。姬沉鳞心想：幸好目前就只发现自己一条蛟，不然自己这么胖，要是遇到另一条蛟，自己一定会被全昆吾的异兽扯着尾巴喊"大胖蛟"。

姬沉鳞来时仔细看了周遭并没有人居住，但暗夜里却忽地有一盏忽明忽灭的灯火往水潭这边靠近。虽然国巫是异兽，但楚国终究只是一个人的世界，异兽一族，还是会吓到常人。

姬沉鳞一惊，忙把头缩到水里，害怕自己的真身吓到别人。

却……因为太胖，水只能浸到鼻孔。

在凄清如墨的夜里，一条身姿僵硬的蛟，在水面上露出两个大鼻孔，克制的呼吸间在潭面上荡漾出一小片涟漪。

灯火越来越近，是个素色的灯笼，执灯的人似乎也没有注意到潭水里多出来一大坨蛟。那人只是轻轻地放下灯笼，盘腿坐在了一旁的石壁上，垂目低眉，静默不言。

姬沉鳞看着这么平静的画面，却平静不下来了。

这个奇怪的人再不走，她的脖子都要扭僵了！内心已经忍不住咆哮了起来："这么晚出来不怕遇到坏人吗？你不怕我还怕啊！"

内心一焦躁，姬沉鳞的呼吸就更急促了些，静谧的潭面被吹起了一圈大大的涟漪。

那人却仍旧闭着眼合着手，直至那灯笼的灯火被山风吹熄，轻柔得像是被少女的纱幔蒙上了眼睛，周围毫无防备地陷入了黑暗。

姬沉鳞本想趁着这黑夜遁走，刚一收鳞片，那人却开了口。

他的声音霎时打破空旷的寂静："你快走吧，我没有看到你，也并不知道你为何人何物。"

毫无防备地听到男子的话，倒是把姬沉鳞吓了一跳，猛地一呼气，潭水直接被掀起了一个巨大的浪花。

"咳咳！"

水喷了那男子一身。

姬沉鳞慌乱间直接幻化出了人形，湿漉漉地就跑到那人面前，下意识地拿袖子给他擦水："对不起对不起，我不是故意的。"却忘了自己的衣服本就是湿的，反而帮了倒忙。

"你不是人？"

姬沉鳞这才反应过来，冒冒失失地跑出来是多么愚蠢和危险的事情。她哑了哑口，一步一步地往后退。

那男子从石壁上起身，掸了掸袖子。

"没事，你不是我遇到的第一只异兽，你走吧。"声如梵音，不惊不扰。说完转身点亮了被山风吹灭的灯笼。

火石相击的瞬间，映出他灰麻色的长衫。

那一刹那，落魄不堪的姬沉鳞忽然意识到了他是谁。

烛影，竹叶，水滴。

红尘之外的山水。

"你是宋……不，迟苏主人？"

但那粗布麻衣的男子并未停下脚步，只是提着有些旧了的灯笼，往山水的更深处走去了。

姬沉鳞虽然无措，但她从来都知道，无论怎么退缩，她都不可以再龟缩在昆吾山上。她来楚国有她的使命，她有她必须留下来的理由。

她站在那里，衣角仍旧滴着水，敛了面容提高了声音道："在下，昆吾山姬氏。"

归尘宗是楚国的国教，是极为内敛克制的修行教派，清心却不避世，入世却又不躬身于名利，多年间出自归尘宗的国之重器不胜枚举。昆吾山是楚国心知肚明的异界，除了每朝为楚国推荐国巫外，几乎与楚国没有交集。

但归尘宗与昆吾山之间却有不成文的互助约定，所以姬沉鳞知道，只要自己亮出身份，迟苏主人无论是出于道义还是出于盟约，都必须出手相助。

昆吾山只会有一个姓姬的存在。

宋迟苏提着灯笼，身子一僵，转了过来。

"国巫？"

"是。"

"你需要归尘宗为你做什么？"

"借我躲避些时日。"

迟苏主人点了点头，什么都没有问，既没有问姬沉鳞为何如此狼狈，也没有问姬沉鳞作为一个国巫为何要躲在此山中，只说了一句"随我走吧"。姬沉鳞站在潭水旁，看着漠然不语的宋迟苏，忽然感到一阵凉薄的寒意。宋迟苏不问，不是因为他信任刚见到的姬沉鳞，而是他不关心。

不关心，不留心，不浪费时间，直接而狠准的冷漠。

山路有些陡峭，宋迟苏手中的灯笼兀自转了一个圈。

姬沉鳞清晰地看到那个破旧的灯笼，另一面上笔力遒劲地写着一个字——伐。

宋氏是楚国大族，宋迟苏这一辈中的宋氏子女大多与皇室有着姻亲。宋迟苏的表姐宋云辞十五岁嫁给皇长子，而也就是那一年，宋迟苏与帝女姬天伐定下婚约。所以从当时的情况来看，无论是帝女还是皇长子登基，宋氏一族都会受到来自皇室最高权力的庇护。

生在这样一个权势滔天的家族，作为宗族长子的宋迟苏即便什么都不做，但只要他一伸手，便是泼天富贵。

可当姬沉鳞跟着宋迟苏到了山侧的居所时，才发现宋迟苏竟然住在这样一个破旧的草庐里。

草庐周围没有墙，只有简单的篱笆，一个面容清秀的侍从开了门。宋迟苏侧身请姬沉鳞进去，草庐里微弱的烛火映在宋迟苏的脸上，姬沉鳞这才看清楚宋迟苏的眉目。

这一眼，心跳几乎都要漏跳几个节拍。

姬沉鳞不明白，到底上天有多么偏心，才会将这众多福祉都眷顾给同一个人。在昏黄的灯影里，宋迟苏虽然穿着简单的粗布麻衣，但仍旧掩盖不住面庞的极致精美。他的眼睛里像是缥缈着一层淡薄的烟雾，仿佛这红尘哪怕与他只隔一尺，他也不会看一眼。

宋迟苏却在望见姬沉鳞的正脸时，眼中闪过与朝堂上众人一样的目光，但那光闪得极快，在瞬间后便消失归于平静。

"姬大人，你就住这间。"

那侍从自称竹邑，将姬沉鳞带到了后院的一间客房。草庐虽然简陋，但内部却也整洁雅致。

姬沉鳞看到客房旁边的一间小屋子亮着灯，有些奇怪地问："这里除了你和你主人，还有其他人住？"

竹邑微微一笑，有些不好意思地说："竹邑也不甚清楚，不过这里是主人立下的禁地，烦请姬大人勿要打扰此屋。"

姬沉鳞点了点头，裹着半干的衣服进了屋，屋内早有备好的衣裳，虽然是粗麻制成的，但十分干净，带着山涧清冽的林木气息。姬沉鳞小心翼翼地褪下湿漉漉的衣服，脊背上露出血色的鳞片，映着灼然的灯光，像是雪里熊熊燃烧着火。

刚脱下衣服，就听到隔壁那间被称为禁地的屋子里，传出"咚咚咚"的撞击声，好像有什么东西要冲撞出来。

那声音像是从巨大广袤的地底空洞中传来，一声又一声地撞击着姬沉鳞的心脏，那声音越来越响，简直像是要把她的耳膜震破。

姬沉鳞打开门想一探究竟，看到宋迟苏提着他的灯笼急匆匆地往小屋赶，那样仓皇而无措的表情，本不应该出现在一个修行者的脸上。

宋迟苏冲进小屋内，灯笼跌落在门口，火舌缓慢而肆虐地吞没了整个灯笼。

姬沉鳞听到宋迟苏在屋内念起经文，声音带着颤抖，但那诡异的冲撞声却丝毫不减弱。姬沉鳞只觉得那声音越来越尖厉，透过她的耳膜往她的头骨而去，而后顺着脊骨，像是要把姬沉鳞整个骨架都撕裂。

就在姬沉鳞难受得要发出嘶吼时，宋迟苏却先一步在小屋中喊了出来。

宋迟苏的喊声里带着汹涌的复杂情绪，他喊道："是我的罪孽！是我的罪孽！我不要你原谅，我要你放下啊！"

话音才落，那声音就逐渐弱了下去，姬沉鳞身上的痛楚也在顷刻间消失不见。姬沉鳞觉得奇怪，刚往外踏出一步，就被竹邑拦住。

姬沉鳞问竹邑："怎么回事？"

竹邑慌张地朝姬沉鳞比了个噤声的手势，悄悄地附在姬沉鳞的耳边说："姬大人不要过问了，竹邑也不清楚。主人只说，那小屋子里是他的故人。"

故人？

看到宋迟苏失魂落魄地从小屋里走出来时，姬沉鳞可以肯定，里面的故人一定不是一般的人。

因为宋迟苏在灰烬一样的黑夜里，跌跌撞撞，泣不成声。

三、"只要国巫大人，不要让安知鱼见到你的模样。"

第二天醒来的时候，姬沉鳞一打开门就看到门口站了一个快要睡着的少女。

少女一袭孔雀蓝烫金的长裙，梳了个昂扬的朝天髻，髻上戴了数枚小的绿宝石和一支雀鸟金簪，柳眉微扬，似是一只傲然的孔雀。

她看见姬沉鳞，惊得往后退了一大步。

姬沉鳞睡意蒙眬地问："你找我？"

那少女手里握着一个玄色的荷包，站在那里平复了许久才开口："你不是姬天伐？"

姬沉鳞一听这话，整个人都不知道该怎么回应了。她自昆吾到楚国，何曾说过自己是姬天伐？

少女的问题让姬沉鳞忽然明白了当日朝堂上众人见到自己的惊异，姬沉鳞摸着自己的脸问："我……长得像姬天伐？"

那少女听到这话，瞬间卸下了心里的重担，说："你果然不是她。对，你长得很像姬天伐。"说完又重重地加了句，"非常像。"

这么一来，姬沉鳞这两日遇到的诸多怪事便都可以解释了。一个继任国巫，与前朝早夭帝女长得如此相像。

若不是天意，那必定事有妖异。

"我当然不是姬天伐，我是昆吾白蛟姬沉鳞。"

少女将手中的荷包递给了姬沉鳞："这里面是遮面的鲛纱，但请你以此遮面。"

姬沉鳞一愣，竟忍不住笑了出来："你让我戴我就戴，那样我岂不是很没有面子，我好歹也是你们楚国的国巫啊。"

少女仍旧固执地伸着手："但你从朝堂上逃走了，而我可以帮你回去。"

"你是谁？"

姬沉鳞话音才落，便听到身后传来麻布衣物的摩擦声，宋迟苏带着一丝淡然的笑意，走上前介绍道："她是御史姜寒山的长女姜眠禾。"

姜氏？

姬沉鳞想起说书人口中的帝女姬天伐，她的母亲月嵘夫人也是姓姜。

朝夕之间，姬沉鳞似乎遇见了所有与帝女姬天伐有关的人。

这个叫作姜眠禾的少女，脸上带着普通闺阁少女所没有的傲意。

她轻启朱唇道："我将会是安知鱼的未婚妻。"

"将？"

姜眠禾听到这个问句，硬气的堡垒顷刻崩塌。

"对，我现在还不是他的未婚妻。当年帝女天伐早夭，他安知鱼一心痴付不谈嫁娶。但他在安老夫人去世前，答应了十年之期。十年后，他若求而不得，便与我姜氏联姻。"

姬沉鳞心一惊："人都死了。他还求什么？"

姜眠禾凄然地笑了一声："是啊，人都没了。他到底求什么？我知道我现在没资格说什么，也没资格做什么。我只是希望这最后两年不再出什么岔子。"

"这是你们的事，我又如何保证你们的婚事不出岔子。"

姜眠禾挑起眉，将鲛纱又递过来一些，说："很简单，只要国巫大人，不要让安知鱼见到你的模样。"

不见便不念，不念便相忘。

姬沉鳞没有再说什么，接过玄色的鲛纱，覆在了面上。

姬沉鳞这么做倒不是因为理解，反而是一种不能理解的同情。

作为一个比人类长寿许多的异兽，她不能理解短短几十年寿命的人，到底出于什么样的勇气，而轻易错付十年。

简直是傻子。

安知鱼是，姜眠禾也是。

姜眠禾看着姬沉鳞遮上了那熟悉的面孔后，舒心地笑了起来："谢谢你。"

姬沉鳞摆了摆手，说："这倒不用谢，先说说你要怎样帮我回朝吧？"

"我父亲是当朝御史，向陛下进言重新迎回国巫并非难事，但是需要一个理由。"

"理由？"

姜眠禾点了点头，发髻上的雀鸟金簪像是活了一般，颤颤地振着翅膀，她说："一个你为什么会长得这么像帝女天伐的理由。"

姬沉鳞的脑子里闪过无数念头，却没有一个可以说得出口。姬沉鳞忽然变得很愤怒："长得像要什么理由？能有什么理由呢？"

姜眠禾没料到姬沉鳞反应这么大，忙安慰道："毕竟这个世上不可能有那么相似的两个人，必须要有一个交代。"

"可我不是人，帝女是人。若说有什么理由，那大概就是天意吧。"

本来一脸淡薄的宋迟苏在听到"天意"这两个字时，猛地一顿。

宋迟苏开口道："哪有什么天意，国巫大人跟帝女必然是没有什么联系的。我听闻昆吾异兽只有在来到人世时才会化为人形，但昆吾远离人世，很多异兽并不知道人到底是长什么样的。所以会先看一眼人的模样，然后再依着看到的人的模样幻化出人形？"

"是，是这样。"

姬沉鳞回想起那座远离人世的山，山下是波澜广袤的深海，而山上是一群异兽。一群誓不为人的异兽。

昆吾山上的异兽很少下山，在山上的时候也总是他们原来的模样。唯有昆吾山主人终年为人形，异兽们若要进入人世，就需要去找昆吾山主人，昆吾山主人会在异兽幻化为人形模样时给出指引。

宋迟苏像个循循善诱的师者，他缓声道："那你有没有见过帝女的画像之类的？"

姬沉鳞本能地想要摇头，最终却开口说："是的，曾经在昆吾山主人的书房里见过，可能年岁久远，我自己都忘了。你这么一提醒，我才有印象。"

姬沉鳞说得诚恳，但只有她自己知道自己说得口不对心，她的样貌确实不是因画所生。但真正的理由她却不能说，这个秘密此刻只能烂在姬沉鳞的心底。

宋迟苏给了一个台阶，姬沉鳞顺势而下，姜眠禾也满意地点点头："我回去让父亲向圣上进言解释，三日之后，将迎姬大人重新回朝。"

一个谎言，让大家都得到了最合适的答案。

姬沉鳞微微笑了起来，而宋迟苏却淡然如水，好像他在这场谈话中从未说过什么，也从未做过什么，与昨晚情绪失控的宋迟苏判若两人。

姬沉鳞站在宋迟苏身侧，恍若不经意地问："你怎么这么肯定我跟帝女没有关系？"

宋迟苏掸了掸衣袖上的花与尘，轻声道："帝女早已不在人世。"

宋迟苏说得坚定，但越坚定，姬沉鳞就越疑虑，宋迟苏和他的禁地像是一个无人窥知的巨大秘密。

四、"我不是姬天伐！"

宋迟苏每日都会出去修行，草庐又小得很。百无聊赖的姬沉鳞躺在了草庐里的梨花树下，梨花已经开苞，看得姬沉鳞有些欢喜。

忽然听到草庐外面有人马嘈杂声，竹邑在门口有些无奈地喊着："我家公子不在，大人这样是何苦啊。"

姬沉鳞从石榻上爬起来，往外悄悄地张望。她刚在门口探出一个头，就猛然听见一声："国巫大人。"

姬沉鳞认出门外正是当日满国都找她的少年宰相安知鱼，一想到这几日来的各种麻烦都跟这个安知鱼有关，姬沉鳞整个头都要炸了。

"竹邑，帮我挡挡！"

"竹邑，你去请你家公子回来吧。我跟国巫大人有些事情要谈。"

姬沉鳞只能眼睁睁地看着竹邑走了出去，走的时候朝姬沉鳞露出了一个极度同情的表情。

安知鱼挑眉一笑，施施然拱手道："国巫大人。"

安知鱼和宋迟苏是两个完全不同类型的"绝世无双"：一个家世显赫却遁入空门心无一物，一个少年成名桀骜不驯。在姬沉鳞看来，纵然安知鱼眉目如岚川，却仍旧有股掩不住的戾气。

姬沉鳞还穿着下山时穿的那件单薄的翠色春衫，滚过泥沙落过水，站在白玉长冠的安知鱼面前竟然有些局促。她讪讪地回了句："左相大人何事？"

"国巫叫什么？"

"……"

到处寻找自己的安知鱼，此刻面不改色地问出这么一句，姬沉鳞简直无言以对。按照人类的年龄计法，姬沉鳞实际上已经二十三岁，要比安知鱼大三岁。但安知鱼却比姬沉鳞整整高了一个头，这让姬沉鳞的愤怒忽然没有了气势。

幸好这时竹邑气喘吁吁地小跑过来，身后是清风不扰片叶不沾的宋迟苏。

宋迟苏笑着介绍说："知鱼，这位是昆吾姬沉鳞，未来的国巫大人。"

"还是喊我安大人吧。"安知鱼的语气漫不经心，但早熟的眼神间却含着谁都看得出的放肆戾气。

他旋即又望着姬沉鳞道："姬大人何故戴着鲛纱？"

"我乐意。"

姬沉鳞听着安知鱼带着侵略性的语气，仿佛本能一般言语带刺地回了过去。

竹邑站在一旁，吓得眉心出汗，忙弓身道："大人们先进茶亭喝杯茶吧。"

安知鱼没有答声也没有拒绝，径直往梨花树旁的茶亭而去，看得出安知鱼对宋迟苏的草庐十分熟悉。

"知鱼，你怎么会来这里？"

宋迟苏固执地唤安知鱼为"知鱼"，像是唤宠爱的弟弟那般。安知鱼也没有再反驳，只是有些不悦地皱了皱眉。

"来求我所求。"

姬沉鳞咬着瓷杯，看着宋迟苏和安知鱼两个人你来我往地打着哑谜，有些恼，"啪"的一声，把杯子给拍桌上了。

"宋迟苏问你怎么会来这里找我，你找我干吗？"

"你倒是宋迟苏肚里的蛔虫？"

安知鱼十分擅长挑眉轻笑，也笑得绝世无双，但那笑意里却含着赤裸裸的轻蔑。

宋迟苏为安知鱼和姬沉鳞又倒了一杯清茶，温和地说："是的，你怎么会到我这里来寻国巫大人？"

"你知道吗，姬天伐以前只要有事，她就会到处找你。"

"国巫大人不是帝女。"

"我不是姬天伐！"

安知鱼没有任何正面回应，只是用修长如梅骨的手弹落了袖口的梨花说："你知道姬天伐以前最喜欢什么花吗？"

宋迟苏没有回答，安知鱼像喝酒一样又喝了一口茶，笑了起来："是啊，你怎么会知道呢。她其实最不喜欢梨花了，太白了，有些太过凄离了。"

宋迟苏的脸上看不出表情的波动，只是静静地说："帝女已经薨逝八年了。"

"是啊，你从来都没有为她求过什么，生的时候没有，死的时候更是没有。宋迟苏，你说，你怎么配得上她？"

宋迟苏似乎一直都处在世外，但听到这一句，指尖一抖，极克制地说了一句："是。我对不起天伐。"

姬沉鳞看着宋迟苏那一瞬间的失控，想起那夜他的哭泣，忽然有些不忍与心疼。他是那样温和的男子，面对安知鱼的咄咄逼人不会回击，连躲避都躲避得仓皇。

亭外的梨花飘飘忽忽地飘进了姬沉鳞的茶杯里，在翠色的茶水间显得极为不协调。安知鱼才又说出了一个"天"字，姬沉鳞的怒意瞬间爆发了出来。

她猛地砸了那个初雨牧童的白瓷杯，砸裂在地上发出脆生生的响声。

"跟你说了我不是姬天伐，你是听不懂人话吗？"

安知鱼面上仍旧带着凛冽的笑意，端坐着问："哦？国巫大人何不摘了鲛纱再回答安某的问题？"

姬沉鳞当即将袖口卷了上去，幻化出蛟爪，吼道："看清楚，这是蛟爪，我是昆吾白蛟姬沉鳞，不是你们口中的什么帝女。我是异兽不是人，懂吗？"

我是异兽，不是人。

你们这些高居于上的"人"怎么会懂？

姬沉鳞几乎是愤然离席，宋迟苏和安知鱼仍旧坐在亭子里温和地喝茶，不惊不扰像两尊法相森严的修行者。

从头到尾，他们所带来的喧嚣、他们所避的和他们所求的，都只是为了姬天伐，跟姬沉鳞一点关系都没有。

甩袖而去的姬沉鳞肩上落了一朵傲然的梨花，实际上，姬沉鳞也不喜欢梨花。

它长得像雪，嗅起来都有些凉薄的气味。

隐约听到身后宋迟苏念起了无关红尘的偈语，而安知鱼似乎带着笑意说："国巫大人，你我终究还是要共事的。"

说得极为客套和轻巧，但是字里行间仍旧弥漫着霸道的压迫感。

五、姜氏的威胁

三日过得很快，宋迟苏仍旧像是虚渺的空气，很少能见得到。只是在最后姬沉鳞将要归朝的时候，他温和而相距千里地站在一旁，似要道别的模样却更像是清冷地送客。

倒是前来的姜眠禾笑得欢欣："姬大人，我们都遵守了约定。"

姬沉鳞一副无所谓的模样，朝姜眠禾也笑了笑，说："下回别用这鲛纱了，我戴着都能闻到一股鲛人亡魂的气味。"

"不过是些水兽，国巫大人太过慈……"

话才出口，姜眠禾就意识到自己的话冒犯了同是水兽的姬沉鳞。

姬沉鳞听到这话却没有任何回击，只是垂目低眉地轻笑了一声，像是遇水化鳞的清脆击水声。但这笑里的寒意，让在场的姜眠禾，甚至宋迟苏都惊得指尖一冷。

姜眠禾忙道："请国巫大人移步登车。"

简朴的草庐外绵延着一列华丽的车队，姬沉鳞很快恢复了那种无所谓的面容，转身朝宋迟苏拱手道谢："多谢归尘宗迟苏主人，昆吾与姬沉鳞定不忘此恩。"

宋迟苏行了个修行礼，沉声说了句"不谢"。倒是竹邑没心没肺地站在宋迟苏后面，笑着朝姬沉鳞挥着手，姬沉鳞像个孩子一样回了个鬼脸。

跟着姜眠禾的姬沉鳞，看着车队，总觉得有些不对劲的地方。

果然，姜眠禾领着姬沉鳞避开了第一辆最为华丽的马车，径直走向了第二辆。

"国巫大人请。"

弯身进去，才猛然发现车内已经端坐了一个服饰华丽的中年妇人。

"姜小姐这是什么意思？"

"国巫大人，家母想见见您。"

车内燃着一根凝神香，那姜夫人闭着眼，手里握着一串念珠。姬沉鳞不明白，楚国为何会有这么多人信奉修行的神鬼之说，明明贪恋这红尘，还要去红尘之外求保佑。

姜夫人笑着睁开眼，欠了欠身："国巫大人好。"

"夫人好，不知在此等候姬某，所为何事？"

姜夫人一看便是深闺中隐匿的谋算高手，带着世族女子的含蓄，以及步步为营。她笑着问："国巫大人想必也听闻了上任帝女的事情？"

姬沉鳞现在一听到姬天伐几个字就有抵触情绪，她不想听到，不愿去接触姬天伐这三个字。但是姜夫人的礼数做得极为周到，姬沉鳞也只得坐着点头，听着姜夫人一步一步用各种看似无关紧要的话来阐述她的目的。

"帝女天伐的母亲您知道吗？"

姬沉鳞心下一惊，月嵘夫人。

"想必您也听闻，月嵘夫人姓姜。在帝女薨逝后，月嵘夫人遁入归尘宗内宗，再不问世事。姜氏一共出了四位帝女之母，但很可惜这四位帝女都早夭。楚国惯例新国巫归朝的第一件事情，便是卜测下一任帝女的诞生。"

姜夫人说的这几句话，似乎毫无逻辑，但姬沉鳞还是听懂了。

"您的意思是要我助你们姜家出第五位帝女之母？"

各大世族送女入宫为妃巩固家族势力是每朝都有的惯例，但成为妃还不够，若能成为帝女之母，便是上天选中的"栖神躯"。栖神躯的地位在后宫不亚于皇后，若诞下的帝女熬过及笄之劫，那太后之位便稳握在手。

原本前朝月嵘夫人在帝女薨逝后，仍可以在后宫中以副后的地位为姜氏一族巩固势力。但姜月嵘却偏偏选择了遁入空门，姜氏在这八年里没有找到新的权力依靠体，便有了逐渐衰微的迹象。

下一任的栖神躯，是姜家唯一的转机。

姬沉鳞掀起了车帘往外张望，不想做回应，过早地参与这种权力相争，到最后伤的往往是自己。

伤人者必自伤。

姜夫人握着念珠的手毫无滞缓，将车帘撩开得更大了一些，含着不明所以的笑意道："国巫大人，回宫的路可真是漫长和充满变数啊。"

现在姬沉鳞才明白，姜眠禾大发醋意来找自己只是个引子，或者说只是他们整个计划中最可有可无的部分，最后卖个人情给姬沉鳞，再讨个便宜才是最终目的。

只是这便宜讨得太过像是威胁，让姬沉鳞浑身不自在。

民间传闻水兽有逆鳞，触之必亡。姬沉鳞作为一条蛟，也是有逆鳞的。威胁，大概就是姬沉鳞第一片逆鳞。

"姜夫人，这帝女之事，由天不由我。"

"上天的话我们都听不懂，这上天说话不是还得姬大人您复述给我们吗，在栖神躯这件事上，您不就是……天？"

姬沉鳞含着克制的怒意回答道："倘若我真有姜夫人您认为的那么大能耐，我也就不怕天谴这一说了。"

姜夫人笑着高声"哦"了一声，马车行得很快，她又笑得诡谲，像是披着佛陀像的修罗。

姜夫人还笑着递给了姬沉鳞一颗青枣。

"国巫大人尝尝这人间的果子。"

姬沉鳞虽为异兽，但对这种局面仍旧有些发怵。荒山野外，自己与一群有备而来的人，怎么想，都似乎不怎么容易脱身。

猛然间马车骤停，姬沉鳞一个没坐稳就往前撞了过去，丢落了手里的枣子，砸在了姜夫人的脸上。

姜夫人抚着散了的发髻，有些愠怒，问道："怎么回事？"

"夫人，好像是左相的车队，拦住了去路。"

姜眠禾原本是窝在马车的一角，好像听不见自己母亲与姬沉鳞之间的密谋。但一听到"左相"两个字，便立刻坐直了起来，眼睛里仿佛含了星光。

"停车。"

但姜夫人却皱了眉头，暗自嘀咕了一声："左相怎么这时候来？"

在这场即将开战的权力筹谋中，新的栖神躯、新的帝女，明显比自己女儿的爱恋更为重要。姜夫人按住了激动的女儿，但姬沉鳞却像是遇到救星一般，一脚踢开了车门，逃出了狭隘逼仄的空间。

安知鱼昂首坐在马上，桀骜地笑着。

姬沉鳞心里一万个不情愿，权衡了利弊，最终还是十分狗腿地笑着问：“哟，这不是左相嘛，真巧啊。”

“国巫大人不生气了？”

姬沉鳞仰头看着安知鱼，心想这安知鱼不是宰相吗，宰相肚里不是能撑船吗？这安知鱼肚里怎么连条小鱼都放不下，这时候还得记得几天前她摔杯子的事。

刚想再说些什么，就听到身后一声甜甜的叫唤：“知鱼哥哥。”

果然姜夫人还是没能按得住一个怀春的少女。

姬沉鳞已经竭尽所能地在脸上显露出求救的表情，但是安知鱼仍旧没有看她一眼。姜夫人掀起了帘子向安知鱼微微行了个常礼：“不知安大人此行是为了何事？”

姜眠禾的脸不自禁地飞起了红霞，满怀期待地望着安知鱼，盼望着他能说一句“来找眠禾”。

但安知鱼不知道是后知后觉还是装作看不见，毫无回应，反而朗声道：“我来接未来的国巫大人。”

姬沉鳞的心中立刻闪过了三个字——大恩人！

虽然安知鱼的眉目还是含着无法捉摸的戾气，但是此时此刻姬沉鳞心中充满了感激。

姜夫人筹谋了这么久的计划，不可能这么轻易地就让其功亏一篑，她笑着说：“安大人，家夫已经在朝堂上禀明了姬大人的情况，我们也备下了车马，何须再劳烦大人。”

“哦，禀明了情况？可姜大人向圣上禀报的可是五日后将国巫大人迎回朝。这还有两天，不知安大人和姜夫人是什么意思呢？”

安知鱼是笑着问这句话的，鲜衣怒马，少年得意，但那笑分明不像是一个少年的笑，笑得莫测而令人胆寒。

最胆寒的自然是姜夫人，她心一惊，甚至有些不明白自己为何会被这个比自己年轻几十岁的少年宰相吓到，她强撑着笑意道："家夫是想先让国巫大人熟悉一下国都的生活，再进朝。"

"哦？姜夫人真是考虑得周到，想必圣上考虑到姜氏一族忠心，定然不会以欺君之罪怪罪了。"

姜夫人一听到"欺君之罪"四个字，手中精致的念珠顷刻断裂，噼里啪啦地落了一地。姜眠禾这才明白安知鱼这一番话的意味，又羞又气，自己的准未婚夫竟然在外人面前丝毫不给自己、不给姜家面子。

姜眠禾涨红着脸问："安知鱼，你什么意思？"

安知鱼全程都是笑着的，却又是居于高处拒人于千里的，甚至对待面前这个痴心于自己的少女也是这番模样。他笑着道："我的意思是，国巫大人还是跟着我回去熟悉国都生活，免得圣上误会了姜家，以为姜家要靠国巫做些见不得人的事情。"

姜夫人语噎。

姜眠禾气得脸更红了，硬生生地从牙缝里挤出两个字："不行！"

"不行吗？国巫大人，你说是行还是不行呢？"

姬沉鳞扫了扫姜氏母女气得发白的脸色，内心简直翻江倒海。

本来姬沉鳞上了姜家的车，是骑虎难下，可安知鱼这一搅和，简直像是在老虎屁股上踹了一脚，她再不下虎就要被老虎给生吞活剥了。

"行行行，这样自然是好的，也不必多劳烦姜夫人和姜小姐了。"

"还是不行！"

安知鱼脸上有了些许不耐烦的愠色："为何还不行？"

"因为……因为国巫大人是女眷，跟着知……跟着安大人多有不便。"姜眠禾的脸涨得羞红，甚至含着一点哭意。

安知鱼听完，仿佛一点都不解风情一般，嘴角轻扬，笑道："国巫大人是昆吾白蛟，可不是什么女眷。"

姬沉鳞忙不迭地点头："是是是。"

姜夫人抖了抖袖，敛了面容道："这样也好，多谢安大人代劳。"说完便拉着情绪尚未平复的姜眠禾上车离去。

姬沉鳞站在一旁赔笑看着姜氏母女的车队离去，安知鱼在一旁笑意盈盈。

姬沉鳞忽然觉得自己是下了虎背又进了狼口。这一来一回间，自己连做个少女的资格都被剥夺了。

"安大人，那可是你以后的未婚妻，你这样可真是要孤独一生啊。"

安知鱼扯了缰绳将马转了个头道："未婚妻？我跟姬天伐的十年之约还没到呢。"

姬沉鳞忽然有些心疼安知鱼，按照说书人所说，姬天伐去世时安知鱼不过还是一个孩子。这执念却硬生生地穿心透骨，执念了整整八年，她叹了一口气劝道："别等了，等不到的。"

安知鱼忽然弯了腰，定定地望了姬沉鳞一眼，沉声道："那你是什么？"

一听这话，姬沉鳞立刻又炸了。

"真是！我是昆吾白蛟姬沉鳞啊！我都说了几百遍了我不是姬天伐了，你这人怎么这么固执啊！你喜欢的姑娘是人啊！不是长着鳞片的蛟啊！"

"我可不管她是人还是什么，是姬天伐就行。"

世人怎么会明白，无论是什么，只要是姬天伐就行。

唯有在这件事上，对安知鱼来说——百无禁忌。

姬沉鳞刚想继续说些什么，却发现哪里不对劲。安知鱼的马队居然就自己往前走了！

"喂，没有我的马啊。"

"是啊，的确没有你的马，跟着走吧。"

"……"

真是蛟落平阳被鱼欺。

还是被小鱼欺。

宋迟苏的草庐在国都的城郊，离国都只有半个时辰的路程，但这半个时辰却把姬沉鳞走得腰酸背痛。

望着前方还有极长的一段山路，姬沉鳞喘着粗气说："安知鱼，你不给我马，我能不能变成蛟身飞回去啊？"

安知鱼扯着缰绳头也不回地回了句："不行。"

"为什么？"

"会吓坏别人的。"

看着安知鱼完全没有停下的意思，姬沉鳞直接上去就拽住了马的尾巴："我说你这小孩子怎么这么不懂事儿呢，我是国巫，给匹马很难吗？"

安知鱼这才扭过身来，笑道："一条蛟骑马？会吓到马的。"

"你！"

"姬大人不是昆吾护国兽吗，这么点体力都没有，怎么护国？"

姬沉鳞一愣，仿佛秘密被人戳穿一般，一时语噎。况且比起嘴上功夫，她根本不是安知鱼的对手，只能又气愤地用力扯了马尾巴。

但那马却真的被吓到，长嘶一声，抬起后腿就朝姬沉鳞的胸口踢了下去。

当时姬沉鳞心里闪过的念头是，完了。

护国兽实际上分文兽与武兽两种，而这百年来大多都是勇猛的武兽，而姬沉鳞是文兽。

一个天生有骨疾的护国兽。

但安知鱼不知道。

安知鱼的马是匹好马，马蹄铁更是上好谷岚山寒铁。一蹄子上来，倒地的姬沉鳞就听到自己的脊骨，"咔嚓"一声，像脆玉击地。

等安知鱼反应过来的时候，已经晚了，姬沉鳞的眉角与手已经开始蔓延出白色的鳞片。这不是姬沉鳞自己要化为原形，而是修为受损，无法维持人形。

"姬天……姬沉鳞!"

安知鱼翻身下马，刚扶到姬沉鳞的腰，却发现姬沉鳞的脊骨几乎都断裂了，整个身躯无力，柔软得令人害怕。

姬沉鳞神志渐渐涣散，她隐约听到有人在身侧疾呼，喊着："不要死，不要死。"

她还听见风声，看见火光，看见巨大的犹如地底洞穴的空坟。

寒冷，彻骨的孤戚与无妄。

第二章　入朝

一、拒绝回到山林的鹿

姬沉鳞醒来的时候，发现自己被严严实实地绑了起来，背后是固定用的木板，她就这样变成了一条僵硬的蛟……

一个须发皆白的老者坐在门口，晒着太阳捣着药。

在这样一个完全陌生的环境里，姬沉鳞全身被固定动弹不得，下意识地就去寻找安知鱼。

按照姬沉鳞在昆吾山听的那些才子佳人的话本，安知鱼这时候应该满眼充血地守在床边，对姬沉鳞表达深切的歉意。

但是姬沉鳞僵硬地转了几圈眼珠子也没有看见安知鱼。

那老者捣完了药，端着一碗青绿色的黏稠药汁走了进来，看见姬沉鳞醒来，云淡风轻地说了句："醒啦？"

刚准备问老者是谁的时候，老者径直朝床头走来，朝姬沉鳞的里侧喊了句："小不死的，快起床，她醒了。"

姬沉鳞整条蛟都受到了惊吓，她艰难地扭动着脖子，看见面如冠玉的安知鱼裹着被子，就睡在自己的身旁！

"喂，安知鱼！虽然我是条蛟，但是我现在化为人形了啊，我是个少女啊！"如果姬沉鳞现在能活动，一定一爪子把安知鱼拍下去，但可惜的是她现在被绑得结结实实的，是一条僵硬的蛟。

她只能眼睁睁地看着安知鱼轻松地揉了揉眼睛，跳下了床，道："老鬼这里只有一张床，难不成让你这个病人睡地上啊。"

"……"

对于安知鱼的无赖，姬沉鳞真是一点办法都没有，只能暗自腹诽：这种时候他不是应该睡地上吗？

老者不断地往那碗绿色的黏稠药汁里加着各类粉末，药汁变得越发黑稠。

"我都跟你说了，死不了是不是，你还不信。不过她以后啊，肯定还是得断。"

安知鱼用一根绯色的发带简单地扎了头发，接过了老者手中的药汁，回说："说我小不死，你还不是老不死。这好歹也是你的接班人，你就忍心看她骨头断得像根面条似的？"

姬沉鳞一听到"接班人"三个字，立刻猜到了眼前老者的身份："老国巫大人？"

老者再转身过来的时候，额头上已经多了两个鹿角，鹿角上缠着繁盛而青翠的藤蔓，藤蔓的深处还幽然开出了一朵小花。他慈祥地看着姬沉鳞说："到底是文兽，脑子就是转得快。"

姬沉鳞在来楚国前，学习了历代护国兽的生平。此中爱恨正邪繁多，有于战场万具尸骸中救女帝的护国尊兽，也有化成妖兽为祸十年的护国妖兽。这些护国兽或者说国巫，大多有着波澜壮阔的生平。

但眼前这位老国巫鹿刃，在昆吾的记载上原是一位斗志昂扬的战鹿，却在入仕短短几年后迅速消弭，成了一个只醉心于草药的、真正意义上的"巫"。

按照惯例，入世的老国巫将楚国国巫的职位交接给新的国巫后，将回到昆吾修行直至终老。但鹿刃也是唯一一个拒绝回到昆吾的国巫。

作为一只鹿，拒绝回到山林。

鹿刃望着姬沉鳞又接着感叹："真是年轻啊，听昆吾那边说你只修行了八年？想我当年入世时可修行了八十年哪。不过也是因为你道行短，才这么容易受伤。"

安知鱼心急地问："老鬼，她的骨头什么时候能长好？"

"十天左右，但是得悉心护着。"

安知鱼垂目低眉用勺子搅匀了药汁，极轻柔地半扶起了姬沉鳞，沉然道："张嘴。"

姬沉鳞下意识地张嘴，才忽然发现覆在脸上的面纱已经不翼而飞。

"安知鱼，我的面纱呢？"

姬沉鳞动弹不得只得用丰富的面部表情来表达自己的无奈和愤怒，但安知鱼直接一勺子药汁塞进了姬沉鳞嘴里，堵上了她的嘴。

"不拿掉，难道隔着那破面纱给你喂药吗？"

姬沉鳞含着极苦的药汁，脸上拧巴得像是要哭出来一样，但看着安知鱼忽然冷冽下来的脸，又生生咽了下去。

"不过，回朝后，你还是戴着面纱吧。"

"为什么，就因为我长得像帝女天伐吗？"

安知鱼低眉沉默了片刻，才又开口："不，你不是像。你和姬天伐长得一模一样。"

一模一样？

姬沉鳞面上与心中俱是一冷，她这些天遇到的这些事都说明——长得和姬天伐如此相像不是件好事。

安知鱼言罢，鹿刃像一个年迈的老人那样叹息了一声："小鬼崽子，有些东西没了就没了。你自负绝顶聪明，却痴妄多年啊。"

安知鱼没有反驳，只是淡淡地笑着，用白瓷的勺子把黏稠的药汁细细地搅拌均匀。鹿刃轻叹了一声，收拾收拾捧着药罐离去。

姬沉鳞有些尴尬，想把自己的脸遮起来，却又动弹不得。

安知鱼目光灼灼，但眼神里又带着捉摸不定的缥缈，像是在看山又像是在看水，眼睛里绵延着最简单的青山绿水。

但是，那山那水里映着姬沉鳞的影子。

安知鱼只是在看姬沉鳞。

"你知道吗，我不信他们。"

安知鱼像个孩子一样，说完悄悄话，极认真地笑了起来。

姬沉鳞背上连着脊骨的鳞片一阵刺痛，她闭上了眼睛，安静地躺在床上。姬沉鳞有些心疼安知鱼，他那样执着地守着无妄，执着得让她都不忍心再次摇头。

鹿刃的屋子外也种了一棵梨花树，像是落了一树白雪，又像是一个人的白头。

二、"孩子，做一个问心无愧的国巫。"

鹿刃每天早上会去屋后的竹林里采一捧鲜笋回来，有时候煮一碗笋汤，有时候炒一盘笋尖，但又不吃，只是放在桌上空摆了一双筷子，等到晚上又拿出去倒掉。

姬沉鳞问鹿刃怎么不吃，鹿刃避而不答，只是笑着摇摇头。

第十五天的时候，姬沉鳞虽然不能起床，但已经能幻化出蛟身自娱自乐。鹿刃坐在门槛上捣着药，两只护国兽……都很无聊。

鹿刃便开了口："白蛟丫头啊，其实那小鬼崽子就是嘴巴毒，心不坏的。那天你骨头断了昏过去，是他一路抱着你跑来的，生怕车马颠簸，又给你颠断几根骨头。我这儿又在山里，到这儿的时候两只手都抽筋了。"

"我知道，他不坏，我只当他是小孩脾气嘛。"

鹿刃乐呵呵地笑了起来："你说的这话要是被他听到那你就惨了。只是因为你长得太像帝女天伐了，但又不是帝女。安知鱼难免有些……"

姬沉鳞明知故问："您这么肯定我不是姬天伐？"

"帝女天伐仙逝很久了。没了就是没了。"

"您知道帝女天伐是怎么死的吗？不是说帝女天伐已经快过了及笄之劫吗？"

"我不知道。"

鹿刃忽然缄默，不再回答。气氛一下子有些莫名的尴尬，姬沉鳞忙挑起了别的话头问："您不做国巫了，怎么不回昆吾呢？"

鹿刃一愣，沉默了许久才答："因为这里是我的家。"

姬沉鳞脱口就问："家？您在昆吾待了几十年，昆吾不算是家吗？"这是她第一次从一个异兽口中听到这样的话，把人世当成自己的家。异兽与人，从来相安无事也从来互不相交。

"不是住在哪里哪里就是家的，得有家人得有挂念。"

"您在楚国有家人？"

鹿刃的药杵很有节奏地在药臼里捣着，像是一首古老而绵延的安魂曲。鹿刃点了点头说："是，我以前有个儿子。他特别乖，也聪明，学什么都一点就通。他很喜欢这宅子后面的竹林，所以我就把这里买下来了。每年春天竹笋一个个地冒出来，好看又好吃，可惜……"

鹿刃没有再继续说下去，他的笑容慈祥又哀伤。听到他说"以前""可惜"，姬沉鳞就会想起鹿刃每天都会倒掉的那一碗鲜笋，不再追问下去。

姬沉鳞想，或许鹿刃遇到了一个令他心醉的女子，那个女子给他生下了一个可爱的孩子，也许发生了什么，让他的家变成了可惜，让他再也不愿离去。

鹿刃窗外的这棵梨花树，跟宋迟苏草庐里的那棵十分相似，看起来也像是同时期栽种的。姬沉鳞有些好奇地问："老国巫大人，这棵梨花树很特别啊。"

鹿刃一愣，沉默了许久才答："为了纪念帝女天伐种的，好歹，是当年我卜算的栖神躯。她诞生的时候，浑身沐浴在北极光的光芒中，真的是神赐的帝女……可惜啊！这个王朝的帝女都是诅咒啊！"

"都是诅咒"这几个字让姬沉鳞惊出一身冷汗，这个说法在民间相传也就罢了，居然连老国巫都这么直接地把诅咒说出了口。

门外响起车马声，鹿刃语气换得极快，像是从来没有与姬沉鳞谈论过帝女天伐一样，絮絮叨叨地开始说："拆了绷带以后这个药还要再喝一个月，要细细研磨，不能长也不能短……"

姬沉鳞忽然意识到，鹿的警觉与迅速伪装有多么可怕。

安知鱼从门外抚扇而来，带着孩童气的不耐烦："老鬼，你真是越老越唠叨了。这些我都记下了，我不会让你的继任者那么容易死的。"

鹿刃无奈地笑了笑，把早已经准备好的草药一包一包地装好。

安知鱼笑意盈盈，朗声道："国巫大人，归朝了。"

姬沉鳞有些艰难地被扶了起来，面上也欢欣地笑了起来。但"归朝"这两个字，却在她的心头掀起了惊涛骇浪。

她是海，平静中埋藏着波澜。

"这个不用带了，带上这些药就可以了。"

安知鱼指挥仆众收拾姬沉鳞少得可怜的行李。姬沉鳞坐在梨花树下，鹿刃悄无声息地站在了她的身后，用昆吾山的兽语说："姬沉鳞，你在卜算栖神躯前，单独来找我，单独来。"

鹿刃特地强调了"单独"两个字，姬沉鳞警觉地反问："什么事现在不能说吗？是特地不能让安知鱼知道的事吗？"

"是。是安知鱼不能知道的，关于楚国历代帝女的秘密。你将是这个帝国的国巫，也是这个帝国的守护者。你有权力，同时你也有责任背负一些秘密。"

姬沉鳞发现只要一提到帝女，鹿刃的脸色就会非常难看。姬沉鳞似乎已经找到了一点阴谋的影子。

"你和安知鱼那样交好，为何关于帝女的一切都要瞒着他？"

"他才活了多少年啊，他还有多少繁华没有看过。他不该被一个'求不得'羁绊，有些事情，他不知道反而更好些。"

因为鹿刃和姬沉鳞是用人类听不懂的语言在交流，此时安知鱼还站在窗前茫然无知地朝姬沉鳞笑了笑。

姬沉鳞骤然有些心疼。

姬沉鳞在这个帝国中所遇到一切人和事都与帝女天伐有着关系，但每一个人都讳莫如深，除了安知鱼。

他怀着赤子之心，从头到尾都只为着姬天伐一个人，却也是唯一一个什么都不知晓的人。

安知鱼所谓的收拾行李，不过就是搜刮了鹿刃的一大堆珍贵药材。车马停在外面，姬沉鳞被扶上车，还能隐约听到鹿刃和安知鱼在笑着斗嘴。

"你个老鬼穷尽这天下的珍药，我不过才要你这么些，这么小气。"

"嘿，你这小鬼崽子。你这样给姬沉鳞补，小心补出一身火气来，到时候又流鼻血又呕血的你可别来找我老头子。"

两个人爽朗地笑着，马夫扬鞭开始吆喝。

忽然听到鹿刃用兽语遥遥地朝姬沉鳞说："孩子，做一个问心无愧的国巫。我老了，再也赎不了这辈子的罪孽了。孩子，多保重。"说得诚恳又哀切。

姬沉鳞上了车问安知鱼："鹿刃以前有过妻子儿女？"

"鹿刃曾跟我提到，他有过一个儿子，说他儿子十几岁的时候去参军。但这是前前朝的事情，他说得含糊，我也不是很清楚。"

前前朝，那便是姬天伐父皇那一辈的事情了。异兽活得远比人类长，看多了风景也见多了生死和沧桑，想来鹿刃的儿子没能抵得过那么长的岁月吧。

姬沉鳞只是不明白鹿刃为什么要说自己背负罪孽。姬沉鳞再回头的时候，看到鹿刃已经转过身去，只留下了夕阳中一个瑟瑟飘零的背影。

仿佛这是一只对山林有愧的鹿。

三、"只希望，宫中想见的是我姬沉鳞而不是姬天伐。"

车马行得很慢，到了国都，天已尽暗。

"安知鱼，我有专门的府邸的吧。"

"自然是有的。"

"那你为什么把我带到安府来？"

姬沉鳞透过纱幔隐约看见马车停下的大宅前的匾额上，写着"安府"两个大字。

"把一条瘫痪的蛟，独自扔到国巫府？"

瘫痪的蛟……姬沉鳞作为地位显赫的下一任国巫，居然被说成一条瘫痪的蛟，真是一口老血涌上喉头。

姬沉鳞轻轻地吸了口气，摸了摸自己已要愈合的伤口回答："安知鱼，我们昆吾一宗跟你们人是不一样的，我们所承担的职务不是与你一样的世俗官位。我们需要去承启天命，我的道行不比其他国巫，我需要更长的独处时间……"

"更长的独处时间，来和天地对话是吧。"

姬沉鳞缩在马车的里面，闭着眼睛，不发一言。

安知鱼在车外接着说："那好吧，我送你去新的国巫府邸。"

紧闭着双眼的姬沉鳞差点就没憋住笑，自己随便编的大瞎话，安知鱼居然也信了。姬沉鳞觉得自己的才智以绝对优势碾压了当朝最聪明的人。那一瞬间，她都被自己折服了。

但姬沉鳞还是装得非常矜持，仍旧静默无声地隐在阴影里，强忍笑意点了点头："左相，果然绝顶聪明。"

但姬沉鳞心里想的是：我姬沉鳞真是比绝顶聪明还要更聪明。

马夫又扬起鞭，吆喝了起来。

姬沉鳞刚准备小憩一会儿，但还没躺好，就听到外面安知鱼沉声如玉道："姬大人，国巫府到了。"

"安知鱼你在逗我吗？马车根本还没动啊！"

"姬大人若是不信，自己下车瞧一瞧便知。"也不顾姬沉鳞错愕至极的面部表情，安知鱼就把姬沉鳞横抱了下来。

被抱出来的姬沉鳞，一眼就看到了一座古朴气派的大宅，还没有立匾，但是右侧已经有了国巫的图腾。

"我没骗你吧，的确是你的府邸。"

姬沉鳞一扭头，差点就想幻化出蛟尾，一尾巴甩在安知鱼的脸上。这国巫府的对面，就是——安府！

"安知鱼，你仿佛在特意逗我笑？你不需要解释一下，为什么这安府和国巫府离得这么近？"

安知鱼低头看着怀里的姬沉鳞，一副要跳起来打人的模样，无辜地笑了笑。

"哦，是这样的。宰相为国巫置办俗世府邸一直是惯例，前几天我看我对面二伯家的老宅很好，就帮你买下来了。"

真所谓魔高一尺，道高一丈。

但好歹不住在一个屋檐下，退而求其次，姬沉鳞也无可奈何地接受了。安知鱼把姬沉鳞放在内室的床上，便让府里的侍女侍从来见新主人。

姬沉鳞望着床上的青色绸被，以及站在一边的侍女身上都穿着上好的衣料，有些怔神，哪怕是对一个长得像姬天伐的存在，安知鱼也耗尽了心思。

安知鱼让一众仆人站在床幔前给姬沉鳞一一过目后，独留了一个侍女，领到姬沉鳞面前道："这是你的贴身丫鬟，以后你的起居就交给她了。"

那丫鬟穿着一身绯色的春衫，袖口绣了一只掠水的鸿雁。她望着姬沉鳞，泫然欲泣，欲言又止，最后行了个大礼："姬大人，奴婢名叫惊鸿，以后必当尽心侍奉大人。"

姬沉鳞看了一眼惊鸿，又望了望安知鱼，把头埋了过去，轻声道："知道了。退下吧。"

姬沉鳞简单地洗漱后就沉沉地睡去，醒来的时候，惊鸿已经捧着热水等在一旁。

"大人，你醒了？"

"我还没有醒透。"

惊鸿像个小孩子一样欢快地笑了起来。

没有睡醒的姬沉鳞一瞬间就醒了，忽然想起来这个叫作惊鸿的女子很有可能是安知鱼的内应。

"有什么好笑的，你怎么跟个小孩一样。"

"因为大人跟小孩子一样赖床啊。"

惊鸿把热水放在了床榻上，然后就自顾自地坐在了地上。她咂了咂嘴，又笑了起来："不过呢，大人现在起不起也无所谓啦，已经过了早餐时辰了。今天早餐是，鲜虾脆柳、粳米粥、白露汁……"边说还边一脸回味的模样。

姬沉鳞本来并没有什么感觉，但是听惊鸿这么一说，肚子十分不争气地就响了起来，越想越饿，越饿越气愤。姬沉鳞忽然觉得，安知鱼和安知鱼找的人怎么画风都那么清奇？！

姬沉鳞现在满脑子想的都是吃的，她强忍着饿意，别过脸去吩咐了一句："让厨房再帮我做一份吧。"

惊鸿站起身来，姬沉鳞安心地躺平等着吃早饭。

结果现实却不是姬沉鳞所想的那个模样，惊鸿起身拍了拍屁股，十分淡然地说："府里没有厨房。"

伤势快要痊愈的姬沉鳞整个人鲤鱼打挺，准确地说，是蛟打挺就坐了起来。

自己作为一个国巫，居然一早醒来，没有早饭吃！

简直惨绝人寰。

"你说什么？没有厨房？"

一个没有厨房，不能制作美食的宅子算什么大宅子！

惊鸿又重新端着热水走了过来，十分认真地点了点头，又道："嗯，是的，因为国巫府准备得很仓促，还没有厨房。大人你快点梳洗吧，不然又赶不上午饭了。"

姬沉鳞简直惊呆了，掀开被子就想抓着惊鸿问个清楚。被子才掀了一半，她就被一只手猝不及防地按回了床上。

"国巫大人，你又乱动什么？"

一抬头，是安知鱼。

虽然安知鱼笑着，但是手下一点没留情，捉小虫般，用力地把姬沉鳞又塞回了被子。

姬沉鳞更饿了，一饿就更加没理智，缩在被窝里打滚："我当然要动，我要吃饭，我要吃饭，我要吃饭！你是不是故意不给我准备厨房的？你是不是准备虐待我？"

安知鱼毫不客气地坐在了床边，压住了姬沉鳞乱甩的脚。他望着姬沉鳞，特别认真地摇了摇头："不啊，虐待动物不是我的作风。"

姬沉鳞差一点就要爆粗口了，但是姬沉鳞的作风是君子动手不动口，能动手打的绝不废话瞎啰唆。所以姬沉鳞迅速地幻化出了蛟尾就朝安知鱼脸上甩了过去。

但安知鱼就是安知鱼，他面不改色心不跳，弯腰拎起了一个食盒，笑着问："还吃不吃饭了？"

面对食物的姬沉鳞，终于屈服于恶势力之下，摇了摇尾巴……

摇了摇蛟尾巴……

惊鸿在一旁没忍住，扑哧一声笑了出来。安知鱼也低着头浅笑，从食盒里拿出各色菜肴，默然无声地给姬沉鳞布菜。

惊鸿作势要接过安知鱼手中的碗，说："我来喂大人吃。"

安知鱼温和一笑，沉声道："我来吧。"

连惊鸿都看得出安知鱼的笑意中不带任何戾气，仅留了温柔。

但姬沉鳞却不这么想，姬沉鳞再一次觉得自己被安知鱼的智商碾压了。本来以为在自己的府邸里能离安知鱼这个捉摸不透的宰相远一点，结果安知鱼现在却成了自己的移动食堂，真是不服软不行啊。

但还是气不过，姬沉鳞硬撑着要爬起来，说："我又不是手断了，我自己吃。"

话才说完，却又被安知鱼摁回了被子里。

"要吃的话，就听话一点，不然我就回去了。"

"你回去吧，真的，我说的是真心话，在我这里陪我吃饭多浪费你的人生啊！你可是一朝宰相多少国家大事在等着你啊，把饭留下就行了！"

"呵呵！"

安知鱼冷笑了一声，吃不到饭的姬沉鳞瞬间硬气不起来，只好软软地缩在了被子里。

安知鱼拿出的菜里，有一盘小葱拌鸡丝和一碗姜丝红枣水。姬沉鳞一闻到味道，一皱眉："味道太重了，快拿走我受不了这个味道。"

惊鸿上前来下意识地就要端走小葱拌鸡丝，姬沉鳞一拧眉说道："我说的是生姜的味道。"

"你不是最爱……"

姬沉鳞再不答话，直挺挺地从床上爬了起来。从安知鱼手中夺过碗，闷头开始吃饭，大口大口地吃着葱丝。

筷子与瓷碗相击，在干净清冷的空气中，像是骤然而起的金戈之音，透着不安与怒意。姬沉鳞知道，安知鱼在用姬天伐曾经的口味在试探她。

安知鱼过了许久才又说话："过两日，就要进宫了。"

终究，她姬沉鳞从昆吾来，往楚宫去，是要真正地担起国巫这个责任的。

不管是繁华盛景，还是杀戮征途。

终究，这一切不可抗逆的命运还是如期而至。

姬沉鳞放下了碗筷，轻笑了一声，道："只希望，宫中想见的是我姬沉鳞而不是姬天伐。"

四、"陛下，这是楚国的国巫大人，不是您圈养的异兽。"

姬沉鳞进宫前一天的夜里。

新国巫入朝，楚国国都注定是一个不眠夜。

密室。

暗影里的烛火在顷刻间熄灭，只剩下珠玉碎响和衣帛的摩擦声音。

"姬天伐？"

"应该不是。"

长椅里的人不辨颜色地轻笑了起来，低声自语道："是啊，怎么可能是她，她早死透了。她啊，她这种……不，帝女就不该活在世上。"

寒意绞着冷笑声，硬生生地钻进了人的骨子里。

老国巫府。

老国巫坐在门槛上，默默地捣着药，想着给姬沉鳞交接完历任国巫与帝女的秘密，自己就算落下了一副担子。

药杵动得缓慢而机械，像是黑夜里一首嘶哑难听的歌。

但在这林叶簌簌声与捣药声间，忽然有刀刃寒光一闪。

浮欢殿。

"容妃娘娘，该休息了。"

妆容精致的容妃醉卧在无数酒杯之中，含着浓烈的酒气笑着。

"我啊，哦不，本宫好高兴，国巫册封，国巫卜算栖神躯。算起来，这辈子我又能再见他两次了。"

小宫女急得直哭，又不能直接上去捂住容妃的嘴，只能低声地劝："娘娘，您喝多了。别说胡话了，被闲人听去被嚼舌头就不好了。"

容妃轻笑了一声，带着清冷的轻蔑："我啊，我可没醉。我这辈子都清楚地记得他的名字，叫作……"

"皇上驾到！"

翌日，姬沉鳞还睡得迷迷糊糊的时候，惊鸿就已经来唤她起床了。

"大人，是时候上朝了。"

姬沉鳞翻了个身，闹着小孩子脾气，嘟囔了一声："太阳连个影子都还看不到呢，上什么朝。"说完又翻身睡了过去。

但还没闭上眼睛，整个人就从被子里被提了起来。

姬沉鳞苦着个脸，不用想都知道是安知鱼。

"姬大人，我觉得你现在快点洗漱穿好朝服，做一条端端正正的蛟。"

"我怎么就不是一条堂堂正正的蛟了！堂堂正正的蛟就不需要睡觉了吗？！"

"我觉得我现在提着的是一条扭来扭去的黄鳝。"

姬沉鳞哭笑不得。

带着起床气、陷于迷糊状态的姬沉鳞，脑子一抽就提了安知鱼的死穴，她半眯着眼睛，迷糊地喊道："你以前就这样对待姬天伐啊？"

安知鱼轻轻地把姬沉鳞放了下来，惊鸿捧着新的朝服大气不敢喘。房间里静谧得吓人，吓得姬沉鳞一下子醒了过来。

安知鱼从惊鸿手上接过姬沉鳞的朝服，道："姬天伐知道她什么时候该做什么，你不知道吗？"

姬沉鳞乖巧地开始穿衣服，安知鱼就站在门口背着手安静地等。晨光暗淡，但安知鱼穿着暗红色的朝服，像极了一团热烈的光。

姬沉鳞暗暗地想，安知鱼应该是在想姬天伐吧。想着他记忆中的姬天伐，想得那么欢喜与温柔。

一切收拾完毕，东方才微白。

惊鸿站在门口笑着跟姬沉鳞说："大人要努力哦！"

国巫的朝服一律是玄色暗绣宽袖长袍，国巫可按照异兽偏好选择绣线的颜色以及纹样。姬沉鳞为白蛟，近水，所以她的朝服上是银线绣水波纹。

宫城在远处，高傲地点起灯。

姬沉鳞的手脚皆凉，是紧张是惶恐，是她知道的逃不过，但又是激动是长久以盼，是她知道的最终去向。

御道很长，掌灯的小太监恭谨安静。姬沉鳞搓了搓手，决定开口缓和一下气氛："安知鱼，你要真是条鱼，配上你这件朝服，肯定是一条红色的大锦鲤。"

原本以为安知鱼根本不会理自己，结果安知鱼虽然头也不回地往前走，但仍不忘回了句："哦，你要向我许愿吗？"

"嗯，我要许愿。"

"我看起来像是很灵验吗？"

"对！这个你肯定会让我愿望成真的，我想许愿，就许国巫府能早日有个自己的厨房。"

安知鱼转过身来，笑了一下。

姬沉鳞一看见安知鱼脸上的这种笑容，就知道他又要耍无赖了！

果然，安知鱼笑了一声："很显然，我根本不灵验。你最好许愿，我最近有心情去给你送饭，不然你就自己去抓鱼吃吧。"

掌灯的小太监，弓着身子在前面哧哧地笑。

姬沉鳞也笑，毕竟能跟自己开玩笑的安知鱼，一定舍不得不给自己送吃的。

姬沉鳞以为，安知鱼对谁都是这样的，无赖地笑，肆意地开着玩笑。

但真正站在朝堂的时候，姬沉鳞才发觉自己忘了安知鱼身上那股戾气。一个少年宰相，立足于这刀剑无眼的朝堂之上，身上只带着寒意。

年轻的帝王姬天渊，面如冠玉，面色却掩在帝冕之后。他说："朕的护国兽。"

国巫通常也是楚国的护国兽，但护的是国，绝非帝王一人的兽。姬天渊这面带笑意的五个字，却将轻蔑表达得淋漓尽致。

姬沉鳞还未回应，安知鱼已经冷笑着，说了一句："陛下，这是楚国的国巫大人，不是您圈养的异兽。"

左相与君王针锋相对，剑拔弩张。谁都不是瞎子，但是刚登基两年的帝王却终究不敢跟安知鱼撕破脸皮，不敢和安知鱼身后的安氏一族翻脸。

姬沉鳞仔细地看了朝中各权贵的反应，宋氏一族居高临下护着君王，安氏一族文武皆站在安知鱼身后，姜氏一族不发一言静观其变。

面对这无声而又惊怖的战场，姬沉鳞跪伏下来。

"昆吾，姬沉鳞。"

姬沉鳞说的也是五个字，不卑不亢，却又极好地缓和了气氛。

姬天渊在帝位上，云淡风轻地笑了一声道："爱卿，一路辛苦。"

诸位大臣也迅速一致地祝贺，没有一个人问姬沉鳞为何戴着掩面的面纱，也没有一个人问当日姬沉鳞为何突兀地从朝堂上逃走，更没有一个人提起"姬天伐"这三个字。

默契地避让。

姬沉鳞僵硬地应付着众人的客套寒暄，安知鱼一直静默地看着她，不发一言，眼神却温柔。戾气与刀光全部都隐去，安静地守护着与姬天伐面目一样的姬沉鳞。

国巫入朝并没有隆重的仪式，就像普通的官员那样，君王赐予官衔，并将百年传承的八卦星盘亲手放在国巫的手上便算是昆吾与楚国交接完毕。

"姬大人，从此这楚国社稷就在您的星盘中了。"

姬沉鳞弓身道："臣，必以身佑国。"

人与异兽的契约就这样轻易地定结。

下朝的时候，姬沉鳞周围仍旧围着许多笑脸，而安知鱼周遭却空无一人，孤僻得厉害。

等到姬沉鳞一一向那些记不得名字和脸的官员道别后，偌大的宫墙下，空旷而寂寥，只留下姬沉鳞长长的影子和仍旧孤身一人在等姬沉鳞的安知鱼。

"哟，安大人，"姬沉鳞没心没肺地笑着调侃，"想不到你上了朝就变成一条高冷的尖牙鱼了嘛。"

"我觉得，不该再给你送吃的了。"

姬沉鳞不服地冲了上去："为什么？"

安知鱼头也不回地笑着说："你这官位比我高，现在吃了东西还有力气调侃我了，本官有些惶恐啊！"

"那你也不能虐待动物啊！我要去告诉鹿刃！告诉他你歧视我们，你虐待我们。"

安知鱼定定地望着跳起来的姬沉鳞，轻笑了起来："逗你而已。"

天光乍亮。

第三章 冤屈

一、"因为她恨姬天伐。"

每日，姬沉鳞都与安知鱼踩着星月去赴早朝。但实际上朝堂上的国巫是没有什么用的，朝臣们讨论争执的都是世俗政务。而她姬沉鳞，却只是一个尽天命不问人事的国巫。

而天命也将近。

根据惯例，国巫入新朝的第一个冬至，便是卜算栖神躯的日子。只有在那个时候，国巫才能成为真正意义上的国巫，而新朝才算得上一个完整无虞的新朝。

在卜算之前，姬沉鳞唯一要准备的事情就是与姬天渊的一众后妃相识。除了演算她们的生辰八字，还需要掌握她们的心性家世，算是"为神找到最好的栖身所"。

姬沉鳞记得那天从前庭步入后宫的时候，天气阴郁昏沉，一众宫妃都按照品阶位次坐在皇后的昌宁宫里，姹紫嫣红。

皇后宋云辞是宋迟苏的同宗表姐，十五岁就已经嫁与姬天渊，雍容自持，气度非凡。

宋云辞见到姬沉鳞的时候，从主座上起身相迎，极温和地握着姬沉鳞的手笑道："等了姬大人许久，快赐座。"

皇后身边的丫鬟立刻搬了软椅，放在了主座的旁边。

姬沉鳞受宠若惊，有些不好意思地笑了笑。

原本紧张的一众人看到国巫不过是与她们一般大的姑娘，都松弛了下来。

有宫妃说："说起来我们姐妹命真好，多少年没有碰到国巫大人是女儿身了，若要我们跟一个大老爷们相交，岂不是难受死啦。"

引得众人一阵哄笑。

"是啊，国巫大人看起来跟我们一般大，以后多来后宫走动走动，我们也像姐妹似的。"

"对啊，也给我们讲讲昆吾山是什么样子的。"

皇后闲适地侧倚在椅子里，笑着点头，刚想说些什么，门外环佩骤响，未见其人先闻其声："姜婕妤肯纡尊降贵跟异兽做姐妹成个兽妹妹，我们可倒还想做个人样。"

姬沉鳞听见这话，真是被惊到了。在这个步步为营的后宫里，居然还有人敢这样说话，简直字字含针，刀剑毕现。

皇后以下的宫嫔们全都起身行礼，虽然个个脸上都是僵硬的笑容，但也都恭敬地弯下了尊贵的膝盖。

"容妃娘娘吉祥。"

容妃容青芜是姬沉鳞所得到的后妃资料最少的一个，也是最让姬沉鳞好奇的一个。容青芜出身寒微，不在诸大家族之中。八年前，她成为姬天渊的侍妾，姬天渊登基后容青芜在后宫之中成为位次仅在皇后之下的容妃，八年来荣宠不衰，多有骄矜，对后宫众人没一个看得上眼的，当然后宫众人也没一个瞧得上她的。

容青芜面容稠艳，五官饱满，似乎每一处都能开出花儿来。穿的紫色长袖衫与其他宫妃的衣饰剪裁完全不同，阔大而行云流水，更显得容青芜超然无物。

其实姬沉鳞入世这近半年来，对人们喊自己"异兽""怪物"这种事情已经习以为常了。乍然在后宫中看到这么一朵带刺的花，反而不觉得愤怒，只是越发好奇了。她也起身不卑不亢地说了句："容妃娘娘吉祥。"

容妃原本目中无人，忽然望见姬沉鳞，却凝视了许久。

"人人都说，你长得像姬天伐，如今看你戴着个面纱，看来这个传言不仅仅是传言咯？"

这是姬沉鳞这几个月来，第一次再听到有人说起姬天伐，并且如此直言不讳，如此满含敌意。

宋云辞听到这话，反应比姬沉鳞更加激烈。

素来以温和著称的宋云辞，寒声道："容妃，你平日里骄矜也就算了，怎么可以如此失礼于国师，还直呼先帝女名讳。"

容妃一个正眼都没瞧皇后，施施然就坐在了主座下的首座，原本坐在那位子上的姜婕好姜摇筝，十分尴尬地起身往旁边让了让，面上十分难看。

"姬天伐人都死干净了，你们这些想她……"

"啪！"

清脆的碎响。

宋云辞盛怒之下，将手中的茶杯摔在了地上，倒是把容妃镇住了。

容妃不再言语，姬沉鳞与宫妃们客套寒暄了一会儿，都各自散去。

站在昌宁宫门口，姬沉鳞望着容妃一去不回头的背影，还是忍不住追了上去。

"容妃。"

容青芜皱着眉头停下了脚步，不耐烦地看了姬沉鳞一眼。

"容妃，你刚刚在昌宁宫中说她们这些想帝女怎样？"

"你，到底是谁？"

容青芜忽然定住的目光，让姬沉鳞产生一种错觉，像是这个女子早就看清了自己面纱下的容貌，看穿了自己的灵魂。

姬沉鳞下意识地退后了一些："我是国巫姬沉鳞。"

容青芜轻蔑地笑了一声："看来你是真的像姬天伐了。不过，你不是因为像姬天伐就真的把自己当回事吧？"

"不是，我只是好奇，安知鱼和宋迟苏他们都提到过帝女……"

姬沉鳞话还没说完，容青芜几乎是眼角都含着刀剑："她姬天伐到死，宋迟苏也没爱上她，你不过是像姬天伐，有什么资格提'宋迟苏'这三个字？"

姬沉鳞拼命地摇头："快放开我……很危……险……"但是容青芜像是着魔了一般。

姬沉鳞一低头看见自己的手，一想完了，这后宫女子怎么这么不知趣。因为压迫感，姬沉鳞的一部分兽性被释放了出来，手上开始化出蛟鳞。

一没控制住，一爪子就拍在了容青芜的脖子上。

之所以那天的日子姬沉鳞记得非常清楚，是因为那是姬沉鳞第二次从楚国皇宫里飞逃出去。

而且是肇事逃逸。

姬沉鳞逃回来之后就一直躲在床上，直到第二天安知鱼上朝回来，姬沉鳞的第一句话就是："完了，我把容妃给打昏了。"

安知鱼无奈地抚了抚额："我知道，皇帝今天跟我说了。"

"完了，我是不是要被抓起来革职了？"

"我要是皇帝，肯定这么做。但是我不是，他让我告诉你下次不要再见容妃了，她不会是栖神躯的。"

姬沉鳞舒了一口气，又躺了回去："那就好，不过其实我还蛮想再跟容妃谈谈的。"

"谈什么？谈姬天伐？"

真希望这辈子再也不要听到"姬天伐"这三个，每次听到就一定会有不愉快。

"你怎么知道？你查我？"

"不是，是容妃告诉我的。"

姬沉鳞脑中惊弦骤然绷紧。

"什么？容妃……为什么？她跟姬天伐什么关系？"

容青芜的秘密似乎远比姬沉鳞想象中的要多得多。姬沉鳞第一反应是，姬天伐真的是太受爱戴，容妃这样一个宫妃竟也对她心心念念。

但安知鱼却回答："因为她恨姬天伐。"

恨姬天伐？

这是姬沉鳞始料未及的，她不明白一个妃子为什么会恨前朝帝女？

她问："为什么？为什么她会恨姬天伐，姬天伐死的那年，她才嫁给当时是皇子的姬天渊啊。"

安知鱼一挑眉，直接欺身过来把姬沉鳞压在了枕头上。

虽说姬沉鳞对比自己小的男子没有丝毫兴趣，但是对于精致的美貌她根本没有抵抗力，差点就不争气地喷出了鼻血。

安知鱼笑了起来："我想问你的是，你为什么对姬天伐这么感兴趣？你真的不记得容青芜了吗？"

又闻姬天伐。

怒意让姬沉鳞一点都没有犹豫，直接猛地一抬头用额头撞向了安知鱼的脸。

姬沉鳞虽然化成了人形，但是额角仍旧有蛟角的坚硬。

本该流鼻血的姬沉鳞，最终成功地把安知鱼撞出了鼻血。

二、鹿刃之死

冬至将至，姬沉鳞除了更加频繁地进后宫之外，也准备再去见一次鹿刃，去获悉他口中历代帝女的秘密。

一切准备工作都排上了日程，姬沉鳞在这段时间内几乎不再上朝，但每日却起得极早。惊鸿服侍姬沉鳞起床后，刚想问姬沉鳞要不要吃早饭，姬沉鳞却一反常态地摇了摇头。

"过会儿再说，我一个人待会儿。"

惊鸿从内院慢慢地退了出去，却在转角的长廊后面猛然停住，翻身上了廊顶，十分娴熟地看着姬沉鳞的一举一动。

但姬沉鳞却丝毫没有发现，她只是略带不安地望着天边。过了半炷香的工夫，惊鸿看到天的那边极迅速地飞来一只青鸟，落在了姬沉鳞的肩头。

姬沉鳞取下了青鸟脚踝上的信，悄无声息地进了屋子。而那只青鸟在姬沉鳞的肩头抖了抖翅膀，最后化成了一片单薄虚渺的羽毛。

惊鸿也如羽毛一般悄无声息地跃身而下，刚想去瞧瞧那片羽毛，却听到府外有车马声音。

姬沉鳞在国都并没有熟识的朋友，除了寒暄客套的官员，便只有安知鱼会来国巫府。不过，两天前安知鱼被姬沉鳞撞出鼻血后便再也没有来过国巫府。

忽地听到车马声，惊鸿忙去前门查看。

"姬沉鳞呢？"

一开门，便看到一身绯色的姜眠禾，整个人连戴在头上的绢花都成了初冬里最灼目的一把火。

"姜小姐稍等，我去后院……"

但姜眠禾连脾气也如火一般，直接打断了惊鸿的话，急匆匆道："不需要禀报了，我直接去见她。"也不管惊鸿的阻拦就往后院去了，在长廊上遇到了同样急匆匆的姬沉鳞。

姜眠禾丝毫不顾及自己的形象，上去就扯住了姬沉鳞，带着怒意喊道："姬沉鳞！"

但姬沉鳞却丝毫没有想停下来的意思，一把甩开了姜眠禾："我不是来见你的。我有事，放手。"

但姜眠禾却格外固执，紧紧地攥着姬沉鳞说："姬大人，是不是在你眼里，什么事都比安知鱼重要？"

听到安知鱼的名字，姬沉鳞前行的脚步一顿："不是的，只是这次的事实在重大，我必须赶过去。"

姜眠禾的声音尖厉，又带着一点哭腔质问道："姬沉鳞你当初是怎么答应我的？你说你不会让安知鱼看见你的样貌，你说你不会跟他有纠葛。好，你像姬天伐嘛，我认，只要他安知鱼高兴我都忍。但说到底，你到底不是姬天伐，你连安知鱼有失血症都不知道？硬生生地把他撞出血来，你知道他在床上躺了两天吗？"

姬沉鳞心里一惊，歉意在一瞬间涌上心头，但是一想到刚刚收到的密信，便心神不宁。

"我忙完便去看安知鱼。"

姜眠禾冷笑了一声："这点你倒是跟姬天伐一样，对安知鱼从来都凉薄得很。"

渐近午时，姬沉鳞心急如焚，实在觉得纠缠不下，直接化作了蛟身，腾云而去。

姜眠禾看着天空中渐渐消失的白影，气得直发抖。

惊鸿叹了一口气，劝慰道："姜小姐息怒，我家大人是有急事。姬大人和帝女都不知道安大人有失血症，想必定然不是存心的。"

姜眠禾这才低头仔细地看了一眼惊鸿，旋即笑了起来："你家大人？叫得可真亲切，我看你倒是眼熟。"

"我们做侍女的，自然是依附着大人的。"

"我记得，很多年前，姬天伐身边有一个侍女，眉目跟你长得极像。"

没等惊鸿答话，姜眠禾便离开了，只剩下惊鸿面色凝敛地站在原地。

姬沉鳞游移在云层间，看见前方绵延着一片乌色雨云，心头没由来地蒙上了一层阴霾。昆吾对鹿刃的资料让姬沉鳞好奇，鹿刃所谓的帝女的秘密却让姬沉鳞紧张。

安知鱼躺在床上，脑子昏昏沉沉，感觉血管都空荡荡得可怕。听到衣裳摩擦的声音，像是恋爱中的少年一般期待地抬头，却只看到姜眠禾，又淡然地闭上了眼。

望着这般情深、却对自己这样凉薄的安知鱼，姜眠禾紧握的双手几乎握得青紫。她在安知鱼床边坐下，想争吵想控诉，最后也只是轻柔地、无奈地掖了掖安知鱼的被角。

安知鱼忽然就想起当初的姬天伐、当初的宋迟苏、当初的自己。

爱人者小心翼翼，被爱者却又不知珍惜。

当年的姬天伐开心地对他说："小鱼儿，我要嫁给迟苏啦！"

"你为什么这么开心？"

"那你为什么这么不开心？和自己喜欢的人在一起当然是最开心的事了，你这个小屁孩是不会懂的啦。"

那年姬天伐十三岁，安知鱼十岁。

安知鱼回姬天伐："我也喜欢你，我没能跟你在一起，所以我不开心。"

安知鱼记不清姬天伐回答了什么，只记得姬天伐还是笑着喊他小屁孩，喊他小鱼儿，一定要带个"小"字。

颓然无妄的喜欢，却也是安知鱼这孤傲半生最为真实的欢喜。

姜眠禾看着安知鱼的睫毛在脸上扫下一层鸦青，叹了一口气又道："她说她忙完事就来看你。"

但最终，还是安知鱼去见了姬沉鳞。

拖着病体，带着兵马，在鹿刃的尸体旁看到了衣角沾血的姬沉鳞。

鹿刃似乎修为耗尽，已经成了本体鹿身，蜷曲在血泊里，旁边还散落着没捣完的药。

安知鱼身后的兵士们低头碎语：

"新国巫竟然把老国巫给杀了。"

"真是看不出来这么年轻的一个女子，这么心狠手辣。"

"哪是什么年轻女子，她可是异兽，你看我们老国巫是只仁慈的鹿，她是什么啊，是蛟啊，是那种大蛇啊。"

"啧，她都当了国巫了怎么还下此狠手啊？"

"听说啊，他们那些异兽可以通过吸食其他异兽的修为来变得更强呢。你看新国巫手上有老国巫的图腾了吧，肯定是吸食了老国巫的修为留下的痕迹。"

……

周遭喧嚣，言语和眼神也能成为伤人的利剑。姬沉鳞下山时便知道此行多凶险，料到了凶险，却没能抵挡得了背后的阴险。

安知鱼沉着脸，因为失血症的缘故脚步还有些虚浮。他走到鹿刃尸体旁，蹲了下来，细细地观察着鹿刃的尸体，有些惊异的是——鹿刃虽然身体受尽折磨，但死去的眉目却十分安详。

鹿刃与安知鱼是真正的朋友，真正的忘年交。往常安知鱼失血症病发的时候，鹿刃总是嘴上不饶人："你这个小鬼崽子，知道自己有这个病也不小心点，要是你死了我还要去给你烧纸钱，很麻烦的。"虽然嘴上这么说着，但手里却飞快地捣着药杵。

但如今，依然是发了失血症的安知鱼，依然是那个被安知鱼嫌弃了很多年的破药杵。但再没有了捣药的鹿刃。

姬沉鳞有些无措，安知鱼默默无言地看了鹿刃许久，然后起身看着姬沉鳞，握起了她的手。姬沉鳞的掌纹间还有干涸的血渍，那上面是鹿刃的鹿角双戟图腾。

"你要问什么？"

姬沉鳞的嘴角僵硬得像是凝固的冰冷血块。

有些兵士已经高声地喊出"妖兽"两个字。在楚国，护国兽妖异化就会被称为妖兽，护国兽护国，妖兽却是祸国。楚国历史上有妖兽祸国的历史，人们对于妖兽的惊恐厌恶强烈得令人害怕。

此时此刻，叫姬沉鳞为妖兽，绝对是一种明目张胆的侮辱。

姬沉鳞想从安知鱼的手中抽出手去，却发现安知鱼的手，除了温暖，还格外有力。他低下头来问："有没有受伤？"

姬沉鳞听到这一句，难以置信地盯着安知鱼看了许久，少年的眉目，少年眼中的山水。

那么多的质疑，那么多的显而易见，到最后安知鱼都不在意，他只在意"你有没有受伤"。

姬沉鳞有些想哭，但又硬生生地忍住了。她没有再急着抽手，甚至有些贪恋那手中的一丝暖意。她回答说："不是我，我来的时候，鹿刃已经不行了。话都说不清楚的他，把毕生修为都传给了我。"

"你来这儿做什么？"

"鹿刃说让我在卜算栖神躯前来找他，他要把他所知道的帝女秘密传给下一任国巫，也就是我。"

"有人不想让你知道这个秘密。"

姬沉鳞望着天际，最终点了点头，又道："不仅不想让我知道，还想嫁祸给我。我本该五日之后才来到这里，但是我今天早上接到了密信，是昆吾青鸟送来的。信上说，鹿刃有难。现在想来，那青鸟也是假的吧。"

安知鱼极有耐心地听姬沉鳞继续说下去，但一心认定姬沉鳞是妖兽的兵士们却没有耐心，一个个叫嚣着要"缉拿妖兽"。

"姬天渊派你来的？"

"是。你要走我绝对让你走，但我不能让你走，我要还你清白。"

这是安知鱼所理解的爱，爱不是纵容不是包庇，爱和爱人对于安知鱼来说，是这个世界上最光明而璀璨的存在，他绝不能让无谓的污点使其蒙尘。

姬沉鳞摸了摸手上的图腾，伸出了双手，等待着镣铐，舒了一口气，对着安知鱼莞尔一笑说："安知鱼，我信你。"

三、泽国帝女陵寝图

在被押送的路上，姬沉鳞向安知鱼叙述了她所看到的一切。

姬沉鳞因为见到昆吾青鸟，所以对密信内容深信不疑，急着赶到了鹿刃的居所。但到的时候为时已晚，鹿刃已经气息奄奄地倒在了血泊中。

满地的血泊来自于鹿刃被割掉的舌头。姬沉鳞觉得惊异，一个已经决定杀死鹿刃的人，为何还要多此一举去割掉鹿刃的舌头？

唯一的解释大概就是，鹿刃所知道的秘密，太过重大。

连死，凶手都不让鹿刃带走这个秘密。

当时的鹿刃意识已经涣散，但看到赶到的姬沉鳞，像是回光返照一般握住了她的手，想说话却又说不出，嘴里只能无力地冒出血泡。

鹿刃死命地攥着姬沉鳞的手，将其毕生修为传给她。

姬沉鳞本想拒绝，让鹿刃保存体力，但鹿刃却执意抓着姬沉鳞的手，慢慢浮现的鹿眼认真地凝望着她。

姬沉鳞最终还是读懂了鹿刃眼睛里的意思，他在告诉姬沉鳞，这条路太危险，他能给她的帮助只有——力量。

鹿刃在传功的同时，又从袖口里抖落出缝藏的一张布帛给了姬沉鳞。

鹿刃口不能言，这张布帛是鹿刃留给姬沉鳞的唯一线索。

安知鱼走在囚车旁，安静地听姬沉鳞复述着这一切。

生死就那样猝不及防地横陈在面前。

"老……他走的时候……"安知鱼本想问问鹿刃走得是否安心，却因为过度悲痛而失态，哽咽得问不下去。

姬沉鳞从囚车的缝隙间伸出了手，轻轻地拍了拍安知鱼瘦削而单薄的肩膀。她认真地一字一句说："他，心结已解，走得很安详。"

姬沉鳞并没有为了安慰安知鱼而说假话。

当时鹿刃修为耗尽，瞳孔都开始涣散，却还是流出了泪。虽然说不出话来，但是他的口型一直在重复三个字——对不起。

每一个无声的字，都伴着浓烈的血气，血与泪浸染的对不起。

悔恨和极致的煎熬，一清二楚地写在鹿刃的脸上。

姬沉鳞握着鹿刃满是皱纹与刀痕的手，轻轻地叹了一口气，俯下身去在鹿刃耳边说了简短的几个字。一瞬间，鹿刃的眼神变得清明，仿佛用尽了最后的力气看了一眼姬沉鳞，然后微笑，闭眼，死去。

但这些姬沉鳞没有告诉安知鱼，只是告诉了他鹿刃走得很安详。

安知鱼欣慰地笑道："那就好。"

因为押送路上人多口杂，安知鱼在最后将姬沉鳞押送进牢房里才悄声问出了最关键的问题："鹿刃给你的那张布帛是什么？"

"是一张地图。"

"什么地图？"

"历代帝女的陵寝分布地图。"

姬沉鳞被关进牢房的当晚。

密室。

长椅背后的人拍着手笑了起来："帝女该死，国巫也自当死，便断了这生生世世的帝女制。"

"是。这终究是一个人的世界，不是异兽的。"

国巫府。

惊鸿奔到后院，疯了一般在花丛间找寻什么，花枝上的刺刺得她手臂血迹斑斑也全然不顾。

过了许久，终于找到她要找的东西，她长舒一口气瘫坐在了地上。

是当时青鸟所化的鸟羽。

迟苏草庐。

竹邑匆匆忙忙地赶过来告诉迟苏主人："姬大人被抓了，说是怀疑姬大人谋害了鹿刃大人。"

宋迟苏手里端着酒，像是喃喃自语："若她是天伐，杀鹿刃倒是可能。但她终究不是天伐，只因为她是国巫，她就注定会被陷害。"

竹邑在旁边欲言又止，他知道自己的主人在容青芜嫁为人妇后就再也不碰酒，只有偶尔在那间秘密的小屋前喝酒。

喝的酒都是从院里梨花树下挖出来的，梨花树下共埋了十坛酒，宋迟苏挖出第一坛时失神地说："拿了一坛，就不能十全十美了……缺了谁都不十全十美了。天伐，缺了谁都不完美了。"

那一坛酒宋迟苏每次喝，都只喝一小杯，却能喝得酩酊大醉。竹邑知那酒本是果酒，一点也不醉人。

醉人的大概就是宋迟苏在失神时候才会唤的那一声"天伐"。

灯笼上的伐字，轻唤的天伐，压在粗麻布衣下面的喜袍，那么小心翼翼藏起的记忆，让竹邑欲言又止。

宋迟苏醉眼迷蒙地问："怎么了，有什么话说？"

竹邑鼓起了勇气说了句："外面都在传……"

"传姬沉鳞是妖兽。"宋迟苏毫不在意地就说出了竹邑想告诉他的事，只是姬沉鳞出事了而已，他从一开始就知道这一代的国巫会不得善终。但姬沉鳞终究只是姬沉鳞，宋迟苏觉得亏欠的不是姬沉鳞，而是那个永眠地下的姬天伐。

竹邑磨磨蹭蹭地又说了一句："是，外面都在传姬大人是妖兽，但是更过分的是……"

"是什么？"

"外面都在说，天伐殿下明明到了及笄之时却还是坠湖而亡，国巫大人那么像天伐大人却是妖兽，可见天伐殿下真是不祥之人。"

宋迟苏的眼睛在这一刻迸出光芒，低吼道："荒唐！"全然没有之前醉眼蒙眬的模样，"你都死了八年，他们还不放过你！"

竹邑会意退下，远远地看着宋迟苏握着酒杯，倾倒在了禁地的屋前。

"这一杯敬鹿刃无归山林，第二杯敬你不能君临万千。"

姬沉鳞缩在牢房的一角，老鼠虫蚁本能地避开了姬沉鳞。姬沉鳞也无暇顾及牢房的环境有多么恶劣，在昏暗的牢房中打开了鹿刃给她的布帛。

她打开了这张叫"帝女陵寝分布图"的布帛。

布帛十分结实，但周围却已经磨起了边，想必这数百年，每一朝帝女薨逝后都会被国巫记载在这张地图之上。

地图的主体是楚国的疆土全貌，但也绵延到周围的海域和蛮荒地带。

当时事出紧急，姬沉鳞并未能细看整张图，此刻一看才发现地图的名字虽然叫"帝女陵寝分布图"，但是所标注的国家却不是楚国。

注释着国家的那一行字似乎年代更为久远，久远得字迹都难以辨别清楚，但那四个字，绝非楚国。

那四个字是另一个国家的名字——上古泽国。

连起来就是：上古泽国帝女陵寝分布图。

但每一个帝女都姓姬，也都是楚国历史上有记载的帝女和称帝的女帝。姬沉鳞急切地翻找着姬天伐三个字，却毫无所获，但发现在地图的一个角落被人为地涂黑了一块。

姬沉鳞将地图细细地卷好藏起，牢房里闷热潮湿，周遭也没有一个人。她将腿蜷起，化出了蛟尾。

姬沉鳞的指尖划过璀璨的光滑鳞片，然后颤抖着停顿在尾尖，上面疤痕密布。

热得有些难受，姬沉鳞便枕着自己的尾巴静静地趴下。她想起当年跟昆吾山二主之一的长央君说："如果我是个人该多好啊。"

那时的长央君，听到这话像是听到一个笑话，笑了起来："我这昆吾山上下无人,难不成比那楚国过得差些?你倒是说说,当人有什么好?"

"因为人不是少数的异类而是大多数。"

长央君当时只是低头包扎着姬沉鳞的尾巴:"你信不信天命?"

"不信。"

"楚国信国巫信天命,所以他们是大多数的人。但你是不信天命的异类,只有不信者才能逆天改命。你要相信你不是异类,你是万里挑一。"

一开始姬沉鳞就蓄积了接受攻击的勇气,她是不同,她是万里挑一。

姬沉鳞兀自在虚空中笑了一声,不谈虚的,当蛟还真个好处,尾巴可真是凉快。

在牢房里无人问津五六天后,终于有人粗暴地推开了牢门。

"姬沉鳞!"

四、"谢谢你来救我。"

姬沉鳞睁开眼睛,等待她的却是玄铁打造的铁链和一个硕大的铁笼。姬沉鳞被凶神恶煞的牢卫推搡着推进铁笼,手腕脚踝被紧紧地锁扣着铁链。

再次入朝居然是这副模样,姬沉鳞觉得自己像是一只被观赏的宠物。

姬天渊和一众朝臣都有些躲避姬沉鳞的目光,帝王的目光在帝冕后面闪烁,开口道:"姬沉鳞,几日前你是不是杀害了前任国巫鹿刃?"

姬沉鳞脑子嗡的一声,她没有料想到这第一句就问得如此直白露骨,半点温情脉脉的假面具都没有了。

姬沉鳞下意识地在朝堂上寻找安知鱼,却看不见他的踪影。

姬沉鳞低着头自嘲地笑了一下,自己明明拒人于千里,却在这个时候希冀他来救自己。

只是恍然间有一些落寞,多年以前和多年以后的今天,自己都一个人面对苦难与深渊。

姬沉鳞深吸了一口气回答："没有，我没有杀害老国巫大人。"

"那你当时为何恰好出现在了现场？"

"我收到了昆吾青鸟的密信。"

姬沉鳞话说出口，才发觉自己这话并没有任何依据，自己下山时曾与昆吾主人长央君约定，青鸟密信阅完即毁。

朝堂上一片寂静，帘后忽然走出一个熟悉人影，姬沉鳞望见，心中一定。

长央君。

当日救她于深海的长央君。

姬沉鳞像是抓住了一根救命稻草。

"小鳞片儿。"

但那人影一开口，姬沉鳞心里立刻重石一坠，来者虽然眉眼与长央君别无二致，但妆容妖冶烟视媚行。姬沉鳞带着不安，极不情愿地唤了句："未央君。"

世人都知道昆吾主人，却很少有人知道昆吾主人有长央君、未央君之分。千年来只见过沧海桑田，月盈日亏，却从未见过昆吾易主。长央君算得上是姬沉鳞的再造恩师。

长央君为人宽敛如水温润如玉，在昆吾异兽间也颇有威望。但未央君则恰恰相反，倘若把长央君比作暖日，那未央君则为阴月，阴晴不定喜怒无常。

长央、未央虽同为昆吾之主，但昆吾却盛传二人不和，这么多年竟从未见过他们同时出现主事过。

长央君待姬沉鳞极好，未央君却一直态度不明。

未央君笑意盈盈地看着姬沉鳞，那笑中带着可怕的冷意："昆吾可从未放过什么青鸟，你也知道昆吾青鸟从来不出昆吾山的。"

未央君说的青鸟不出昆吾山，的确是昆吾戒律，昆吾山为异兽之地，不与俗世有交流。

其实本质上说的是人与异兽的相处之道，即，隔绝。

未央君这话说得极有水平，两面都带了刃口。倘若姬沉鳞证明了青鸟之事无疑是犯了昆吾之规，但如果不反驳又无法洗脱谋害鹿刃的嫌疑。

最让姬沉鳞害怕的不是未央君的话，而是未央君的到来。即使在昆吾，未央君也极少露面，更何况入楚国人世。

这一连串的事情，都似乎在告诉姬沉鳞，这一切都是一个巨大的阴谋。

然而，她姬沉鳞从不畏阴谋，她的到来，本来就是为了来奔赴阴谋。

姬沉鳞仰起头毫无惧色道："那天青鸟来得紧急，我看是从鹿刃居所方向发来，鹿刃大人说要在我成为国巫前告诉我国巫世代相传的秘密。原以为是鹿刃大人用昆吾的青鸟通知我，如今看来当中一定有蹊跷。鹿刃大人曾为我疗骨伤，我又怎么会恩将仇报伤害他？"

堂上的官员盯着姬沉鳞手上的图腾说："力量，人都会为了力量不择手段，何况异兽？"

"我一个文兽，本来就对力量毫无需求，我都控制不住这种力量，怎么可能去获取？我身上这修为……是鹿刃临终前自愿传给我的。"

朝臣一片哗然，侧目的、不屑嗤笑的、低声议论的……

"这新国巫也是不见棺材不落泪啊。"

"什么国巫，她说不定就已经是妖兽了。"

"妖不妖，兽不兽的，要不是需要他们卜算栖神躯，何必要个异兽来当国巫。"

那么多话中无非是表达了一个意思，人总是比异兽来得高贵些。

一直不发一言的姬天渊却在一片喧嚣中问了另一个问题："你说鹿刃自愿传给你的，倘若真像你所说，那你到的时候鹿刃还是活着的，他为什么不告诉你，是谁要谋害他呢？"

"我到的时候，鹿刃的舌头已经被割，他最终一个字也没能说出来。"

"所以国巫所谓的世代背负的秘密你也并没有得知？"

"是。"

这一个字说出口，姬沉鳞恍惚间看到未央君轻笑了一下，姬天渊也笑了起来，好像一瞬间周遭的所有人都笑了起来。

可怕的孤立无援，姬沉鳞所认识的所能相信的，通通不在。

"但有人可以证明我从国巫府到鹿刃居所的时间不足以谋害鹿刃。"

"谁？"

"姜御史的女儿，姜眠禾。"

堂下的御史姜寒山一听到这事与自己的女儿扯上关系，惊得一愣，忙弓身出列道"小女淑静，很少出户，怎么可能在那天见过国巫大人呢？"

看着姜寒山想要赶快撇清关系的模样，又想起那天姜眠禾气势汹汹的模样，姬沉鳞叹了一口气，看来让姜眠禾做证的希望在一瞬间变得无限渺茫。

"还有其他的证明吗？"

姬沉鳞咬了咬唇一字一句地道："没有。"

"既然没有任何证据，那就……"

上来就有人要押姬沉鳞，镣铐把姬沉鳞手腕上的皮肉磨破，露出了白蛟的鳞片，斑驳而又耀目，但兵士们都嫌恶地避开了那块鳞片，像是见着了什么不干净的东西一样。

姬天渊的判决还没有说出口，就听到一道熟悉的声音："陛下等等！"

姬沉鳞从沉重的镣铐里扭头，看到了匆匆而来的姜眠禾，也顾不上礼节小跑着就进了大殿跪在地上，珠翠乱摇。

姜寒山气得胡子直抖，但姜眠禾还是言辞凿凿地说："陛下，那天小女确实是在未时在国巫府与国巫姬大人相见。"

"而鹿刃大人却是申时去世的，按照异兽的生命力，不可能和人一样在短时间内死去。"

浑厚的声音，缓慢的步伐，姬沉鳞直直地看着宋迟苏从自己的身边走过，径直到了堂前。

麻布青衫，谪仙一般。

"姬沉鳞杀鹿刃一案还有诸多疑点，望陛下三思。"

"迟苏主人？归尘宗一向不问朝堂之事。怎么如今也为国巫求起了情。"姬天渊不经意地皱了皱眉头问道。

"陛下，我并非为了国巫，而是为了社稷。毕竟国巫是国之重器，一连损失两位国巫，对我朝定是不小的损失。"宋迟苏低头看了一眼姬沉鳞又望了姬天渊，顿了顿才又说道，"况且……"

"况且什么？"

"况且本朝的栖神躯还未卜算出，只怕社稷还不稳。"

宋迟苏本是慎重的人，但在朝堂上公然说出这样的话，在场的大臣们都捏了一把汗。姬天渊猛地起身，怒意骤起："迟苏主人虽是世外高人，但在这朝堂之上也要注意言行。"

未央君望着这一切，像是看着一场闹剧，戏谑地笑了起来，道："一个不知道国巫天机的国巫，还怎么做一个国巫？"

姬沉鳞迎头而答："国巫卜算栖神躯靠的是神意，神意在就可卜算出栖神躯。"

空气中的嗤笑、血腥气和铁锈味道让姬沉鳞恍惚得要晕倒，宋迟苏不露声色地从宽大的袍子里伸出手来，扶住了摇摇欲坠的姬沉鳞。

姬天渊一甩袖子："罢了，先都退下吧。此事容后再议。"

姬沉鳞拖着镣铐从姜眠禾和宋迟苏身边走过，悄声说了声："谢谢。"

姜眠禾仍旧低着头没有看一眼姬沉鳞也没有应她这句道谢。宋迟苏礼貌地朝姬沉鳞一笑，姬沉鳞又再次说了一句谢谢，每个字都含着不可明说的情愫："谢谢你来救我。"

"不要担心。"

宋迟苏拍了拍姬沉鳞的手，悄悄地在袖子里递给了姬沉鳞一小瓶金疮药。宋迟苏温暖干燥的掌心拂过姬沉鳞伤口上裸露的鳞片，温柔得让姬沉鳞一阵恍神。

五、多情总被无情误

下了朝，姜眠禾低着头站在书房里听着自己父亲的狂风暴雨。姜寒山把各种书啊笔的拿起来又砸在桌上，怒吼着，气得吹胡子瞪眼。

姜眠禾攥着袖子，听着父亲又在扯什么圣怒，什么伴君如伴虎，什么《女训》什么《女诫》。要是在平时姜眠禾早就任性地走掉了，只是今天这事她知道的确是自己错了，因为她的决定而差点连累了整个家族，所以她足足挨了半个时辰的训也没有顶嘴一句。

姜寒山看着自己的宝贝女儿叹了口气，心疼地把书和笔又捡了起来，拍了拍上面的灰。

"为父不就是希望你们平平安安、富富贵贵吗？你怎么能掺和这事呢？你看看朝堂上陛下、未央君、迟苏主人，还有国巫，哪一个是我们惹得起的？未央君和陛下的态度又不明朗，站错了队怎么办是好？你这丫头啊就是心思太少。罢了，罢了，爹这把老骨头早晚被你们给折腾散了。"

姜眠禾的贴身侍女扶着面色凝重的姜眠禾回了闺房，这还是她第一次见到自己小姐是这样的脸色。

她小心翼翼地问："小姐，你这样做真的值吗？"

姜眠禾没有回答她，只是拿起梳妆台上一个木盒里的一个小木人。木人刻得歪歪扭扭，但姜眠禾却视若珍宝一般抚过去。

这是安知鱼送给她的第一个礼物。

她想起安知鱼那天来送的时候，手上都是木刺所戳的伤口，她有些心疼亦有些欢喜，那些伤是安知鱼为她姜眠禾所留的伤口，那是安知鱼第一次向她低下头。

她握着木偶，笑着轻声道："值啊，怎么会不值。那是我的知鱼哥哥啊。"

哪怕当时安知鱼说的是："帮帮姬沉鳞。"

哪怕是为了另一个女子。

她也欢喜。

姬天伐终究不在了，姬沉鳞终究只是一条蛟不是人，安知鱼终究会来到她的身边，她只要安静地等，等到安知鱼来到她的身边。

皇后宋云辞将自己亲手做的点心一一从食盒里拿出来放在姬天渊的面前，两个人默契的动作像是举案齐眉，却又像是相顾无言。

过了许久，宋云辞才开口问："未央君怎么这么快就回昆吾了？"

"昨天下朝后，未央君忽然说脖子疼要回昆吾静养，已经回去了。"

一问一答后又是长久的静默。

"你说你弟弟是怎么回事？"

"陛下说的是迟苏？"

姬天渊搁下了筷子，宋云辞轻柔地递上了茶，一气呵成毫无停顿。

"这么多年，朕不说话你都知道朕的意思，怎么今天倒明知故问了？"

"因为臣妾也在问臣妾自己，臣妾也不明白迟苏昨日会那样做。或许……或许是姬沉鳞真的有几分像是天伐帝女吧。"

姬天渊一听这话，随即把手上的茶杯一推冷笑了一声："天伐在世的时候，倒没见他这么勤快。"

"陛下还是先歇息吧，这事到底不能这么草率地判决，哪怕是为了稳定民心，我们也不能一下子失去两个国巫。"

姬天渊面不改色地推开了宋云辞为他更衣的手说："算了，起驾去容妃宫里。"

宋云辞看着姬天渊头也不回地就走了，没有多说一句话也没有多停留一刻，桌上的点心就那样被留在了桌上，孤独地冷去。

宋云辞才二十五岁，还是年轻而精致的美丽容颜。那张脸上没有丝毫岁月的痕迹，只是她落在宫道上的目光忽地有了一丝惆怅，像是锦绣堆里忽然落了一根白头发。

身侧的宫婢上来为宋云辞将厚重的华服珠玉一一卸下，似是看透了宋云辞的伤心，安慰道："娘娘不必为此伤神，终究您才是一开始就陪陛下的人。"

宋云辞把玩着手上的赤金手钏，笑道："那玉檀你说，是做男人的第一个女人好呢，还是做他最后一个女人好呢？"

那侍女低下头答："玉檀不懂，但玉檀知道皇后娘娘您是陛下的妻子，一定会是陛下的第一个也是最后一个女人。"

宋云辞笑了起来，像是个轻易被哄的孩子。

第二日，姬天渊还是照常上朝，却没有再提姬沉鳞的事情。

容妃容青芜到了午时才慵懒地起身，散着头发坐在梳妆台前也不急着装扮，扭头问着侍女："姬天渊什么时候走的？"

每次容青芜说出"姬天渊"这三个字的时候，宫女们都吓个半死，想来这前朝后宫敢直呼圣上名讳的也就只有自家主子了。

小宫女扑通一声跪在地上答："陛下……陛下早朝时就走了。吩咐奴婢们不要打扰娘娘。"

"他总是说废话，难不成他不吩咐，我就会醒来给他更衣吗？"

容青芜在提到姬天渊时总是不屑又嘲讽，慵懒的睡容配上微微上扬的嘴角，又透出一种攻击性的美。

"娘娘，陛下这是宠您。昨儿陛下可是直接从皇后宫里来的呢。"

容青芜对着镜子随意绾了个髻，像是民间的妇人常绾的样式。她对着镜子兀自笑了起来，问："昨天朝堂上是不是出了什么事？又不是什么节什么日的，陛下怎么会到皇后那里去？"

"昨儿……昨儿国巫姬沉鳞大人受审。"

"哦，什么时候行刑？"

"那个……还没有定罪，迟苏主人带着姜大人家的小姐，证明了姬沉鳞大人并没有谋害鹿刃大人的时间。"

话才说完，就听到"啪"的一声，容青芜掷了头发里的玉簪，青丝里挟着难以名状的情绪倾泻下来。

小宫女跪得更低了，忙道："娘娘您别生气，听说……听说有人在鹿刃大人死前见到了天伐帝女，那姬沉鳞定不是帝女天伐，迟苏主人不过是为了昆吾山和归尘宗的交情才去帮她一把的。"

"姬天伐？肯定是有人错把姬沉鳞误认为是她了吧。"

"不是，那人说是在未时前见到的。而且看到的人影、身形、衣饰都是几年前天伐帝女的模样，身形要比姬沉鳞大人小，而且那样的帝女冠冕也不是姬沉鳞大人能在民间得到的。"

"怎么可能，我曾亲眼看到姬天伐的尸体被打捞上来的。"

"是啊，奴婢们也是这么说，这些神神鬼鬼的信不得，宫中还有百官都没有信的。但民间那些百姓哪儿懂这些啊，都传言说前任帝女要来问问国巫，下一任帝女什么时候诞生，说是帝女回来保佑帝脉的。"

容青芜冷笑了一声："这些倒不关咱们的事，起来帮我梳头吧。"

一个不喊陛下、不自称本宫的妃子，一个与宫廷格格不入的容青芜，最终还是梳了一个华丽的宫髻，戴满了耀目的珠玉。

与她不爱的人相拥而眠，与她爱的人高墙相隔。

容青芜知道自己这一辈子都会是这样了，繁华的荒芜，这些珠翠都是长在她心上的杂草，头上戴得越璀璨，心里就越荒芜。

第四章

慷慨

一、但她不能是他的良人

足足过了半个月，姬沉鳞在牢房里无人问津，像是一条搁浅的巨蛟。姬沉鳞在睡梦中醒来忽然看到久违的光，又听到狱卒的脚步声。

但这次开门，狱卒没有再粗暴地直呼姬沉鳞，而是毕恭毕敬地打开门喊了声："国巫大人，陛下下旨说错怪了您，请您回府。"

姬沉鳞卸下镣铐，露出伤痕累累的四肢，似乎上面的伤口都带着铁锈气息。

惊鸿眼睛红红地来扶姬沉鳞："大人，您受苦了。终于结束了，赶快回府洗个澡休息休息吧。"

姬沉鳞轻笑了一声，如同破茧之蝶振翅的细微颤动声，她反问："结束了？"

姬沉鳞在回府的马车里看到街上匆匆而过的行人，看着烟火照旧的人间，忽然一阵寒栗，这件事来得突兀，结束得也莫名。

这一切，分明才刚刚开始。

惊鸿给姬沉鳞准备了热水和新衣，说是去去晦气。

躺在浴桶里太过舒服，以至于姬沉鳞放松地释放出了本体蛟尾，盘在木色的盆底。而惊鸿却没有一点惊惧的模样，仍旧如常地给姬沉鳞加着热水。

姬沉鳞趴在桶边笑着问："惊鸿，你不怕吗？"

惊鸿也望着姬沉鳞笑："惊鸿不怕，只要是大人您，变成什么样子惊鸿都不怕。"

"你这话倒是和安知鱼很像。"

这话一说出来，姬沉鳞才意识到自己失言，好像没有经过太多思考，就将安知鱼这个名字理所当然地吐露了出来。

惊鸿刚要开口答些什么，姬沉鳞忙道："我这是在夸你呢，不关安知鱼的事，就算是顺便夸一夸他。但是呢，你也不要误会，我不是主动想提安知鱼的。"

惊鸿看着姬沉鳞语无伦次地说了一大堆，"扑哧"一声就笑了出来说："大人我可什么都没说，这是不是叫作此地无银呢？"

姬沉鳞笑着啐了惊鸿一口："你倒是跟安知鱼一样会贫嘴了。"

惊鸿听到姬沉鳞提起安知鱼，像是被打开了话匣子，刚要开口说："大人，安大人他……"

但姬沉鳞眼睛余光一扫，扫到了桌上宋迟苏递给自己的金疮药。青釉的小瓷瓶，立在烛火下，像是不染俗世烟火的宋迟苏给了自己那一点烛火之温。

姬沉鳞打断了惊鸿的话，摸了摸手腕上的伤口说："明天帮我准备一下吧，我要去见一见迟苏主人，去谢谢他。"

惊鸿不知道姬沉鳞为什么态度转得这样快，有些愣愣地说："可安大人他……"

"又提他作甚，惊鸿，我知道你是他送来的。我不知道你是否得过他什么恩情，你只需要记得我是国巫他是左相，我们是同僚，我很感谢他曾为我做过的事情。但不该有太多奢求，也不需有太多交集。他在我眼中还是个孩子，是个比我小的后辈。明白吗？"

惊鸿拿着布小心翼翼地为姬沉鳞清洗着伤口，手腕上的伤口因为时间太久，伤口周围的肉都成了灰白色，惊鸿心疼得不知所措。

姬沉鳞却直接用手撕了那块腐肉，爽辣利落，吓得惊鸿一声惊呼。

"大人！"

"这些伤算什么，我遇到的疼痛比这些汹涌得多。"

"大人，只是这样撕太过……"

"这些肉都是死肉了，再留着无非会使得其他地方跟着坏死。有些该抛弃的东西，在一开始的时候，就要抛弃得果决，才不会令后来难以抉择。"

就像安知鱼的这段情愫一样，他们本不该产生太多纠缠，从一开始就要狠心地舍弃。鹿刃说得对，安知鱼才多大啊，他才见过多少年岁。

自己不该成为他的幻想，成为阻碍他一生的幻象。

姬沉鳞缩进水里，抱着自己冰凉的尾巴，略带疲倦地说："罢了，惊鸿你去给我准备点吃的吧。我泡完了自己出去。"

惊鸿又给浴桶里加了两桶热水便退出去准备，可不管那水再如何滚烫，姬沉鳞的尾巴还是冰凉彻骨，连带她的血液、她的胸膛，统统都是冷的。

冷血动物，可能都是如此喜欢热度吧。

姬沉鳞泡在温暖的水里，依存着外界的温暖舒服地睡着了。睡了多久她都记不得，晕晕乎乎的，脑子里闪出许多画面，像是梦境又像是现实。

她回想起自己准备了很多年的红色嫁衣，领口的饰物从金珠换到紫玉又换到南珠。她把那件嫁衣小心翼翼地锁在红木箱里，夏天的时候怕有潮气，却不好意思拿出去晒，只好小心翼翼地铺在床上。

她的母亲和哥哥都在一旁捂着嘴笑话她："你这个傻孩子，你要什么没有，真正到了那天什么珍宝不往你身上戴。"

哥哥把她抱起来扔到天上吓得她哇哇大叫，又猛地接住，顶着她的额头笑着说："我妹妹怕自己嫁不出去咯。"

她捏着哥哥的鼻子，红着脸："哥哥你总这么笑话我！"

那个她要嫁的人眉眼温柔，总是笑着说："你还是个孩子。"

她看着他比自己高出那么多的身躯，轻轻地碰了碰他温暖的手，小声地说："我很快……很快就长大了。"

姬沉鳞努力地想在虚幻中去摸那件嫁衣，想再感受感受金绣的纹路，却忽然在水里听到一声尖叫，像是惊鸿的声音。然后姬沉鳞还没来得及反应，自己就被人从水里直接拎了起来。

梦境一下子碎裂成空，所有的嫁衣和温柔，都不复存在。

看清楚了来人，就轮到姬沉鳞尖叫了："啊，安知鱼，你干吗？我还没穿衣服！"

安知鱼忙红着脸把姬沉鳞又放回了水里，像是拎起一只懒猫又无奈地放了回去，使劲地憋着笑。

姬沉鳞赶紧收了尾巴，从水里跳出来慌慌张张地穿起了衣服。

"安知鱼，你看不到我正在洗澡吗？！"

"看到了。"

姬沉鳞看着自己还沾着水的身体，脸一下子红炸开来。

"什么？你还看到了？你看到了什么？我发起火来连我自己都害怕，哪只眼睛看到的，我帮你挖了。"

惊鸿笑得直不起腰，安知鱼还要故作镇定，忙摆手："没看到，我真的什么都没看到，好歹本官也是读圣贤书的。"

姬沉鳞随手拿了一支木簪朝安知鱼砸了过去，结果没有砸到安知鱼，反而将那支木簪直接插进了安知鱼的发髻里，安知鱼就这样直直地顶着那支木簪转了过来。

"那你给我讲讲，你为什么会在国巫府，再给我讲讲你怎么就在我洗澡的时候冲了进来！你的圣贤书都被你读到哪里去了？你懂不懂男女之防啊？"

惊鸿捧着干布忙出来解释："大人，不是那样的。我进来的时候看你沉在水里，我害怕，我害怕……"

姬沉鳞也是被气得没了脾气，哭笑不得地说："我洗个澡难不成还要寻短见不成？"

安知鱼又恢复了那隐含着不羁的笑容，说："倒不是怕你寻短见，只是怕你太蠢，一不小心把自己溺在浴桶里。可不就成了前无古人后无来者，不怕你丢脸，主要怕给我朝丢脸。"

"你！"

"主要是看你整个头都埋了进去，真怕出什么事。"

姬沉鳞恨不得把浴桶抬起来砸在安知鱼头上，她气不打一处来地吼道："你是不是傻？你大声地告诉我你是不是傻，这楚国的第一神童宰相你是不是傻，你不知道水生动物有腮这种东西吗？跟着我念——腮！"

安知鱼定定地望着眼前完好无损的姬沉鳞，还能像以前那样在他面前叫嚣，终于安心地笑了起来，连眉眼里都笑出了暖意。

他望着姬沉鳞，轻轻地应了一声："傻，真傻。"

姬沉鳞本想跟安知鱼再战三百回合，但是肚子的咕咕声一下子响了起来，几乎盖过了她说话的声音。

"不跟你扯了，本官有更重要的事。"姬沉鳞就这样披着湿漉漉的头发跑到外室，坐在桌前就开始狼吞虎咽。

安知鱼安静地坐在了她的对面，姬沉鳞吃到这熟悉的味道抬头问："这些还是你府里做的？"

"怕你吃不惯别的，我回来就吩咐厨房做了。"

姬沉鳞很少看到安知鱼这样温和的笑容，倒觉得自己像是个被保护的孩子一样，语气也柔缓了许多。

"你最近去哪儿了？我上朝受审的时候，好像没有看到你。"

姬沉鳞湿漉漉的头发垂下来，滴了一滴水在粥里。安知鱼想去将头发别到她的耳后，却被她不经意地躲过。

安知鱼愣了一下，收回了手。从发髻上取下姬沉鳞扔过来的木簪，递给惊鸿让惊鸿替她把头发绾起来。

"你吃完早些休息，我先回府了。"

姬沉鳞目送着安知鱼的背影，看见他的头发乱糟糟的，面有倦意，风尘仆仆。

"安知鱼他……是不是一回来就来了这里？"

"是啊，安大人听说您出来了，连夜就赶了回来。安大人为了……"

姬沉鳞摆了摆手，示意惊鸿不必再说下去。

"把这些收拾了吧，明天还要去迟苏主人那里道谢。"

姬沉鳞知道，安知鱼很好，她知道他很好，但她不能让他会错意，不能让他陷进去。他为她归来，但她不能是他的良人。

不能。

姬沉鳞再次回到山中草庐时，竹邑比谁都高兴，一个劲地倒茶、端点心，倒是被惊鸿嫌弃个半死。

"哎，我说你能不能别像是几百年没见过我家大人的样子了啊。"

"大人，我差点以为见不到你了。"

看着竹邑泪眼婆娑的模样，姬沉鳞感动地笑了起来，而惊鸿却直接挽起袖子吼道："小子，你是不是活腻歪了，你这不是在咒我们家大人吗？我可告诉你，像你这样的，我惊鸿一个人能打十个。"

竹邑笑着讨饶："晓得姑奶奶的厉害了，饶了我便是。"

姬沉鳞任由惊鸿和竹邑打闹，径直往宋迟苏的书房而去，却发现宋迟苏捧着书在窗前睡着了。

宋迟苏桌上的茶还残余着最后一丝热气，袅袅而起，窗外的梨花被风吹散，落了一片在宋迟苏的书页上。宋迟苏沉敛的面庞掩映在茶气中，美得让姬沉鳞不敢迈步。

仿佛脚步声，都会打破面前这琉璃一样易碎的美景。

姬沉鳞蹑手蹑脚地走到了宋迟苏面前，蹲在了桌旁，刚好她的头抵到桌上，在最靠近宋迟苏的地方，静静地望着他。

睡着的宋迟苏呼吸均匀，有温热的鼻息吹到姬沉鳞的眉头上。

这一瞬间的温暖，几乎让姬沉鳞的心脏都骤停。

此情此景让姬沉鳞想起"举案齐眉"四个字，但她知道，她永远都不可能与宋迟苏举案齐眉了。

书页上的花瓣又飘落到了姬沉鳞的脸上，花瓣的微凉和刚刚举案齐眉的念头让她涌起难过。

姬沉鳞想站起来离开，却不想蹲得太久，腿脚发麻，猛地撞上了桌角，将宋迟苏撞醒了。

这一撞撞得不轻，醒来的宋迟苏几乎下意识地上来扶姬沉鳞，伸手去揉她头上撞的瘀青。

"疼吗？"

宋迟苏掌心的暖意和那一声关切，让姬沉鳞无法克制地落了泪。姬沉鳞抽着冷气，边哭还要边硬撑着笑说："你这书桌怎么这么硬啊，把本官都撞哭了。哈哈！"

姬沉鳞笑得又生硬又尴尬，却仍还是撑着笑。

她不能告诉宋迟苏她的想法，她不能倾诉她背负的一切，她只能望着宋迟苏说："谢谢你。"

宋迟苏轻柔地揉了揉姬沉鳞头上的瘀青，没有问她为何哭得这么无措，甚至没有问她为什么会出现在他的桌角旁，他只说了一句："姬大人，该再调养几日才是。"

姬沉鳞知道此时自己的身份是楚国国巫，她的对面是楚国归尘宗迟苏主人，她也该拿出国巫的气度喊一声迟苏主人抑或是宋公子，但她在宋迟苏面前，却失了这样的气度。

宋迟苏起身重新泡了一壶茶，准备了一条冰手帕敷在了姬沉鳞的额上。姬沉鳞微微仰着头让手帕不至于滑落，一仰头便看到梨花树下的梨花雨，隔着树叶枝丫看到远方的天空，格外醉人。

姬沉鳞开口笑道："如果当时我藏在水里，你没有发现我的话，说不定我们便没有这么多交集了，说不定我今朝就因为没人救而暴毙在牢里了。"

宋迟苏想起那天湿漉漉的姬沉鳞，手足无措地来替他擦衣服上的水渍，却弄巧成拙，笨拙得可爱。

宋迟苏会心地笑了起来说："你当时真是笨得可爱。"

他望着姬沉鳞璀璨而明朗的眉目，望出了另一个人影，他几乎脱口而出："当年也有个……"

姬沉鳞听到这一句，脸上的表情略一凝滞，轻轻地问："当年有什么？"

宋迟苏一愣，旋即微微一笑，不卑不亢地用另一句话将这尴尬情景带了过去，宋迟苏告诉自己那只是一时失神，那只是一瞬间的错觉。

他立刻转了话题："其实姬大人你不必亲自来谢我的，该谢的是姜小姐，还有最后放出传言的人。"

"传言？"

宋迟苏问："姬大人还不知道？我和姜小姐最多只能证明你没有时间杀害鹿刃，但是朝堂上对你是妖兽的可能性仍然有所顾虑，况且未央君当时也不赞成立刻放你出来。"

"那……"

"真正使陛下放你出来并官复原职的原因是，民间开始盛传在鹿刃大人去世的那天，有人看到了前帝女姬天伐。"

"怎么会看到姬天伐？不是将我错认了吗？"

宋迟苏依然是不惊不扰地微笑："不是。散布这个谣言的人很聪明，他抓住了国巫为异兽与天相通的灵异性，说前帝女归来要知晓下一任帝女的诞生。昆吾每朝只出一个国巫，所以这一任楚国的帝女卜算只能靠你。百姓自然是信这些的，陛下和百官虽然不信，却也不得不屈从于民心。"

姬沉鳞略一沉吟，仿佛瞬间知道了那幕后之人的良苦用心。她随即起身拱手道："多谢迟苏主人，我还有事先行告辞了。"

竹邑看着匆匆而去的姬沉鳞主仆二人，有些不解地问宋迟苏："国巫大人今天怎么只说了两句就走了，这茶还热着呢。"

"我怕她误会了些什么，我也怕我误会了。"

竹邑摸了摸头，听到自己的主人又像说偈语一般说了一句他根本听不懂的话，想问又不好意思问，忙去收拾茶具。

宋迟苏却只是一摆手："别收拾了，茶还没有喝完。"

宋迟苏端起两杯茶，径直走向了那个被称作禁地的小屋，也不进门，就席地坐在了门口，像是自言自语，又像是跟屋内的谁说话："我刚刚啊，差点就误会了。看来修行真是不够啊。我就不进去了，说不定你也不想见我，应该是的，你不会想见我的。"

竹邑觉得只有在那间屋子外，宋迟苏的话才是最多的，仿佛一下子就将一年的话都说尽。

宋迟苏举着透亮的茶杯说："今年的茶很好，比去年的好，水色温润如玉。"说完微笑了一下，"想给你也尝一尝。"说得极认真，好像房里马上就会走出一个人来，端过他手中的茶杯一般。

但是，没有。

什么也没有。

宋迟苏苦笑了一声，将茶倾倒在了门口的地上。

他柔声道："真的很好喝，你尝尝。"

二、"陷害我的人和当初谋害帝女的人应该是同一个。"

姬沉鳞没有直接回国巫府，下了车就径直去了对门的丞相府。

虽然国巫府和丞相府仅有数尺之隔，但说起来，这应该是姬沉鳞第一次进丞相府。她曾经设想过一个少年宰相的府邸是什么样的，一个智慧过人的少年在自己的家中又是怎样的。

或许藏书千卷，又或者机巧满阁，少年伫立于其间眉目疏朗地笑。

但是，这只是姬沉鳞的设想，他安知鱼的画风怎么会是一条蛟可以预见到的。

姬沉鳞在后院找到安知鱼时，第一眼不是看到安知鱼的脸，而是一只几乎近半人高的乌龟被安知鱼捧着。

安知鱼的脸被乌龟挡住，看不到是姬沉鳞来了，摇摇晃晃地喊了句："焚琴你怎么才来，大头又重了好多，我快捧不住了。"说着就要把这只叫作"大头"的巨大乌龟往姬沉鳞手里塞。

大头……这安知鱼的品位也是独特。

姬沉鳞猝不及防地被扔了只乌龟在手上，而且大头重得超出了姬沉鳞的想象，姬沉鳞一个跟跄就踩着青苔跌倒了。

姬沉鳞被大头压得喘不过气来，她仰着头想：她，昆吾白蛟、楚国国巫，居然就这样被一只乌龟压倒了。

安知鱼看到姬沉鳞直直地摔在了地上，脸上骤然一白，上来就跪下来护住了姬沉鳞的脊柱："有没有事？"

姬沉鳞就这样被一只乌龟和安知鱼的四只眼睛灼灼地注视着，有些不好意思地说："没事，没事，我就是被压得慌。"

看着姬沉鳞拍了拍手，安然无恙地坐了起来，安知鱼的脸上才恢复了血色，抱走大头笑着说："其实我是问大头有没有事，说不定大头认识你，你把大头吓到了怎么办？"

"放屁！你以为乌龟跟你一样肤浅？"姬沉鳞从一旁的食桶里拿起一条小鱼来逗大头，"大头当然是喜欢我这种高贵冷艳的蛟的，你看。"大头看着姬沉鳞手里的鱼，激动地摆动起四肢。

惊鸿拿了帕子给姬沉鳞擦拭泥水，安知鱼径直把大头交给了匆匆赶来的小厮。在背对着姬沉鳞的地方，他冷峻着脸对小厮道："焚琴你放好大头，就下去领罚吧。"

"是，谢大人……"

"该谢国巫大人，若是今日姬沉鳞有一丝损伤，你也不会是去领罚这么简单了。"

焚琴捧着大头离开，他确实是要感谢姬沉鳞，因为这个冷傲的安知鱼才是真正的安知鱼，他孤僻少言，于人于己都冷淡严苛。幸好，姬沉鳞的出现让安知鱼至少在一半的日子里有了笑颜，就像是当年帝女仍在时的那个模样。

毕竟，连大头都是安知鱼从帝女当年坠落的湖中挖来养的。

"安知鱼，我问你……"

安知鱼转身看到雄赳赳、朝气蓬勃的姬沉鳞，心情倏忽一好。他笑着把姬沉鳞按到了墙角："我也有话要问你，你是不是去见宋迟苏了？"

姬沉鳞真的觉得自己遇到安知鱼整个人都变得迟钝了起来，她仰着头看着安知鱼无可奈何地答："我要去谢谢人家。"

"不，你要谢谢我。"安知鱼松开了姬沉鳞继续笑道，"我知道你想问民间的传言是吧？是，我放的。姜眠禾也是，我去求的。我本想去昆吾求见长央君，但是没有见到他，你就已经出来了。"

姬沉鳞没想到安知鱼就这样直白地说了出来，她不是没有预感，那日她看到安知鱼风尘仆仆的模样便有预料。只是，她留了一丝幻想，想着自己不可再与安知鱼有纠葛，不可再浪费他的情意。

你这般慷慨，却叫我如何还？

沉吟片刻，姬沉鳞整了整衣襟，走到安知鱼面前，非常正式地行了个礼："安知鱼，谢谢你。"

安知鱼却没想到姬沉鳞这样正式地道谢，一瞬间有些手足无措了起来，有些慌乱地扯了别的话头说："当务之急还是要把鹿刃之死搞清楚。你现在被放出来，不过是朝廷迫于民意，如果不把这件事彻底查清，难免以后仍有祸事。"

"你有什么线索？"

安知鱼示意惊鸿上前："惊鸿那天捡到了一片青鸟羽毛，你看看。"

姬沉鳞从惊鸿手中接过那片有些褪色的青鸟羽毛，才一接触便惊觉说："这……是假的。"

"是的，我也问了一些高人。他们说，这是一种障眼法，民间的艺人常用这个表演。所以，应该是有人故意要陷害你。你下昆吾山前有什么仇家吗？"

姬沉鳞握着这片来历不明的羽毛，闭上了眼睛努力回想，指尖冰凉。

"没有。"

"那就只有一种可能。"

姬沉鳞点了点头，虽然安知鱼没有说出来，但她知道他指的一定是帝女天伐。

"帝女天伐。从我的出现、我的样貌，这些诸多疑团都与姬天伐有关。陷害我的人和当初谋害帝女的人应该是同一个。"

听到这句话，安知鱼才又带着思虑笑了起来问："你怎么知道，天伐是被谋害的？这朝堂上下都说，帝女天伐夜游未央湖坠湖而亡。"

姬沉鳞一愣，却不知道该怎么回答。

安知鱼仍旧笑，笑得深不可测："在朝中只有两个人觉得天伐坠湖之事有蹊跷，一个是你，另一个便是我。"

姬沉鳞在说书人那里听过，姬天伐沉湖前正是及笄前夜，而那时安知鱼正云游四海中。等到安知鱼赶回来时，姬天伐早已下葬。按照惯例，帝女的陵墓是隐秘无人知晓的。

所以，安知鱼不仅没有看到姬天伐的遗体，连姬天伐的陵墓都没有看到。

"姬沉鳞，"安知鱼温和地唤了一声姬沉鳞，"我决定尊重你，不再妄自揣测，你说你是姬沉鳞你便是姬沉鳞。我不会再将姬天伐强加于你，因为那样会令你危险得多……"

姬沉鳞全程不知道该怎么回应，只是看着安知鱼，静静地看着他。

“姬沉鳞，你信我吗？”

姬沉鳞静静地点了点头。

“我们可以一起找出天伐身后的秘密，为了天伐的坠湖，为了鹿刃的惨死，也为了……你。”

姬沉鳞没有说话，只是伸出了手。

安知鱼立刻会了意，与姬沉鳞在堂前三击掌。

掌声清亮，在万物虚无中击掌为盟。

第五章

栖神躯

一、"本宫不愿被选做栖神躯。"

此后，姬沉鳞和安知鱼并没有再多言语，但各自都已心领神会。姬沉鳞重新回朝，朝中众人对姬沉鳞毫无异样，仿佛姬沉鳞从未入过狱，他们从未冷嘲热讽背后插刀一样。

朝臣们纷纷凑到姬沉鳞身边寒暄，家中有女儿在后宫的，更是格外热情："姬大人，冬至越发近了，是不是特别忙啊？""姬大人您要是有用得着下官的地方尽管开口，下官定竭尽全力。""姬大人，下官的女儿也在后宫之中，不知您见过没？"

姬沉鳞一笑，果然几句不离卜算栖神躯的事情，但她却在人群里一下子喊住了踌躇的姜寒山。

"姜大人！"

或许是因为一开始令自己夫人挟持姬沉鳞的事，又或者是因为在朝堂上撇清关系的缘故，姜寒山想上前套近乎又有些犹豫，现在猛地被姬沉鳞一喊，忙迎着笑脸问："姬大人您有什么事？"

一众官员憋着笑想看笑话，姬沉鳞却道："上回姜小姐挺身而出，我还没有登门道谢。"

“哪里哪里，小女该做的。”

“姜小姐一身正气，想来姜家出来的女子必定都是不差的。”

姜寒山一听这话，脸上立刻乐开了花：“那是，我这小女儿性格还比较顽劣，她的长姐摇筝才算得上是贤惠淑德，也在后宫服侍皇上……”

姬沉鳞等周围人都散得差不多的时候才又开口：“天伐帝女的生母也是姜家女子，看来姜家真是有福气啊。但我数次进宫都没有见到月嵘夫人，有人说月嵘夫人是出宫修行了？不知道大人能不能给我解个惑，月嵘夫人到底是在何处修行的？”

听到姬沉鳞猛然提起月嵘夫人——姜月嵘，姜寒山的手不自主地一抖，他忽然觉得眼前这个年轻的国巫远不是他想象的那样简单。

在一脸不谙世事中，隐藏的分明是步步为营。表面上是夸赞姜家女子，却只是为了引出月嵘夫人而已。

但国巫笑意盈盈地问，姜寒山也不好意思避而不答，只好说：“月嵘夫人是姜家长房的长女，也算是我的姐姐。她只有帝女一个女儿，帝女走了之后，月嵘夫人便去了抚元寺修行，不再问俗事。”

“抚元寺？我怎么没听过这个寺，我朝的国寺不是昭业寺吗？”

姜寒山点了点头又道：“姬大人没听过也不奇怪，那是专门为月嵘夫人修行所修葺的，抚元寺是个小寺，就在城外的青崖山山顶。”

听到“青崖山”这个名字，姬沉鳞忽然觉得有种莫名的熟悉感。

“青崖山？”

“青崖山在城外，就是迟苏主人草庐所在的那处。”

“月嵘夫人怎么会选在青崖山修行？”

“大概修行之人看出青崖山是块福地吧，当初月嵘夫人说要找个清静之地为帝女祈福，迟苏主人特地为月嵘夫人选了址，将抚元寺定在了青崖山。”

姬沉鳞向姜寒山道了谢，虽然听起来并无不妥，但即便是细小的巧合，也有可能埋有千丝万缕的线索，特地定址在青崖山，那青崖山一定有什么蹊跷。

姜寒山有些奇怪地问："不知姬大人怎么会忽然问起月嵘夫人？"

"卜算栖神躯在即，需要准备一些东西，其中一样便是上任帝女的胎发。"

历代国巫在入世前都要学习如何得到神意，在卜算栖神躯这件事情上，帝女的母亲是栖神躯，被神栖居的身体，而这"神"指的便是帝女。所以上任帝女的随身物件是最能通晓神意的灵器。

卜算要准备的东西十分琐碎，除了上任帝女的物件，还要有用以"迎接"新帝女的一应用度，比如新生儿的小衣裳、小冠冕等。卜算栖神躯是国之重事，这些具体的准备都是由后宫中最尊贵的人操持。

不入后宫，不知后宫对栖神躯的重视。自入冬以来，各宫都开始大肆裁剪，各色绫罗、皮草和珠玉，都从各位后妃的娘家源源不断地运进来。

姬沉鳞身着官服站在宫道一侧，低头看了看自己玄色的官袍，像是与这宫里的富贵绚烂格格不入。

她刚回过神来想继续往皇后宫里去，就听到身后一阵杂乱的脚步声。

有一个声音居高临下地传过来："姬大人是第一次见这阵仗吧。"

姬沉鳞一扭头就看到了慵懒地坐在步辇上的容青芜。

说起来即使不按官位品阶，在这卜算栖神躯的当口，各宫嫔妃见到姬沉鳞也是一个个面上嘴上都挂了蜜似的，唯独容青芜像是跟姬沉鳞八字相克，不仅不给姬沉鳞好脸色，还几乎要把"瞧不起"这几个大字写在脸上了。

姬沉鳞现在一心想的就只是栖神躯，也懒得与她计较，笑了笑："臣看这宫中，真真是锦绣成堆。"

容青芜斜眼瞥了姬沉鳞一眼，冷笑了一声："那大人就多看看吧，毕竟昆吾山地处荒地，很难见到这些。说不定卜算了栖神躯，又做错了什么事，进了牢房可就什么都看不到了。"

姬沉鳞却被容青芜这毫不掩饰的挑衅吓到了，愣了愣也就什么也没说。

领着姬沉鳞往皇后宫中走的宫人看着姬沉鳞愣愣的模样，以为姬沉鳞被唬住了，忙弓身到姬沉鳞身侧道："大人莫放在心上，那容妃不过是个贫家女子受了皇上宠爱，才敢在大人您面前这般无所顾忌，大概是她自己没资格参选栖神躯而感到愤愤不平吧。"

姬沉鳞看着随意一个宫人也直接喊容妃，也不尊称容妃娘娘，心想这容青芜在宫中真是混得不行啊。

"不过本官看容妃娘娘似乎并没有把栖神躯这件事太放在心上。"

那宫人脸上露出了明显的不屑，道："容妃的确是对外说无意栖神躯，但宫里人平日里都见多了容妃跋扈的模样，谁都不信她会放弃这个向上爬的机会，无非碍着陛下的意思罢了。要真说那高风亮节，不为名利不挂念栖神躯的，也就只有我们皇后娘娘了。"

"皇后也无意栖神躯？"

"是啊。皇后娘娘真真是后宫表率，先跟陛下说自己身子弱恐被卜算为栖神躯在娘胎里带弱了帝女，又跟各宫娘娘说谁若是被选定为栖神躯，皇后娘娘定好好呵护与其平起平坐。不过陛下最后还是让皇后娘娘简单准备一下，说一国之后不参与栖神躯卜算不合礼法，皇后娘娘这才应下的。"

姬沉鳞想着端庄不争的宋云辞，还有乖张倨傲的容青芜，不经意地勾了勾嘴角。

卜算栖神躯这么大的事，后宫中最重要的两位居然都表现得兴趣索然。

真是越来越诡异了。

那宫人一路絮絮叨叨地向姬沉鳞说了皇后娘娘如何如何淑德，如何如何敦厚。姬沉鳞也有一搭没一搭地听着，等到了皇后宫中看到宋云辞的时候，那景象却是让姬沉鳞也想转头跟那宫人夸夸皇后。

太阳刚上了半头，还是蛋黄般柔软的色彩，照在大殿里宋云辞的脸上，勾勒出一圈浅色光晕。宋云辞穿着紫云锦的常服，手上捧着一件极精致的小衣裳。

姬沉鳞行了礼，宋云辞笑着招呼姬沉鳞："姬大人，你快来看看这件小衣服。"就像是招呼自家姐妹那样自然亲切。

宋云辞的长护甲抚过小衣服的绣纹还窸窸窣窣作响，宋云辞将小衣服递到姬沉鳞的手中又说："这是为新帝女预备下的，都是尚织局一等一的绣娘裁制的。"

姬沉鳞拿着小衣服也笑着应："帝女有神意，必定能看到娘娘的心意。"

"也不知是哪位妹妹有福气成为栖神躯，除了这卜算仪式上要用的小衣裳。本宫这里还足足备下了一小箱子小衣裳、小鞋帽呢，无论帝女穿什么样子的，都够她挑。"

看着宋云辞眉目恳切，姬沉鳞也一惊，看来那宫人真是所言非虚。

"宫里的人都在盼望着帝女能诞生在自己的肚皮里，娘娘一向谦和，但在栖神躯这件事上不必谦让也不该谦让。"

"本宫怕自己福气不够，况且……"

"况且什么？"

宋云辞婉约一笑："姬大人是明白人，本宫也不怕说了不该说的。这帝女一旦定下来了，便是倾注了其母的全部心血。但，真正一帆风顺到登基的帝女又有几个呢？你瞧那前朝天伐帝女的母妃过得倒比没帝女时清苦许多。"

说到在外苦修的月嵘夫人，青灯古佛就此度过余生……姬沉鳞摸着那软和衣裳的手骤然一冷。

宋云辞温和地说："本宫不愿被选做栖神躯。"

宋云辞也不拐弯抹角，直接说出了实话。此刻的宋家是泼天富贵，她宋云辞贵为一国之后膝下又有大皇子，犯不着巴望着帝女之母这一份富贵。

大部分栖神躯也就是帝女之母，除了这富贵，更多的是丧女之痛。

姬沉鳞与宋云辞絮絮地聊了一小会儿，便取了后宫中为卜算栖神躯准备的物件告辞离去了。

二、母亲的执念

姬沉鳞回到国巫府的时候已经过了晌午，饿得肚子直叫，进了内室就解了官服的外袍嚷嚷道："饿死了，饿死了，惊鸿啊，你家大人快要饿死了，快给我投食。惊鸿啊……"

话音才落，就听到一个熟悉的声音。

"你怎么跟大头一个模样，一饿就昂着头嗷嗷直叫。"

姬沉鳞手上还拎着宽大的官袍，一转头就看到安知鱼坐在了自己的"闺房"内。

"安知鱼……你你你，这是本官的闺房！"

安知鱼瞥了她一眼，一脸玩味的笑意："本官倒是第一次见到一个这么邋遢不羁的闺秀。"

惊鸿端着个热气腾腾的小碗从门外进来，看见姬沉鳞愤怒地把手上的官袍揉成了一个球砸向了安知鱼。惊鸿就像看两个小孩一样，心中无奈地想：果然自己不能走开，一走开这两个身居高位的人就会智商直线下降，继而斗嘴，斗嘴，斗嘴……

放下碗筷，惊鸿忙把罩在安知鱼头上的官袍取了下来，看着安知鱼线条刚毅的脸上一阵黑气。惊鸿一个头简直有两个大，眼看着姬沉鳞又要摘下官帽砸过来，惊鸿一个箭步端起碗送到了姬沉鳞面前道："大人，这是安大人要小厨房准备的新鲜羊奶木瓜羹，安大人知道您在宫中定饿着了，特地要惊鸿热着等您回来投喂您的。"

惊鸿一口气说完了前因后果，舒了一口气，但看着姬沉鳞脸上忽然升腾起的黑气，又觉得哪里不对。

反而安知鱼脸上的黑气一下子烟消云散，他又带着笑意，接过惊鸿手中的白瓷小碗，修长如梅骨的手指配上玉色一般锃亮的瓷勺，舀起一勺送到了姬沉鳞嘴边。

"姬大人，本官可是好心来投喂的。"

惊鸿一个激灵，瞬间觉得自己还是不要卷入这一场战争中，立刻找了个煮茶的借口脚底抹油撤了。安知鱼忽地看到了姬沉鳞另一只手上的红木小箱子，顺口便问道："这是什么？"

一想到卜算大典，姬沉鳞瞬间冷静了下来，缓缓地打开了那雕刻精致的小箱子说："是卜算大典要用的东西，也是将来帝女的第一套衣裳头面。"

安知鱼的手上还残留着木瓜羹的余温，阳光照得小衣裳、小金锁一片锦绣繁华。但安知鱼却如姬沉鳞早上摸到这衣裳时那样，手上恍然一冰。

想来，姬天伐曾经也有过这样一套衣服吧，怀着万千期待带着盛世安然。

最终却只归于一池冰冷湖水。

两个人默契地静默了许久，安知鱼才又开口问："一切都准备妥当了吗？"

姬沉鳞点了点头道："宫中的一应物件，都已经准备好了。现在只还差姬天伐的胎发，明天准备去月嵘夫人处取。不过奇怪的是，皇后与宠妃容青芜对栖神躯都毫无兴趣。"

"你查到了月嵘夫人在哪里修行？"

"我没有去查啊，月嵘夫人是姜家人，我问了姜寒山他告诉我的，说月嵘夫人独居在青崖山。"

安知鱼沉默了许久后才又说道："当年姬天伐出事后，层层迷雾，我想问一问姬天伐的生母月嵘夫人，但月嵘夫人却像在人间蒸发一样。虽然知道月嵘夫人出宫修行，但是宫中朝堂都对此讳莫如深。时至今日，我也并不知道月嵘夫人修行的确切位置。"

太阳在窗外白亮得吓人，姬沉鳞垂下的睫毛猛然一颤："你的意思是，姜寒山故意把这个隐藏的秘密透露给我？"

安知鱼点了点头说："姜寒山应该是个不知情的棋子，怕是幕后有人要借他之口告诉你。"

"但栖神躯的卜算本来就需要上任帝女胎发，即使姜寒山不告诉我，我去宫中禀明，皇后也会告诉我。"

"这就是诡异的所在。明明你可以去问皇帝，但是为什么偏偏要现在把消息放给你？"看着姬沉鳞阴晴不定的面色，安知鱼的声音如浸水一般冰寒，"你还记得鹿刃那次，也是提前收到消息的吗？"

窗外明昼，恍然间像是在姬沉鳞脑内炸了一个惊雷，手里握着的小金铃铛猝不及防地掉在桌上，清脆而慌乱地响着。姬沉鳞脑中想好的话想好的思路在须臾间都被打乱，她一把抓住安知鱼的袖子问："月嵘夫人会有危险？！"

安知鱼抬起手想去拍拍姬沉鳞发白的指尖，手抬到半空旋即又悄无声息地落了下去说："从谋害鹿刃，再到月嵘夫人，幕后的人好像不仅仅想要掩盖姬天伐的什么，他似乎还想……破坏栖神躯卜算。"

但姬沉鳞的脑子是乱的，她一松手就往门外走："不能让他们再动月嵘夫人。"

安知鱼一伸手就揽住了慌不择路的姬沉鳞说："我即刻带人去青崖山，你先不要慌，一慌则乱。"

在前往青崖山的路上，姬沉鳞想了很多可能性。想着当初鹿刃被那么轻易地杀害，对方会不会武功高强？对方会不会有很多人？

但姬沉鳞到的时候，却发现抚元寺的情况比自己设想的还要糟糕。

没有武功高强的刺客，也没有人数众多的黑衣人，有的只是熊熊烈火。

抚元寺很小，而且房屋多是木质结构，火势极快地蔓延开来。姬沉鳞和安知鱼在山下的时候，看到火还只是星星点点，等赶到抚元寺门口，寺内一连片的厢房都已经烧了起来。

拿着水桶的女尼忙着救火，但不知道是力气小还是因为什么，那桶里只有浅浅的一点水。听到有人喊："月嵘居士还没有出来。"

姬沉鳞吼道："救火啊！"

兵士训练有素地去拿桶拿盆，但片刻之后都愣在了当场。

安知鱼一下子意识到了情况不妙："不好，抚元寺在山顶，平常用的水都是从山下挑上来的。这火来得太突然，水不够了！"

在青崖山另一侧的宋迟苏也带着仆从赶了过来，虽然都拎着水，但这几桶水无异于杯水车薪。

安知鱼忙拦下了一个女尼问："月嵘夫人怎么还没出来？"

那女尼捧着一滴水都没有的木桶，哭着说："月嵘居士说要去拿重要的东西，谁都拦不住她，现在火大了我们想救居士，但是冲不进去。"

姬沉鳞的手止不住地颤抖，又是因为栖神躯，又是因为自己。果然帝女既是上天的恩赐也是诅咒，她忍不住低吼："有什么东西能比命重要？"

宋迟苏看着火势一发不可收拾，想到姬天伐死去的那天，未央湖冷静得像是深不可测的汪洋。这一水一火，一静一喧嚣，全是与那个阴谋有关。

全是与那个所谓正义的阴谋有关。

宋迟苏一阵胆寒，这是他第一次觉得这人世如此可怕。

看着自己带来的水在顷刻间被火舌吞没，宋迟苏立刻吩咐竹邑："快带人去山侧的湖里挑水来，把安大人带来的人也喊过去，越快越好。"

"来不及了大人……"

湖！

姬沉鳞想起那天自己躲藏的湖，虽然不大但是救这一场无妄之火显然是绰绰有余了。

"来得及！让竹邑他们留在这里救人，我去。"

宋迟苏和安知鱼忽地脑子钝了一下，齐声问道："你？"

话音才落，两人看到化出真身的姬沉鳞，这才想起姬沉鳞本不是一个柔弱的少女，而是一条蛟。

姬沉鳞飞跃下山，站在湖边，看见火光把月亮都照得红亮，深吸了一口气把头埋进水里，一声长啸，就吸干了湖中的水。

很多年后寺中的女尼还能记起那天晚上的情形，一条白蛟腾空于云端之上，吐出湖水。顷刻间青崖山就降起瓢泼大雨，火光和水映得白蛟的鳞片宛如霞光，耀耀夺目，简直要比那天边的月亮还要明亮。

姬沉鳞在火中以蛟爪捧出了已经昏迷的月嵘夫人，飞到寺外干净的平地上，温柔地将月嵘夫人放了下来。

月嵘夫人脸上都是烟灰，手中却紧紧地握着一幅画卷。

宋迟苏迅速地检查了月嵘夫人的伤，过了片刻舒了一口气说："月嵘夫人并无大碍，只是被烟雾熏晕了过去。先把月嵘夫人带到我那边去调养几日吧，姬大人你也可以在我那里等月嵘夫人醒来。"

安知鱼看见火被扑灭，无人伤亡，悬着的心也终于落了下来，拧着眉头冲宋迟苏说："你这是在我面前明目张胆地要留宿姬沉鳞吗？"

宋迟苏无奈地笑了一下："知鱼，我不是这个意思。"

安知鱼的眉头瞬间拧得更紧了："谁是你的知鱼。"刚想继续说些什么，看见一旁的姬沉鳞，语气又缓和了下来，"姬沉鳞你要留下来也可以，我把带来的人都留给你，总之万事小心就是了。"

姬沉鳞还是蛟身，低头望了望昏睡的月嵘夫人，旋即扭头道："不必了，月嵘夫人就托付给迟苏主人了，我在这儿，反而令她更加危险。"

夜间，清露凝在月嵘夫人已显老态的眼眉上，也许是冷又或者是感受到了什么，她咳嗽了几声，迷迷糊糊地喊："伐儿……"

安知鱼和姬沉鳞两人一直走到山脚，姬沉鳞才又变回人身。

"为什么不留下来？"

"不想留。"

姬沉鳞走得很快，回答也回答得极快。

"为什么现在才变回人身？"

"我乐意。"

安知鱼没有再问什么，只是拉住姬沉鳞，指了指山路上提灯的女尼。

火海之后的抚元寺只剩下半顷废墟和闪着红光的灰烬，有女尼提着灯笼或是去山侧打水，或是下山奏报，远远地望去竟然也有一种繁华诸相的景象。

只是那青白色的灯笼，有些熟悉。姬沉鳞骤然想起这些灯笼和当日初遇宋迟苏的那个灯笼是一样的。

那清冷的灯笼纸上写着一个字——伐。

"那种灯笼，是归尘宗的一种灵灯，他们叫它引魂灯。只要将已逝人的名字写在灯上，就能助他往生极乐。"

姬沉鳞扭过头去，放慢了脚步，走出了青崖山才又开口："月嵘夫人所要拿的重要东西就是那幅画卷，那是——姬天伐的画像。月嵘夫人只有姬天伐一个女儿，她的一生都扑在姬天伐的身上了。"

就像皇后宋云辞说的那样，母亲倾注了所有给帝女，然而帝女终究难以长久，所谓栖神躯承载了太多悲痛。

"就是这样，所以我不能变成人身，我怕月嵘夫人和你一样，看到我，便以为是姬天伐回来了。我害怕给绝望的人希望。"

安知鱼伸出自己的衣袖，轻轻地说："回家吧。"

姬沉鳞自然地扯住了他的袖子，带着一点湿润和晚饭糕点的香气。

姬沉鳞的眼掩映在夜色里，不知道是雾气，还是被刚刚的火熏了眼睛，眼前忽地就弥漫起一阵水汽。在这个世上，是真的还有人惦记着姬天伐，倾注全部，不求回报。

月嵘夫人与安知鱼，明明都是那么聪慧的人，却偏偏对一个不可能，怀着决然的赤子之心。

三、"他不无辜，他有负于天伐。"

抚元寺失火上报了之后，官府查定是寺中有小尼打翻了烛火所致，并很快在原址上修建新寺。

月嵘夫人在宋迟苏那里休养了三四天，身体便已无碍。

离冬至还有四天，作为冷血动物的姬沉鳞更冷了，下了朝回来就缩在棉被里抱着汤婆子等吃火锅。

听到脚步声，姬沉鳞连眼皮都不抬，慵懒地说："安知鱼，你又来蹭饭啊？"

没有听到安知鱼的回答，却听到一声温和的笑声："在下也来蹭饭了。"

是宋迟苏。

姬沉鳞从厚实的被子里爬出来，望见一身薄衫的宋迟苏在寒气里笑，笑得满院枯枝春意融融。

安知鱼一脸戒备的模样，坐在了姬沉鳞的身侧，把另一张椅子推开了好远："宋迟苏，你坐那儿。"

宋迟苏也不恼，仍旧温和地笑，坐下来道："卜算大典在即，今年我代表归尘宗来观礼，顺便来看看姬大人和知鱼。"

"宋迟苏，你再叫我知鱼就不要坐下来吃了，反正姬沉鳞这里的吃的都是从我丞相府搬来的，你实际上蹭的是我的饭。"

宋迟苏仍旧如长兄看弟弟一般，笑着点头说："好的，知鱼。"

姬沉鳞看着这个号称百年难遇的神童安知鱼，在宋迟苏面前就像一只怒发冲冠的斗鸡，十分无奈地扯了扯嘴角，问："月嵘夫人那里什么都没有了？"

火灾之后，姬沉鳞托人去找月嵘夫人拿上任帝女的胎发，却被告知，姬天伐所有的遗留之物都葬身火海。

"月嵘夫人说，其实帝女天伐的东西早在当初埋葬的时候就没有了。她只能按照惯例留下了一件小衣裳和一束头发，那天的火太大，她还没来得及打开存放的箱子就昏倒了。那画像是帝女天伐及笄前绘的，那也是月嵘夫人最后有关帝女的存留了。"

姬沉鳞冷笑一声："这火倒是烧得干净利落，哪是一根倒落的蜡烛能烧尽的。"

这一步一步走得环环相扣，有关帝女的秘密，有关卜算帝女的国巫，甚至卜算所需的物件都要消灭得干干净净。

看来，暗处的敌人不仅仅是要掩盖姬天伐的秘密，他们针对的似乎是帝女这一血脉。

宋迟苏轻轻地叹了一口气："姬大人，很多事情便是天命，不必太执着。"

这回却轮到安知鱼冷哼了一声："你倒是什么都放得下，什么人都不执着，但什么人都被你伤得彻底。"

沉默了许久，久到火锅上来的热气缓慢地弥漫了整个房间，火锅里咕噜咕噜地翻涌着泡泡。

"迟苏主人，你不吃肉吧？"姬沉鳞随意说了一句想打破这尴尬的沉默。

宋迟苏一愣，曾经也有一个少女这样问自己，那记忆与现在何其相似又何其遥远。他点了点头："是的，我自修行后便不再碰这些了。"

扑通一声，安知鱼扔了一块羊肉放进滚烫的锅里，恢复了那种略带轻蔑的笑意说："火锅没有肉还有什么意思？你还记得天伐说肉是吃火锅的灵魂吗？"

宋迟苏脸上露出少见的情绪变化，眉头微微一拧说："知鱼，不要再提天伐帝女了。"

安知鱼的眉头锁得更深，原本就带着戾气的安知鱼生起气来更加有侵略感，他脱口而出："闭嘴，你还有什么资格喊天伐的名字，天伐帝女，哈哈，多符合礼教啊又多疏离啊。我都快忘了她曾经是你迟苏主人的未婚妻了？"

姬沉鳞愣在一旁看着宋迟苏和安知鱼，明明被吼的是宋迟苏，但姬沉鳞却觉得更需要安慰的是安知鱼。

他的戾气、他的每一处棱角上，都写着"姬天伐"三个字。

姬沉鳞心里钝钝作痛，她夹了一块肉放在安知鱼的碗里，笑着说："安大人，肉再不吃就要老了，别辜负了这火锅的灵魂。"她企图拉回安知鱼的注意力。

安知鱼本还想说些什么，宋迟苏的侍从竹邑站在门外唤了句："公子，宫里传话来，皇后娘娘召您进宫。"

"宋迟苏你倒是宫里的红人。"

宋迟苏即使被安知鱼这样嘲讽，脸上还是波澜不惊。他温和地敛袖起身告别，对安知鱼说："知鱼，逝者已去，不要太执着。"

虽然安知鱼对宋迟苏以及其他人总是一副"惹我者死，提天伐者亡"的模样，但只要面对姬沉鳞，他就出奇地克制。

安知鱼深吸了一口气，平静地问："吃肉吧，不然马上又老了。"仿佛刚才剑拔弩张的场景根本没有发生过一样。

惊鸿摆了满满一桌的牛肉、羊肉、五花肉。姬沉鳞凑过来，露出不知道是震惊还是赞许的表情小声地对对面的安知鱼说："不过你这嘴炮倒是火力十足。"

安知鱼一挑眉："吓到你了？我在朝堂上都是这样的，你若不喜欢我下回便不这样了。"

姬沉鳞忙摆手解释："不是不是，你以后要多在我面前发挥战斗力，这样我也好学得一些。"

安知鱼说："学这个做什么，有我在，便不会让你去朝堂上跟那些老夫子相争的。"筷子上夹着羊肉从滚烫的锅里一过便熟了，每一丝肉纹间都流着看得见的汤汁，安知鱼举着筷子准备放到姬沉鳞的碗里。

姬沉鳞也很配合地捧起碗，眼睛亮晶晶地看着那块肉："多学一些，以后骂你也有些胜算嘛。"

安知鱼收起筷子，一个转手就自己吃了那块肉，整个动作行云流水一气呵成。

后悔，后悔死了！到嘴边的羊肉就这样头也不回地奔到了别人嘴里。姬沉鳞不甘心地烫着肉问："你为什么对宋迟苏那样有敌意？"

这样一个问题忽地抹去了安知鱼脸上的戏谑，眉角带了一点苍白的风雪寒意。

"因为……"

"因为姬天伐爱他？"

安知鱼低头自嘲一般笑了一下，额上有一缕头发毫无知觉地垂了下来："不，我怎么会因为天伐爱他就会如此，我又不是当年那个十岁的孩子了。天伐被我无辜地大爱了一场，我爱上天伐，天伐是不知道的，所以无论天伐做出什么样的决定，她都不愧对我的这份情。"

安知鱼望着低头吃肉的姬沉鳞，胸口一阵钝痛。他第一次希望姬沉鳞真的不是姬天伐，那些抛弃与背叛，她再也记不得才是最好的。

安知鱼握紧了筷子又继续说："但他宋迟苏，明知道天伐的心意，但却一直冷淡而疏离。当时的天伐把这种冷淡温和理解成温柔，但宋迟苏只是不爱天伐而已。他的怒意他的失控，都给了他的爱人——容青芜。他不无辜，他有负于天伐。"

四、物是人非最无常

安知鱼以一种极其复杂的心绪回想起曾经的日子。

那时候，朝野内外都有一种说法，叫"楚国三智"。宋氏公子迟苏丰神俊秀文达天下、安家幼子知鱼少即聪慧敏冠朝堂、当朝帝女天伐遗世独立惊才绝艳，是以称为楚国三智。

整个楚国都欣喜地觉得，这一任帝女不仅比以往的帝女更加健康，才能也更甚，一旦渡过及笄之劫，再加上宋迟苏和安知鱼的辅佐，下一个盛世指日可待。

被封为楚国三智的时候，安知鱼才七岁，姬天伐也不过才十岁。他们三个人都师从当时国子监最好的夫子，那段时间是安知鱼记忆里的珍宝，连拿出来分享都怕沾上了一丝灰尘。

每天清晨，宋迟苏都会按时起床学习。姬天伐虽然很困，但是出于对宋迟苏的热爱，还是会勉强地起来在宋迟苏旁边背书顺带研墨，虽然很多次姬天伐就那样扑通倒在砚台上睡着了。

而安知鱼年纪很小也没人苛责，他可以一直睡到中午。

所以宋迟苏每天除了学习就多了两项任务，一个是把安知鱼从被窝里抱出来，还有一个就是把瞌睡的姬天伐从砚台里刨出来。

安知鱼是家里的独子，他没有兄弟，而宋迟苏就像是他的长兄。每天宋迟苏都会温柔地拍他的脸唤："知鱼，知鱼快醒醒。"他喜欢宋迟苏无奈地把他抱到外面晒太阳，喜欢宋迟苏假装老成地给他讲一些之乎者也的大道理，所以总是在宋迟苏的怀里贪睡。

后来再大一些，他们三人已经能清晰地评论天下局势。三个人学着书里的煮酒论英雄，坐在月色清朗的花廊下谈内政谈边疆。

但只有宋迟苏能喝酒，安知鱼和姬天伐只能喝着白开水干瞪眼。安知鱼记得那天下午十岁的他偷偷地舀了宋迟苏房里的酒喝，然后便不省人事。他以为醒来的时候宋迟苏会揪着他的耳朵，让他十天半个月吃不到桃花酥、杏仁茶等好吃的。

但是宋迟苏只是温柔地守在他的床边，像往常那样喊："知鱼，知鱼快醒醒。"安知鱼那时候想，世上为什么会有这样温柔的人？宋迟苏像是穷尽了几百载的温柔来对待这个世界。

宋迟苏看着安知鱼和姬天伐馋酒的模样，笑着给他们准备了满是果香的甜酒。那是安知鱼此生喝过最好喝的甜酒，他躺在宋迟苏的腿上扯着他的袖子问："迟苏哥哥，这个酒叫什么？在哪儿买的，明天我就去买一百坛来。"

宋迟苏喝得面色微红，听到安知鱼问这个，眉目间笑意更浓，温润如玉般说："这是我一个朋友酿的，我喝的所有酒都是她酿的，别处买不到的。"安知鱼当时非常羡慕，咂巴着嘴想：为了以后能喝到这么多好酒，一定要好好巴结迟苏哥哥了。

那时候，安知鱼是宋迟苏的知鱼，宋迟苏还是安知鱼的迟苏哥哥。

而姬天伐，安知鱼一直无所顾忌地喊她天伐，姬天伐从来也不恼。记忆中的姬天伐，聪敏而开朗，她的身份明明比宫中的那些公主更尊贵些，却丝毫没有公主的刁蛮性子。当时的姬天伐上可琼宫挥斥方遒，下可与安知鱼后院偷酒。

安知鱼很少看到姬天伐生气，或者用帝女的架子压人。唯一一次是在宋迟苏屡教不改地喊姬天伐殿下后，姬天伐带着怒意质问宋迟苏："宋迟苏，你就不能像喊小鱼儿那样喊我吗？"

宋迟苏温柔地笑，答："因为自古上下有度，君臣有法。帝女殿下迟早是迟苏的君，所以不能像对知鱼那样。"

"那我就以帝女的身份命令你，下次要喊我天伐，不准再喊我帝女了。帝女有那么多，但姬天伐只有我一个。"

"好的，天伐殿下。"

宋迟苏当年那份温柔的无奈，和如今对待安知鱼如出一辙。

宋迟苏唤他知鱼都会让他回想起那段最好的时光，每当这时，安知鱼的胸口总像是被塞满了记忆的残骸，钝钝作痛。

安知鱼从小就知道，姬天伐有很大可能活不到十五岁。但是即使是在死亡面前，少年的情感还是热烈而又汹涌的。安知鱼对姬天伐的喜欢，正如姬天伐对宋迟苏的爱意一样，一发不可收拾。

但这其中又有一些不同，宋家本来就是要与皇室结成姻亲的。

虽然没有说明是宋家的哪个子孙，但帝女这么尊贵的身份，也只有宋家嫡子才配得上。

姬天伐的喜欢本就是合情合法的，那样光明磊落。而安知鱼只能默默地喜欢，默默地难过。但是能看到那样每日笑颜如花的姬天伐，他也由衷地觉得开心，毕竟他喜欢天伐也喜欢迟苏哥哥，他喜欢的两个人互相喜欢本也是件令人高兴的事儿。

一切都在向着最好的方向发展，姬天伐身体健康，所有人都说她一定可以渡过及笄之劫，登基称帝。宋迟苏温柔如水，以后成了皇夫也一定能好好辅佐女帝，真真是一对璧人。

当时的安知鱼也和天下人一样以为宋迟苏的温柔是一种爱意。直到安知鱼在窗外偷偷看见疯狂地砸东西的宋迟苏，那似乎是另外一个陌生的人，又似乎是宋迟苏心底最真实的自己。

安知鱼意识到了异常，便开始着手调查。

调查的结果在旁人看来，没有任何异常。只是在宋迟苏失控的那一天，大皇子姬天渊的府中多了一位叫容青芜的妾侍，安知鱼查不到容青芜和宋迟苏有任何交集。唯一的巧合就在于，容青芜出身于酿酒世家，容青芜自小聪慧尤擅酿酒。

而安知鱼从来都相信，无缘由的巧合就是缘由。

十二岁的安知鱼才到宋迟苏的胸膛高，他怒意满满地问："容青芜是谁？"

宋迟苏波澜不惊地回答："朋友。"

安知鱼仍旧不依不饶，吼道："撒谎！你爱她是不是？"

宋迟苏却对这个问题避而不答："知鱼，帝女过了及笄，我就要与她成亲了。我不会有任何越矩，我不会对不起帝女。"

一个人怎么会为了一个朋友而失控成那样，这个世上，唯有深爱才会盲目才会失去理智。

但是安知鱼看着每天都在喜悦地准备着嫁衣的姬天伐，终于什么也没有忍心说。

他天真地想，成亲以后就好了。这一切都没有他安知鱼的事，于是安知鱼做了一个让他后悔一辈子的决定，他没有等到姬天伐渡过及笄之劫便出门游历去了。

等到他回来的时候，一切都迟了。

安知鱼没能见到姬天伐最后一面，自古帝女的陵墓都是秘密，一切选址修建都由国巫决定，连帝王都不能知晓。而安知鱼回来的时候姬天伐已经下葬，葬入了无人知晓的陵寝里。

安知鱼看着那一汪如碧的未央湖，那样热烈如日光的姬天伐冰冷地躺在水里，与世长辞。

她分明只有一天就要及笄了，过了那天她便是这世上最荣耀最光辉的存在。她会登上帝位，她会嫁给她爱的人。

所有人都对此扼腕叹息。

但安知鱼想的是，历代没能渡过及笄之劫的帝女都是病死的，也就是俗称的天劫。但姬天伐明明无病无痛，她是坠湖而亡，这分明就是人祸。

更令安知鱼愤怒的是，宋迟苏没有任何激烈的反应，他选择了平淡地接受了这一切，甚至完完全全地脱离俗世开始修行。

"迟苏哥哥，姬天伐的死肯定有问题！"

"知鱼，很多事情都是天意。"

当时宋迟苏的衣袍中都浸满无奈与伤痛，安知鱼也相信那是真的伤痛。但是伤痛能值几分钱？

安知鱼信天意，但天意之外更有人意，他并不想逆天，他只要天给他一个答案。

安知鱼冲着宋迟苏的背影寒声道："宋迟苏，你何其懦弱。"

安知鱼第一次意识到，宋迟苏的温柔是妥协是退让是可怕的懦弱。

他再也没有喊过迟苏哥哥，仿佛他的迟苏哥哥早已在时光里死去。

宋迟苏没有回头。

就在那一年，宋迟苏从红尘中隐遁而去，入山修行。那一年，安知鱼从一个游山玩水的纨绔进入朝堂，开始权谋厮杀。

安知鱼觉得所谓的命运真的是太过残忍，他们本不该是这样。世间万般皆有缘法，安知鱼想，他们的缘法，就是姬天伐吧。

国子监的花廊外有一棵梨花树，姬天伐曾开玩笑地说："梨花离离，听起来一点都不美。"那年国子监的梨花终究还是在风中消弭殆尽，埋在树下的酒终究没人再共饮。

终于，笑非当年笑，酒非当年酒。

姬沉鳞安静地听安知鱼讲完了整个故事，埋着头，没有发表任何评论。她不是不懂，她只是太懂，世间最无常无非是"物是人非"四个字。

在安知鱼的注视中，过了好久姬沉鳞才抬头笑着说："今儿这个火锅，简直吃出了我蛟生质的飞跃啊！"

安知鱼揉了揉她的头，也学着她笑："等下雪的时候，租条船带你去城外湖心亭吃火锅。"

"好！"姬沉鳞回答得干脆又响亮，响亮得将安知鱼原本因为回忆而阴郁的心照得亮堂堂。

安知鱼往外走了很远，又回头认真地问了一遍："其他的倒没什么，只是卜算大典在即，你万事小心。还有，帝女的头发……对卜算大典真的没影响吗？"

"放心！我是谁，我可是国巫姬沉鳞啊！这种事情怎么会难得倒我？"

惊鸿开了窗想散散屋里的火锅味道，姬沉鳞坐在窗边深吸了一口冬日的凉气，轻笑了一声。

我是谁？这种事情怎么会难得倒我？

第六章　帝星无继

一、"我是谁？我是姬天伐啊。"

冬至。

姬沉鳞起来时，天色还是暗的。惊鸿和一众婢女捧着礼服冠冕候在一旁，悄然无声。

姬沉鳞才洗漱完毕，婢女们便让开了一条路，依次进来了三个衣着华丽雍容的妇人。

一个新来的小婢女好奇地悄声问："这是宫里来的嬷嬷吗？"话音才落就被旁边年纪稍长的婢女迅速地捂住了嘴。那婢女这才看到妇人身后的九尾狐尾、额上的鱼鳞，还有指尖上的鸟翅羽。

姬沉鳞笑着喊："鲤姬姑姑，雁姨，大尾巴奶奶。"

那九尾狐上前戳了戳姬沉鳞的眉心，笑道："都是做国巫的人了，还这么没大没小。要不是长央君老护着你，看我不拔了你的鳞。"

"鳞片可是命啊！鲤姬姑姑你说是不是？大尾巴奶奶你可下不了这狠心。"

鲤姬摸了摸姬沉鳞光洁的额头和脖子缓缓赞叹道："不愧是昆吾山

的国巫苗子，不过才修炼了多久，就已经一点异兽痕迹都看不到了。"

姬沉鳞坐到了梳妆台前，雁姨将她睡觉扎的大包子头给松开，漆黑如墨的头发倾泻下来，绸缎似的铺了一地。

雁姨梳头的时候格外轻柔，边梳边跟姬沉鳞说着话，像是闲聊实际上是在跟她讲卜算大典要注意的事项："我们几个伺候了几任国巫，唯有你年纪最小。在卜算的时候，谨记抛开杂念。等到上了祭台，你肩上担负的不仅是楚国不仅是昆吾，还有神意。"

你是神意的宣读者，你启口的便是一个国家一个人世的未来。

卜算大典的礼服，是国巫一生只能穿一次的衣服，内襟为白外袍为黑，意味天地。而外袍的内里都用金银线密密匝匝地绣了昆吾的密宗咒文，宛若形状诡谲的星辰落在了姬沉鳞的身上。

鲤姬挑了一支石头簪子将姬沉鳞如瀑的长发绾起，朴素无华的石头却端庄地压住了一身华贵礼服。

整个国都都在凌晨的寒风中醒来，百姓们跪在长街的两侧，红毯从国巫府一直铺到了祭台。冬至这一天，是一年中白昼最短的时候，也就是能见到黑夜星辰最长的时候。

祭台在城郊，姬沉鳞按照习俗从国巫府步行至祭台，将在路上耗去大半个白日。

国巫府外早就候着负责仪仗的宫人，姬沉鳞的脚刚踏出国巫府的台阶，就听到门口的太监高呼一声"启"，声音尖厉得直上九霄。

惊鸿一行人迅速地理了理姬沉鳞的衣摆，然后退到了红毯外。这是一条只有国巫才能走的路，这也是独独留给她姬沉鳞的。

走到半途，忽地听到人群中有稚嫩的童声问："娘，上任帝女真的就跟这个漂亮的国巫姐姐长得一样吗？"

孩子的嘴被迅速地捂住，周遭又重归寂静。

太阳明晃晃地悬在空中，照得姬沉鳞衣服上的暗绣纹路耀耀灼目。姬沉鳞从清晨走到暮晚，像是在一天内走尽了人生的四季昼夜。

踏上祭台，看见众人都到齐了，昆吾山此次派来的是长央君，这是姬沉鳞下山后第一次见到长央君。

长央君虽然与当日的未央君容貌一模一样，但是气质却又是另一番飘然爽朗，一袭白衣一丝不苟的发髻，站在人群里便俨然是一山之主的模样。

姬沉鳞深吸一口气，缓步进入了祭台的内室。国巫需要在内室里清点好所需的卜算之物，也清理掉脑内杂念，等到日落月起的那一刻升上祭台，开始卜算这一任的栖神躯。

姬沉鳞刚踏进内室，身后的石门便轰然关闭。

内室里摆着一张长桌，上面摆着占卜的罗盘，新的小衣裳小头面，极净的无根之水，还有一个符火盆。符火盆本该是用来焚烧前任帝女的贴身物件和头发的，以更贴近这一次的神意。

但现在这盆里面只有一件姬天伐曾穿过的长衫。

石室里的烛火明灭，姬沉鳞从袖口拿出早已准备好的剪刀，刀刃磨得锃亮，锐利的刀口如镜子一般映出了姬沉鳞冷冽而决然的眉目。

将剪刀移到胸口前，毫不犹豫利落干净，咔嚓一声。

姬沉鳞剪下了一绺漆黑如墨的头发，扔进了符火盆里。姬沉鳞又捏了个咒诀，符火盆里的符咒顷刻间燃烧起来。

灰烬与烟气之中，姬沉鳞轻喝了一声："我是谁？我是姬天伐啊。"

八年，姬沉鳞只想要一个答案，那就是她是怎么死的。

又或者说，她是如何从一个人变成了一条蛟。

二、东海蛇女

坠湖那天的所有记忆都如同灰烬一般在姬天伐的脑海里消失殆尽，她不记得她为何要在深夜去往未央湖，她也不记得她是不是在水中苦苦挣扎自救无门。

她只记得她那日醒来，是以一条蛟的姿态。

姬天伐在迷迷糊糊中，觉得自己的腿在梦中被人从膝盖处生生地截断，血肉模糊，黏腻的潮湿感让姬天伐拼命地想醒来。

她在混沌中一遍又一遍地挣扎，每次挣扎就会听到一阵又一阵的类似地板震动的声音。

疼痛和嘈杂让姬天伐从昏迷中醒来。

但她没有在熟悉的宫内醒来，她的身边没有绣着鸾凤的锦帐，没有贴身侍女惊鸿与舞影。她一睁眼，便发现自己身处一间只有昏暗灯光的暗室里，手上锁着硕大的铁链，而她的脚……

姬天伐忽然发现她除了疼痛，感知不到她的脚！

空气中弥漫着水汽、铁锈和浓重的血腥味。她吃力地拽着铁链想半坐起来，才微微起身就在狭小逼仄的空间看到了一条巨大的蛇尾。

吓得姬天伐本能地向后一躲，但是她一动，那尾巴也跟着一起动了起来。

那条纯白色的蛇尾，上面浸染着斑驳血迹，蛇尾没有尾尖，像是被人齐齐斩断，留下一个已经结痂的横截伤口。

姬天伐难以置信地顺着蛇尾一直往上看，最终看到了自己的身体，是和蛇尾完全长在一起的。

翻滚，爬着想逃跑，但很快铁链又将她拽了回去，将她和她的蛇尾囚禁在一起。

周遭都安静诡异得可怕，姬天伐惊惧得尖叫起来。

这尖叫似乎很有效，房间的周围忽然响起脚步声，还有灯火烟气。虽然不知道来者何人，但是在姬天伐看来，没有什么能比她现在这个样子更可怕了。

门被打开，姬天伐望着幢幢的人影如同抓住了救命稻草嘶喊道："救我！救我！"声音还未全部落地，就立刻感受到了剧烈的刺痛。

刺痛令姬天伐一下子清醒了，来的一群人像是海边的渔民，手里举着钢叉，只要姬天伐一动，渔民手中的钢叉就精准地扎在她的蛇尾上，他们高喊着："蛇女！你这个蛇女！"

姬天伐满脸是泥水和鲜血，她喊着："我不是什么蛇女！我是姬天伐啊！"

但渔民们仿佛听不到她的话，钢叉仍旧密集地要扎下来，却被他们簇拥着的一个白衣人影阻止了。渔民愤愤地放下手中的武器警告着姬天伐："蛇女你别想迷惑我们！我们在海上打拼惯了的，不怕你们这些海妖！况且，我们还请了昆吾山的主人来，铁定收了你。"

听到"昆吾山"三个字，姬天伐知道国巫鹿刃爷爷就来自昆吾，昆吾是掌管异兽的地方，所有伤人的异兽都会得到昆吾的制裁。

虽然她不明白，自己为什么要被昆吾主人收了，但她知道，现在这个昆吾主人是自己唯一的希望了。她冲着那个人影带着无法克制的哭腔喊："救我，我是楚国帝女姬天伐，放我出去！"

那白衣人影眉头一拧，开口道："我是昆吾长央君，你刚刚说什么？"

姬天伐伸出手来，上面有一颗小小的桃核，她用力地伸着手，那桃核被震得摇摇晃晃。

"我是帝女天伐！你看这是鹿刃爷爷给我的护身符，鹿刃爷爷也是昆吾的，你一定知道他的！你问问他，就知道了！"

长央君迅速屏退了不明所以的渔民，举着灯靠近了姬天伐。

长央君看着眼前这个头发蓬乱满脸血污的少女，若不是她的眸子在暗夜中还闪着光，他根本不会想到渔民们在海边捉住的这个海妖，会跟帝女有什么关系。

"你说你是帝女天伐，可是这里是东海海滨，距离国都千里之遥，帝女怎么会在这里？"

姬天伐一脸错愕地问："这里是……东海？不可能，我明明昨天还在宫里，今天是我的及笄之礼！"

　　长央君很少出山，但是一旦人世有了妖兽或者伤人的异兽，他就会下山降服。东海边的渔民在海边捕获了一只从未见过的海妖，像是蛇女，但是她的蛇尾又跟其他的蛇不一样。

　　长央君赶到的时候才发现这海妖意识根本不清醒，可能在海上漂了许久，一直漂上了岸。

　　眼前的少女仍旧是女童的发辫，长央君忽然想起，如果帝女真的还在世，应该已经过了及笄之劫，能梳起高高的发髻了。

　　长央君顿了一刻说："但帝女天伐在百日前，就已经薨逝了。"

　　"什么？"姬天伐几乎要从血污里绝地而起，"不可能，我还活着！我明明还记得昨天……"

　　"你看到那些渔民了吗？都系着白腰带，他们在为帝女服国丧。"

　　"不可能！带我回去，他们一定是搞错了。"

　　长央君撕下了一条衣带扎在了姬天伐的尾巴上给她止血，缓声问："你，真的准备这样子回去？"

　　姬天伐蜷缩起来抱着自己的尾巴像个孩子一样呜呜哭了起来："那怎么办？我为什么会变成蛇？我变成蛇，那父皇和哥哥会不会不认我，迟苏哥哥会不会讨厌我？"

　　白尾上的鳞片更近似于鱼鳞，泥水还有血污丝毫不能掩饰鳞片的光泽，长央君握住了姬天伐的手腕说："你应该不是蛇。"

　　"对！我不是蛇，我是人啊！"

　　"你应该是蛟，你看。"长央君的手稍一用力，姬天伐的手上就出现了鳞片，显出了原形蛟爪。

　　长央君继续解释："已经很久没有出过蛟这种异兽了。蛟是介于龙和蛇之间的动物，你看你比蛇多了爪子，又比龙少了龙尾和龙骨，所以蛟的骨头无比脆弱，可能随时骨折。"

　　"龙？龙是什么？"

　　长央君迅速地转移了话题，似乎并不想向姬天伐解释清楚什么是龙，他叹了一口气说："总之，现在的你，已经不是人了。"

姬天伐看着自己那只蛟爪，绝望地接受了这个事实。

接受了，反而没有那么害怕了，只是整个胸膛都被难受所填充。姬天伐想，哪怕她回了宫，其他人也会像那些渔民一样看自己吧，她不是一个帝女而是一只可怕的怪物。

虽然楚国有以异兽为国巫的传统，但也只有国巫，是唯一一个能在人世光明正大存在的异兽。

其他异兽在人的眼中跟怪物并没有什么区别。

姬天伐冷静下来，终于恢复了帝女的气度，微微挺直了背说："我只是想知道这一切是为什么。"

"我也不知道，这答案需要你自己去找。"

"如何找？"

"先跟我回昆吾吧。"

姬天伐在朝廷宣称帝女薨逝百日后，以姬沉鳞的身份来到了昆吾山。

她虽然曾贵为当朝帝女，但也只是从鹿刃之处窥得一点昆吾山的样子。真正到了昆吾山，她喟叹于造物主的神力，竟可创造出如此丰富的物种。昆吾山上的异兽，生而不同于人，但都灵性甚通，有些学了变化之术可以变化成人的模样。

也有很多异兽不屑于变成人的模样，用他们的话就是："谁比谁高贵些？我们觉得四只爪子一对翅膀好看，何苦要变成人。"

在昆吾山，姬沉鳞第一次意识到，原来真是万物皆有灵，他们不卑不亢地活着，比畏惧异兽又瞧不起异兽的人，倒更洒脱些。

昆吾山的一切都令姬沉鳞觉得新奇，大家并不觉得她是异类，她就像是普通少女一样无所顾忌地成长。同时，她忽然意识到整个人世早已忘记了她，没有人记得他们曾经殷切希望的帝女天伐，她只是一个和其他早夭帝女一样的故者，没什么特别。

姬沉鳞在昆吾学习如何控制原形和人形之间的转变，她似乎比其他异兽更具备这样的天赋。

她想：或许是，她曾经生而为人过所得到的奖励吧。

除此之外，姬沉鳞拼命地学习一个国巫所具备的技能，虽然昆吾山有数以万计的异兽也在做着同样的事情，但她不惧怕有竞争者，她只怕自己不够努力。

所以每个在占星台在论剑坡的夜晚，姬沉鳞都不曾后悔，哪怕是因为练习得太激烈而骨折绑在长央君的书房里，她都未曾放弃。她总是在疼得无法自持的时候，一遍一遍回想着长央君跟她说过的话。

"我也不知道为什么，这是你的命运，只能由你去开解。"

"成为国巫，光明正大地回去查。"

"既然所有人都认为姬天伐死了，那她就是死了。唯一能让她活过来的，只有你自己。"

唯一能让自己以姬天伐的身份活过来的，只有她自己。

前十五年姬沉鳞从来无须争夺什么，她知道上天把一切东西都安排给了她，她只要说一句要，那她便会有。但后来的八年里，姬沉鳞所想要的都需要拼尽全力去争取。

当她最后站在论剑坡的巅峰时，看着山下被自己击败的对手，看着自己手上风雨而成的茧时，终于意识到：她重生了。

那一刻姬沉鳞也终于意识到，她是什么其实不重要，重要的是她是谁，她要做什么。

昆吾山主人长央君救了她，但是他也给不了她任何答案，所以她拼命地争取成为国巫，重新回到楚国，只想查出当年到底发生了什么。

前任帝女以国巫的身份归来，就是要问问这一切是天意还是人谋。

姬天伐不能死得无因，姬沉鳞不能生得无名。

三、"本朝，无栖神躯。"

石室里的阶梯托着姬沉鳞缓慢上升，太阳已经隐入地平线以下，月华恰好透过落日余晖，黑夜与光芒相融竟有些透白的意味。

姬沉鳞看着祭台旁跪满了黑压压的人群，周遭都回荡着压抑的呼吸声。

苍穹白得吓人，姬沉鳞扭动罗盘的时候，天上星宿迅速坠落隐去。平地里炸起一记惊雷，等待卜算栖神躯的妃子们吓得花容失色。

姜婕妤一抖，头上的珠贝、簪子跌碎在地上，一颗硕大的海明珠就那样骨碌碌地滚到了一身玄色的姬沉鳞脚边。

风云翻覆后，姬沉鳞猛然睁目，望见罗盘上的"神启"。

在场的人都被气氛感染，又都各自心怀鬼胎，见仪式结束，纷纷翘首企盼。

年轻的帝王似乎很紧张，紧紧地扣着双指，面如凝露。姬天渊与姬沉鳞对视了许久，才开口问道："国巫大人，可卜算出朕这一朝的栖神躯？"

姬沉鳞望着神坛下那些带着膨胀私欲的诸多渴望眼神，忽然有些想笑，而且是那种幸灾乐祸的、含着些许恶意与快感的笑。

姬沉鳞不经意地弯了一下嘴角，缓慢而坚决地将手中罗盘朝天举起。

那块以深海珊瑚制成的赤色罗盘，素来以灵性和坚固著称的罗盘，顷刻间，在国巫姬沉鳞的手中碎成粉末，风一来，便消失殆尽。

"本朝，无栖神躯。"

姬沉鳞站在风中，衣袂猎猎作响。罗盘的碎屑粘在她的宽袍上，像极了浸血的骨灰。

神坛下一片哗然。

那些寄希望于自家女儿肚子的朝臣，都一副生无可恋的模样，有愤怒的、有暗自神伤的，更多的是质疑。

姬天渊几乎是从帝座上跳起来，问："国巫，何出此言？"

姬天渊的情绪比朝臣更甚，却没有人注意到姬天渊的手指由紧张变成了放松，慢慢恢复了血色。

在夜色中，姬沉鳞握着一把罗盘粉末，轻轻地笑了起来。

"没有栖神躯的意思是，陛下此脉无帝星相继。"

姬天渊的手指迅速蜷曲握紧，他的情绪由震惊转成盛怒："国巫可知道，话说出来，是必定要担责的。"

"陛下是不信任我这个来自昆吾的卜算者了吗？"

姬天渊甩袖别过脸去，脸被掩映在帝冕的阴影下，干笑了一声道："毕竟国巫比起往任那些，还是年轻了些。"

姬沉鳞并不想这么快就与自己以后的主子闹僵，思考着如何接话，才能两全其美的时候，安静的人群中忽然传来笑声。

"上任帝女天伐死得不明不白，到底，神是看得明明白白啊！"

声音来自左相——安知鱼。

全场哗然。

姬天渊拂袖起身，直接摔了手中的祭祀酒盏，冷笑道："安爱卿真是越发会说话了。"

文官队列对面的武将，拼命地向安知鱼使眼色。姬沉鳞看着那几个品阶颇高、战功赫赫的武将，想起来他们都是姓安的。安知鱼一个少年宰相敢与皇帝针锋相对，无非是因为皇帝忌惮着安氏的力量，但姬天渊早已不是那个初登基的新帝，两年的时间，已经足够他将自己的势力安插入各处。

安氏族人对安知鱼的眼神，其实只有一个意思，那就是让安知鱼示弱。

但安知鱼却丝毫不以为意，不知道为什么，他只觉得开心，他只觉得舒坦，他觉得这朗朗乾坤终究昭义仍在，神的眼睛还是亮的。

一派剑拔弩张，这样的局势似乎无论谁再开口说一句，便能片语喋血，焦躁的怒意在这诡异的静默中蔓延，肆虐。

最终一个声音打破了沉寂，这个声音也没有人可反驳。

是长央君。

长央君朝姬沉鳞无声地点了点头，就这样一个细小的动作给了姬沉鳞巨大的力量。

长央君缓缓地说："神意莫测，不是我们这些俗世生命多能揣度的。近来朝堂内外多有不平，不管是天灾还是人祸，大概都要有个清楚的说法，神意才会清晰。"

姬天渊虽然仍旧满脸怒意，但是看到昆吾山主人出口也不好驳了他的面子。倒是宋云辞温温和和地道："之前不平之事，昆吾山未央君业已查断。"

长央君一听到未央君这三个字，冷着脸回说："未央君是未央君，长央君是长央君。昆吾山事务都是由我来处理，哪里由得他说话了。"

台下官阶较小的官吏，倒是听得极开心。原本就事不关己，却能目睹这样有料的饭后谈资，皇帝与宰相不和，昆吾山的未央君与长央君不和。这趟卜算大典虽然没能卜算出栖神躯，但听到这么重磅的八卦也不算亏。

姬天渊留了四个字"容后再议"，便带着一众手足无措的宫妃起驾回宫。

姬沉鳞撒了手中星盘的碎屑，她忽然觉得有些释然，唯一的感受就是身上祭祀的冠冕实在太重了些。

姬沉鳞摸了摸自己的嘴角，她不害怕，她只是有些愧疚自己的谎言。

她为了查明一个阴谋，而设计了另一个谎言。

她做足了所有的准备工作，但站在台上的她根本没有卜算，根本没有试图与所谓的神意交流。其实无论这场卜算大典是怎样，到最后的结果也就这一个。

毕竟这样一个卜算结果是她酝酿预谋了八年的。

长央君走到了祭台上，姬沉鳞忽然有些慌，她想自己是不是丢了昆吾山的面子，又或者这样会使得人与异兽的关系降到冰点。

“长央君，我……”

“八年你完成了别的异兽八十年才能做到的修行。”

姬沉鳞又问：“你相信这是真正的神意？”

长央君摇了摇头，道：“我不在乎这个卜算结果是真是假，我会帮你查出姬天伐当日的秘密，是因为，我也很想知道我们所执着了这么多年的神意到底是什么。”

这一切到底是神意，还是可被控制的人意。

姬沉鳞明白，现在自己走的每一步，如果不接近真相，就一定会堕入地狱。

姬沉鳞走下祭台的时候，看见安知鱼站在台阶下面等她。他一上来就对姬沉鳞说：“走，带你去吃东西。”

冬至的天已经很冷了，安知鱼领着姬沉鳞整整吃完了一条街的热汤甜点，糯米打糕握在手里又软又暖。

在所有人都抑郁的情况下，安知鱼在姬沉鳞旁笑得色若春晓。

密室里，男子捧着热茶的指节有些发白，他问身后的人：“姬沉鳞跟姬天伐，不是只是像那么简单吧？”

无人回应，他也不需要回应。

每次他以这种语气问话的时候，都代表他已肯定。

国巫府里，惊鸿手里拿着紫檀木的小梳子，将姬沉鳞的长发一梳到底。

铜镜里映出模糊的人影，姬沉鳞冲着惊鸿笑，惊鸿也笑。梳到姬沉鳞头发剪断的断口，惊鸿猛地一愣，又很快地在黑夜里掩饰了过去。

这晚，长央君辗转难眠，脑子更像是裂开了一般。在剧痛与虚空中听得熟悉的声音轻佻一笑“哟，你还真是分得清。未央便就是真的未央吗，长央便就是真的长央了吗？"

长央君强忍着痛道："我们本就不是同路。"

那笑声却更加缥缈与尖厉，如附骨之疽久久回荡在长央君的耳内：

"长央，是不是时间太久。你都忘了我们是什么？你瞧瞧满昆吾，飞禽走兽上天入地都见得到。但你呢，你是个什么东西呢？"

你是个什么东西呢？

第七章　出逃

一、暮雪不白头

卜算大典后的最初几天都过得很平静，按照惯例，卜算大典结束后国巫就可以休息一段时间。姬沉鳞每天都待在国巫府里，等着惊鸿燃起炉子，然后牛肉、羊肉各种肉的火锅轮番来。

因为卜算大典并没有卜算出栖神躯，姬沉鳞所说的无帝星相继使得朝野人心惶惶。归尘宗贵为国教也遣派了许多高人进国都，宋迟苏也留了下来。

宋迟苏来看望姬沉鳞的那天，是初雪。天近黄昏，宋迟苏外面披了一件灰狐毛斗篷，手里拎着一坛酒。

宋迟苏抬起头冲姬沉鳞微微一笑说："这是醉仙楼的陈词酒，冬日里喝不醉人，也能暖身子。"

姬沉鳞想，此时的宋迟苏，在这个临近新年的国都里，才更像是她记忆中的那个迟哥哥，锦绣成堆温润如玉的贵族公子。

那日她以蛟的身份躲在水里，再次遇见宋迟苏的时候，她觉得这一切像是宿命。一个她以姬天伐身份爱着的男子，一个她本该在八年前就与之成婚的男子，八年后再相遇，她只能假装惊讶地问一句："你是，迟苏主人？"

姬沉鳞苦笑了一声想，自己的演技竟精湛到这般？从当年安知鱼告诉自己容青芜的存在时，自己便已经学会了演戏。

姬沉鳞看到宋迟苏倒了两杯酒，问："你也喝吗？"

宋迟苏递了一杯到姬沉鳞手中说："这是果酒，喝一点没事的。我也有许多年没有喝过了。"

陈词酒是醉仙楼的招牌，酸中带甜，烫热了之后还会带一丝小小的辛辣。姬沉鳞想起幼时，宋迟苏不准自己和安知鱼喝酒，自己和安知鱼嘴馋的时候，就会去醉仙楼买这种酒。

姬沉鳞心满意足地喝了两大杯，点头说："好喝！"

那天，宋迟苏和姬沉鳞絮絮叨叨地说了许多话，他问了姬沉鳞昆吾山是什么样子，也给她讲了国都的生活，像是最平常的老友小聚。

话说到最后，一坛陈词酒被两个人喝得精光。

不醉人的酒，宋迟苏却喝得醉眼蒙眬。姬沉鳞就那样清醒地看着宋迟苏，宋迟苏兀自伸出手碰了碰姬沉鳞的嘴角。

宋迟苏望着姬沉鳞，愣了半刻说："你的嘴上，有酒。"

肌肤相触的那一刻，姬沉鳞心里曾经少女的爱恋与希冀，几乎在一刻内死灰复燃。她与宋迟苏，似乎从未这样亲密过。

那天宋迟苏走的时候，夜色厚厚地压了下来，雪越来越大。姬沉鳞穿着薄袄，送宋迟苏到了门口，她心里那点燃起的记忆灰烬，给了她一股莫名的勇气，她伸手抓住了宋迟苏的斗篷上沾着的雪粒。

宋迟苏的笑意，天地苍茫的薄雪气息让姬沉鳞想起了一句诗——暮雪共白头。

她往前跨了一步问："你觉得，我是姬天伐吗？"

宋迟苏避而不答，只是微笑地拍落了姬沉鳞发梢上的雪，说："天冷了，回去休息吧。"

宋迟苏的脚步有些虚浮，走在茫茫的大雪中，最后只剩下一个灰点，剩下国巫府门内一盏被风吹得骤灭的纸灯笼。

姬沉鳞自嘲地笑了一声，她早就明白，宋迟苏永不可能与她共白头。

可笑的是她八年前明明已经知道了答案，八年后却还是这样执迷不悟。

长街的另一侧，安知鱼勒住马，没有再前进一步。这两天是他这八年来最欢喜的日子。卜算大典给了他一个神意的公正，而昨天惊鸿过来告诉他姬沉鳞似乎剪了头发，联系起那天在符火盆里发现的头发残骸，这一发现令他越来越确信自己的推测。

他比谁都相信，眼前的这个所谓的国巫就是姬天伐，他想她一定有着苦衷。他与她说不再把她当作姬天伐不过的是，维护她的伪装，守护她的苦衷。

在她是姬天伐时他来迟了，但在她是姬沉鳞的时候，他便会倾他所有保护她。

但无论她是姬天伐还是姬沉鳞，都似乎不愿意给他安知鱼一个机会。

安知鱼的怀里也抱着一坛一模一样的陈词酒，还有一包热乎的糯米糖糕。他生怕糕点冷了，特地揣在怀里，但此刻那包糖糕却烫得他的心有一点疼。

安知鱼记得很多年以前也是这样，他望着姬天伐，姬天伐望着宋迟苏，而宋迟苏身后留了苍茫一片，没有回头。

安知鱼身后的焚琴看着自家主人本来兴致冲冲地要去国巫府找国巫大人喝酒，现在忽然又一脸冰霜，一主一仆在风雪中成了两个雪人。

过了好久，安知鱼怀中的糖糕也冷透了，他摆了摆手回了丞相府。丞相府的大门刚要关上，安知鱼开口："去让惊鸿给国巫大人加件衣服，外面太冷了。"

一句话就把唇上的雪粒融化了。

他纵使心寒，但仍旧舍不得让姬沉鳞受一点寒。

二、"十年来，深恩负尽，死生师友。"

姬沉鳞喝了点酒，第二日便一直睡到了日中，缩在被子里刚想唤惊鸿，一个惊字出口后，才想起惊鸿今天告了假，说是要给家中参军的哥哥送行。

当初又见惊鸿，姬沉鳞心中骤然一抖，她想惊鸿应该是安知鱼送来试探她的，所以当惊鸿以姬天伐的口味揣测要撤掉小葱拌鸡丝时，她硬是忍着吃下了自己曾经最厌恶的葱花。

姬沉鳞是背负秘密而来的，从一开始这就是个谁也不能分享的秘密，哪怕是曾经最熟悉的贴身侍女也不行。

她不能将秘密交付给别人，不是因为不信任，而是为了避免他们受到牵连。

虽然姬沉鳞对惊鸿隐瞒了秘密，但还是将生活起居都交给了惊鸿，因为她信安知鱼说的那句："我们不会伤害你。"

姬天伐当时身边有惊鸿和舞影两个贴身侍女，舞影比惊鸿大一些懂事一些，在姬天伐出事前便已经得了恩宠出宫婚配。而惊鸿只比姬天伐大了两岁，姬天伐对惊鸿最深刻的记忆就是她新年的时候，冲着天上的星星许愿"我啊，希望天下人都开开心心的，其中希望帝女殿下最开心！"

姬沉鳞知道，惊鸿也是和安知鱼一样，对曾经的自己还有着怀念与执念。

一直以来，只会在两个人遇到事情的时候，乐天的惊鸿才会惊惶无措。

一个是姬天伐，一个就是她哥哥。

惊鸿入宫后她的父母就相继去世，哥哥是她唯一的亲人。所以当惊鸿小心翼翼地问"大人，我哥哥就要出征了，我能不能回去送送他"时，姬沉鳞立刻就同意了。

一则是出于对惊鸿的感激，二则是出于愧疚。

姬沉鳞愧疚是因为这一切的源头都是因她而起。

全国各地忽然开始征兵，是因为西北流民动乱，这场动乱打的旗号就是"帝星不继，匡扶社稷"。如果这场动乱不及时平定，那么出事的就不仅仅只是边陲了，全国都有可能因此而乱。

姬沉鳞无奈地笑了一声，这次打的旗号是"帝星不继"，可能下一次的旗号就是"天伐再启"了。

她用了一种最为极端的方式，让世人重新记得她，再度记起那个叫作姬天伐的帝女。

惊鸿从家中回来之后虽然还是如往常一样什么事都欢喜的模样，但是眼角还是红红的。姬沉鳞只是叹了口气，嘱咐她多休息。

姬沉鳞不能退让，她始终觉得姬天伐那日的"死亡"之下埋藏着更大的秘密，她哪怕做一世的罪人，也要成万世的明灯。

临近除夕，国都却越来越躁动不安。这是姬沉鳞以国巫的身份在楚国度过的第一个除夕，但这一切和她当帝女时所看的景象完全不同。

街上虽然仍旧有摊贩，但却比往年少了许多，风一起便是一阵寒风萧索。

长央君在国都的日子里，一半时间住在楚国皇室为昆吾山特设的驿馆里，另一半时间里则与国都周围隐居的归尘宗高人小聚。

所以，当长央君顶着一头风霜来到国巫府时，姬沉鳞倒也见怪不怪。

姬沉鳞刚准备开口劝长央君，这么冷的天就不要往深山里钻了的时候，长央君闭口不言揭开胸前衣衫的一角。

殷红一片。

姬沉鳞忙屏退了左右，将手覆上他的脊背，想要将自己的修行功力传给长央君，却被长央君悄然推开。

姬沉鳞低声问："怎么回事？"姬沉鳞的惊讶在于在这个世上，无论是人还是异兽，竟然还有能把长央君伤成这样的存在。

"没事，这点伤，我养养就好。你的修为留着面对更大的凶险吧。"

"更大的险难？"

长央君将手按在姬沉鳞的后腰上问道："你来楚国之后，可有像在昆吾那样断过脊骨？"

"只有过一次，刚入楚国的时候，被马……踢断的。当时是鹿刃大人帮我治的。"

"那就都说得通了。你之后就没有感觉到身体有任何不妥？"

"别的倒没有，只是有时候腰这块有些酸痛。只是我想是我骨折的次数太多，有点后遗症也是必然的。"姬沉鳞说罢笑着敲了敲自己的腰。

长央君笑了一声从袖中拿出一个锦盒："你的心也是真大。幸亏你现在是蛟身，若还是人身，都不知道死了多少回了。"

姬沉鳞满腹疑惑地拿起锦盒问："这是什么？"

"你的一段脊骨。"

"什么？"姬沉鳞打开盒子的手一抖，里面赫然躺着一小段骨头。赤红的缎锦映得骨头更加森然白净，雪白得像一尊小小的雕像。

"应该是鹿刃在给你治骨折的时候，给你卸了一小段。"

听到这话姬沉鳞所受的冲击，远比看到自己的骨头更大，连声音都带了颤音："你说鹿刃……故意卸了我一小段骨头？那他要这骨头有什么用？"

"我猜想，他一开始也怀疑你的身份，卸了你的骨头是为了求验你到底是不是姬天伐，但不知道为什么一直没有去验证。"

姬沉鳞想起鹿刃死前一直说的"对不起"，当日鹿刃在听完姬沉鳞的耳语后，释然辞世。

鹿刃临死前，姬沉鳞附在鹿刃耳边说的五个字就是——"我是姬天伐"。

姬沉鳞捏着这一小段骨头，想了许久才开口："或许，他是因为愧疚，他对没能守护姬天伐而感到愧疚吧。鹿刃在我小的时候对我很好。他去世时，我告诉了他我就是姬天伐，他……看起来，终于释然了。"

长央君摇了摇头说："或许你理解错了他的愧疚，他是对姬天伐感到愧疚，但他的愧疚不是因为没能救得了你。我怀疑你曾经的死亡是谋杀，而鹿刃很有可能参与了这场谋杀。"

"什么？"

今日与长央君的交谈，每一句话都能给姬沉鳞巨大的冲击力。

"我这伤是未央君所设的结界所伤。鹿刃死后不能葬回昆吾山，所以他的骨灰就被埋在了他山间宅子的后面。我本想去拜一拜他，但是到了那儿我才发现，那宅子被布下了只对异兽起作用的结界，我想未央君下那结界本是为了防你的。这个锦盒藏在宅子一个密室里，我拿这个锦盒时，结界骤然收紧，我毫无防备所以才受了伤。未央君一直对帝女的秘密有着极大的兴趣，帝女葬礼的时候他也非常反常地下山来了楚国，我猜想你的坠湖多多少少与未央君有关。既然他肯在鹿刃死后还下这么耗修为的结界，那鹿刃可能也……"

姬沉鳞一下子联想到鹿刃对姬天伐之死的无比肯定，想起了鹿刃的彻骨愧疚，整条脊骨都骤然一冷，她曾经有多信任鹿刃，现在就有多冰寒。

姬沉鳞记得她被母妃斥责闹脾气后，鹿刃会变出鹿角让她骑在他的头上，她傻呵呵地笑，鹿刃也笑说："我们小帝女高兴就好，因为咱们是臣子，让帝女高兴是应该的。但月嵘夫人是你的母亲，我们小帝女以后当了皇帝难道要给臣子树立一个气坏母亲的榜样吗？"

她记得鹿刃会一手摸着白胡子一手摸她的头说："小帝女要快快长高，快点长高就能自己翻墙出去买糖葫芦吃了。"

她气鼓鼓地要扭头，鹿刃就会变戏法似的从袖子里掏出一大把宫外的小吃食笑着说："我们小帝女还会生气了呢，以后要是君临天下了，可不能这么随随便便地生气了。"

鹿刃像是姬天伐的爷爷，他分明那样和蔼慈祥地呵护着她；他分明每一句话都温柔地教她该怎样做一个好的帝女，做一个好的帝王；鹿刃分明每一句话里都带着希望她能平安长久、她能君临天下的殷切期盼。

可是，他没有助她君临天下，却让她永坠湖底。

恨一个人很容易，但姬沉鳞对鹿刃根本恨不起来，每每想起鹿刃，姬沉鳞的脑中都是温柔慈祥的记忆。她从脊骨到手尖都冰凉如水，她想，那日坠湖的凉意大概也就是如此吧。

无所可依，无所可靠的寒冷。

姬沉鳞忽地就理解了小时候读的那句诗："我亦飘零久，十年来，深恩负尽，死生师友。"

长央君看着姬沉鳞的脸色不好，揉了揉她的头安慰："下山前，我就跟你说过你要足够坚强才能找到答案。这个坚强不只是身体上，还必须是灵魂上的。"

姬沉鳞别过头去抽了抽鼻子，用尽平生最大的力气克制了情绪，平静地说："我明白。"

"我知道你明白。"

外面的天色已经全黑，桌上的灯芯因为长时间没有人剪，爆炸开来成了寂静中唯一的独奏。

过了约一盏茶的工夫，姬沉鳞理清了思绪才又问道："未央君……到底知不知道我是姬天伐？"

长央君叹了一口气："未央君不知道你就是姬天伐。帝女的卜算方法是历代国巫秘密相传的，我和未央君只负责选送合格的国巫，我们空守着所谓的神意，却对帝女的秘密丝毫不知。所以他这么多年才会急切地想要寻求帝女的秘密。我和他……在对神意的态度上有很大的分歧，所以当我知道你就是姬天伐的时候，我没有告诉他实话。我只说了你是我在东海偶遇的一条白蛟。但如今看来，他在鹿刃的宅子周围布下结界，还对你的这骨头这样上心，我想他很快就会知道你的身份。"

"既然他知道有这段骨头，他为什么不立刻去验证？"

"因为我在的时候，他便不能出来。当时鹿刃死时，他来楚国其实不是为了你，而是为了要在鹿刃那里拿到这小段骨头。但他没能找到，只来得及在鹿刃的宅子周围下了结界。"

"为什么？"

长央君眼睛都没有抬，轻描淡写地说："因为我后来逼回了他，他没有办法只能回昆吾山。"

姬沉鳞这才明白，为什么未央君当初回昆吾回得那样仓促，没有一个正式的仪式就那样在深夜回了昆吾山，原来是长央君。

长央君对未央君的存在一直讳莫如深，当初姬沉鳞初到昆吾山的头两年里，她都以为昆吾山主人只有一个长央君，直到后来长央君闭关修行时，她才第一次见到未央君。

未央君对她很好奇，他总是笑着喊她"小鳞片儿"，而笑容背后却又是满满的戏弄与恶意。

姬沉鳞揣着一肚子的震惊，又问："你们在神意上有什么分歧，你不是说你并不清楚神意究竟是什么吗？"

一个答案反而会牵扯出另一串疑问。

但长央君答非所问，漠然说了一句："又何必，他伤我也反伤他自己。"

他从姬沉鳞手中拿过那小段骨头说："我甚至怀疑，你可能不是第一次被卸下骨头了。"

"但我在昆吾山每次骨折，都是长央君你给我医治的啊。"

骨头隐隐发光，长央君低声说："有可能你还是姬天伐的时候，就被卸下过骨头。又或许，你本不是蛟。"

"我本是人啊！"

长央君微笑一声，在影影绰绰的灯光里温柔地说："不必那么执着人的身份，你是人是蛟又或者是其他东西，又有什么关系呢？先把这脊骨放回去吧，少了一小段骨头以后脊骨再断就麻烦了。"

姬沉鳞刚想说些什么，但长央君的手一抚上她的背，她就失去了意识，瞬间昏睡了过去。

昏睡前的最后一眼，姬沉鳞倒在长央君的怀里，看见长央君胸口的伤口上隐隐约约有鳞片的光泽。

是与自己一样的鳞片。

长央君抱着姬沉鳞放在床上，逼出了她的蛟尾。

姬沉鳞的白色蛟尾在灯光的映照下璨若雪华。

长央君的指尖触碰到她细密精致的鳞片时，一下子恍了神。

长央君心里萌发了另一个念头：她或许不是蛟，她或许是另一种异兽。

诞生与海，呼啸于天地。

长央君闭目定了定神，以手为刃劈开了姬沉鳞的皮肉。

姬沉鳞脊骨缺了的那一块被用玉石填着，长央君心想：这么硬的玉石，想来姬沉鳞所谓的酸痛根本就是剧痛吧。

长央君生平第一次这样佩服别人，她如此能忍，又如此果决，若不成大事还有谁能成大事。

换好了骨头，修补好了伤口。姬沉鳞因为伤痛嘴里不自觉地就哼了一声，长央君眉头一皱。

姬沉鳞已经会像异兽一样蜷曲，无意识地护卫自己，把自己裹在尾巴里。长央君心中的敬佩忽地变成了满腔的心疼，她本该无忧无虑地长大，成为一代明君，可却偏偏陷入了阴谋，要从泥潭里一步步爬起。

长央君小心翼翼地抱过了姬沉鳞搂在怀里，像哄小孩一样抚着她的背，然后用一种奇特的语言哼起歌谣，像是安眠曲又像是古老的叙事诗。

只是那歌词谁也听不懂。

门外廊下的安知鱼和宋迟苏，一个字都没听懂。

安知鱼提起精神准备来见姬沉鳞时，便在门外遇到了宋迟苏。安知鱼前几日攒起的妒火与怒火差点就要爆发的时候，宋迟苏用拎着酒的手指了指窗上的人影。

长央君搂着姬沉鳞，哄她入睡。

安知鱼骤然就被浇了一盆冷水，如果说宋迟苏他还有力去争，因为宋迟苏是她的过去，自己也是她的过去。

但长央君却是她的后来，在她没有安知鱼相伴的日子里遇到的另一个人。

"你带的酒都冷了吧？"

"是。"

安知鱼拿过宋迟苏手上的酒面无表情地说："这时候我们两个人倒是适合喝冷酒。"

三、"我怕什么？我有何可怕，我所怕失去的，都已失去。"

长央君帮姬沉鳞补好了脊骨，就让她多休养。

姬沉鳞在府内懒睡了好几日，觉得自己的腰痛好了许多。她躺着的这几日，分外想吃火锅，但一个人吃火锅未免显得太孤独，总想着等安知鱼来的时候再吃，可安知鱼竟然总也不露面。

底下的小丫头悄悄地问惊鸿："惊鸿姐姐，姬大人几日前说想吃火锅，我们东西都准备下了，什么时候开炉啊？"

惊鸿望了望对门的丞相府说："等什么时候安大人来了，什么时候才开炉。"

姬沉鳞碍着面子，也不好去请他，就巴巴地躺了几天，愣是没吃成火锅。

不上朝的姬沉鳞像个空拿俸禄的大闲人，刚觉得有些羞愧，宫里便传来了宣她次日入宫的旨意。

但宣她的不是皇帝，而是皇后宋云辞。

入宫正是早上上朝的时间，姬沉鳞几天没上朝差点赖床误了时间，起来慌慌张张地梳洗，想起以前每天这个时候安知鱼都会等自己一起上朝，用他的话说就是"上朝时天还没亮，怕你吓到别人，跟我一起安全些"。

她嘴里含着包子忙吩咐惊鸿："惊鸿你去对面告诉安知鱼，让他别等我了。我迟了没事，反正又不是上朝。"

但惊鸿却没有动，只是捧着梳子和冠冕站在一旁。

姬沉鳞以为惊鸿没听清楚，又说了一遍："你去告诉……"

惊鸿低着头整理姬沉鳞帽子上的璎珞，小声地说："大人，安大人今天没有等您，他已经走了半个时辰了。"

姬沉鳞一愣，包子差点从嘴里掉了出来，但她又迅速地掩饰了过去，笑呵呵地说："这流沙包可真烫啊。"

那个早上，姬沉鳞郁郁寡欢地只吃了一个包子。

她明知道这一切不可多求，但有些东西习惯成了自然，忽然消失不见也难免失落。卜算大典后，姬沉鳞便一直不顺，她也只能宽慰自己，这可能就叫作报应。

报应这个事情，一到心头便应在了身上。

姬沉鳞不知道为什么明明进后宫是来见宋云辞的，却总能和容青芜扯上关系。姬沉鳞进宫的时候，看到宋迟苏的侍从竹邑站在宫门口一脸焦急地张望。

姬沉鳞刚想上去逗逗竹邑，但竹邑一看到姬沉鳞就扑通一声跪了下来。

"竹邑你这……怎么了？"

竹邑扯着姬沉鳞的衣角低声压抑着求："姬大人，你快去救一救我家公子。"

"这么早，宋迟苏怎么会在宫里？"

"我家公子，深夜去找容妃娘娘了……求姬大人去瞧一瞧吧。公子知道这不合礼法，但我家公子说有重要的事要去见容妃娘娘，不顾小的劝阻进了宫。"

"既然是在宫里，怎么会说救？"

竹邑噎了噎，哑了声音说："您不知道往事，容妃娘娘她……她是我家公子的劫。往年我家主人只要一遇到与容妃娘娘有关的事情，就会出事。"

"现在时候尚早，我也不急着去皇后宫里，我先去容妃那里看看，竹邑你不要担心。"

姬沉鳞哪里不知道往事，她当年是知道也假装不知道。

安知鱼那样聪明查清了当年容青芜与宋迟苏的关系，可她姬天伐哪里又笨？她从来都知道，但她要假装不知道，她以为她的假装就能换得最终的圆满。

所以说，她身为姬天伐时撒下的因果，终究还是要报的。

虽然与容青芜多次相见，但这次却是姬沉鳞第一次到她的浮欢殿。

如同浮欢这个名字一样，整个宫殿修得奢华至极，金碧辉煌却又看不到一点生气。

刚到宫门口，就听到一声清脆的瓷器脆响。门口的小宫女看到姬沉鳞刚想通报，被姬沉鳞含着青光的眼睛一瞪，又讷讷地缩了回去。

比瓷器碎响更加尖厉的是容青芜的声音："你应该去求你的皇后姐姐啊，求我作甚？还是你知道宋云辞被冷落得快要进冷宫了？"

"我只是想劝你不要一错再错。"

屋里的容青芜婉转地冷笑了一声："一错再错？你到底是怜惜我，还是怜惜姬沉鳞？你睁大眼睛看一看，她不是姬天伐。她就算是姬天伐又如何，你负她意重又负我情深，难道你要靠姬沉鳞那个替身来慰藉你自己？"

姬沉鳞猛然听到自己的名字，震惊得一愣。

"青芜……不要说了。当初若不是为了救你，我不会那样负她。"

这是姬沉鳞第一次听到宋迟苏那样无奈又恳切地喊一个人名字，她曾深爱的男子从没有用这样情深的语气去唤一声天伐。

然后容青芜又笑了一声，那笑声中影影绰绰地带了一点哽咽，她说："你这么说便是怪我了？若不是她，若不是她要嫁给你，姬天渊哪里会为了护着他妹妹而强娶我？我一个酒家女，何德何能能进入皇家？哈哈，这么说来我倒是要谢谢姬天伐，你说是不是？"那笑声的尾音带了可怕的癫狂与尖厉。

姬沉鳞手里一冷，她知道容青芜与宋迟苏是恋人，却不知道原来她的哥哥是为了她才去娶了容青芜。但宋迟苏说的为了救容青芜才负了她又是什么意思？

还未反应过来，就又听到容青芜疯魔了一般尖叫了起来："宋迟苏，你这辈子对不起我，就下辈子去还好不好？"

又有一阵瓷器碎裂的声音响起，似有不好的事情要发生。

姬沉鳞大惊，忙破门而入，撞开了拿着尖利碎片的容青芜。

容青芜跌坐在贵妃榻前，睨着姬沉鳞，一个白眼也瞥得美艳不可方物，冷嘲道："哟，这不是我们那位帝星都没卜算到的国巫大人嘛，该做的都没做好，怎么还有脸入宫来？"

宋迟苏微微定了神，将姬沉鳞护在了身后，然后走上前去扶容青芜。

容青芜一把甩开了他的手，自己跟跟跄跄地站了起来说："宋迟苏你倒是遇到了不少情深意重的女子，你来救姬沉鳞，姬沉鳞不也来救你了，你这负心人做得也不亏啊。"

"青芜，不要一错再错。"

"我一错再错？你问问你自己，你的一次错可抵得上我千次万次？"

看见宋迟苏的脸一刹那间变得惨白，果然和多年前一样，容青芜是宋迟苏的劫难，是他自控的毒药。

姬沉鳞拦住了宋迟苏对他说："先回去吧，竹邑在宫外等得很焦急。你虽是修行之人，但这样在后宫之中很不合礼法。"

"礼法？宋迟苏你不是最懂礼法的吗？现在都沦落到让一只异兽来教你什么叫礼法了？"

容青芜出身卑贱，所以她本能地会去评断其他人的高贵品级。她虽出身低贱，但在她眼里异兽比起人来却是更不如的。

但姬沉鳞对于这些一点都不在意，她见多了嘲讽与蔑视，容青芜这些话根本算不了什么。

宋迟苏望着姬沉鳞镇定的面孔，也渐渐平复了下来，点了点头："好。容妃娘娘，臣……先告辞了。"

容青芜咬着唇看着宋迟苏一步步地离开，没有回头。

容青芜从头上拔了一支簪子，伸出莲瓣一样鲜艳柔软的舌头，将尖锐的簪尖刺了下去，她吮吸着那血珠子，露出了痛苦又爽快的表情。

"你……"

"第一次见？"

"你本没有必要做这些。"

容青芜嘴角含着自己的血，像个魔化的小女孩般笑起来说："你知道宋迟苏为什么深夜来找我吗？"

"不知道。"

容青芜每一次张嘴，都喷涌出浓烈的血腥气味，而她接下来的话更让姬沉鳞感受到赤裸裸的杀戮意味。她说："因为我昨天跟陛下说，像你这样连栖神躯都卜算不出来的国巫，以身殉国还能博得个好名声。陛下他啊，心动了。"

容青芜痴痴地笑："我以前不能动姬天伐，但现在动你却还是绰绰有余。我不怪你跟姬天伐长了一样令人生厌的模样，我只怪你又与宋迟苏扯上了关系。"

姬沉鳞从未想过容青芜会恨她恨得这么彻骨，恨到想让她就这么轻易地死去。

"所以，宋迟苏来求你，不过是白跑一场。"

"不。他没有白跑，我心软了。"血珠子在她的嘴角凝固像是一块突兀的斑块，"因为……他是宋迟苏吧，他来求我，我怎么能不答应。"

姬沉鳞沉默，容青芜摇晃着手中的赤金双凤钗自问自答地说："身体上一痛，就顾不得心上的伤了。你知道我为什么从来只伤口舌吗？因为在这以色侍人的深宫里，任何一道被看到的伤疤都是不雅的，是丑的。"

情深入骨，情伤入髓。

姬沉鳞心里一疼，她能理解容青芜的爱，也能理解她的痛楚。

姬沉鳞口气软下来劝她："你既应了宋迟苏，又何必逞口舌之快？"

"因为我的口中都是我这些年所忍的苦痛，他该见一见。"

姬沉鳞望着珠翠满头的女子，想起她见过的容青芜的各种笑，却好像从未见过容青芜真正发自内心的笑颜，于是更加心疼。

"你这样……就不怕令他失了最后的情分？"

容青芜又是一笑，这次是惨笑。

"我怕什么？我有何可怕，我所怕失去的，都已失去。"

四、"天伐啊，哥哥欠你的，还不了了。"

日头渐起，皇后宫里的宫人得了消息来浮欢殿找姬沉鳞。姬沉鳞简单地告辞后便走了，只是耳边还回荡着容青芜各式不同的笑声，也是如"浮欢"那两个字一样，绮丽辉煌，了无生气。

到了昌宁宫的时候，姬沉鳞看到宫人大多行色匆匆，联系到如今朝堂内外关于帝星不稳的流言，想来后宫之中也乱了。

姬沉鳞想宋云辞应该就是叫她来商讨此事的。她想宋云辞可能会让她再卜算一次，又或者拉着宫妃们求她改一改口，但她没有想到宋云辞一开口却只是轻描淡写地说："姬大人，最近累了吧。"

姬沉鳞不知宋云辞所说何意，摇了摇头说："臣在府中休息多日，倒是不怎么累。"

"本宫说的自然不是身体上的累，只是问你百官是不是对你有所忌惮，国巫府是否门庭冷落？国都内都开始征兵，街市是不是萧索了？刚刚从容妃那里出来，容妃的话是不是又伤了人。"

姬沉鳞着实一愣。

宋云辞的这番话，不像是皇后，倒像是当年那个温柔的云辞嫂嫂说的，那样直接那样温柔。

"臣……"

宋云辞体贴地递给姬沉鳞一杯热茶，又道："人在高位，一旦没有达到众人的期望，就会被指责。这是自古以来都有的事情。"

宋云辞说得认真又诚恳，这种语气让姬沉鳞觉得宋云辞在安慰她，却也是在说自己。宋云辞身为皇后，比姬沉鳞更能体会到身在高位害怕达不到众人的期望。

姬沉鳞记得宋云辞成亲的那天，像一朵安静的牡丹静静地坐在房间里，她和其他公主按照礼法向未来的嫂子呈上有吉祥寓意的鸳鸯对偶、玉如意等。帝女公主之后便是王亲贵女，整整一个下午她就看着宋云辞顶着盖头端坐在床沿上，裙角都没有抖动一下。当时，她趁没人的时候从桌上抓了一把核桃悄悄地递给宋云辞说："坐了一天了，你饿不饿呀？"

宋云辞在珠帘盖头后轻轻地笑了起来，从宽大的袖子里伸出了手，一手的核桃壳。

姬沉鳞一脸讶异地看着笑出两个酒窝的宋云辞，不知道她是如何在众目睽睽下不动声色地吃了那么多东西的。

彼时的宋云辞不过才十几岁，全无大家小姐的派头，爽朗地一笑凑在姬沉鳞耳边说："偷吃也是需要技巧的，下回我教你啊。"

但终究宋云辞没能把这个俏皮的技能教给她，宋云辞成了王妃，成了宫城里最有礼法规矩的王妃。得体的笑容，得体的言谈举止，只是少了当初见面时的那一股朝气蓬勃的侠气。

姬沉鳞从记忆里回过神来，看着眼前仍旧得体的宋云辞，点了点头道：“臣既然担了国巫这份职，就要受得起这份责。”

“你当日卜算出陛下此脉无帝星相继，先不论这卜算结果是真是假，但是从你国巫的口中说出来，朝中都已人心惶惶。你现在担当的这份责任远比以往其他国巫要担的重得多，你现在哪怕不犯错，也有人可以让你死无葬身之地。你不也刚从容妃那里出来吗……”

容妃一句话就可以让皇帝动了杀意，不是因为容青芜的盛宠可以干预朝政，而是因为姬天渊顾着天下利益，本来就动了杀意。

姬沉鳞正思忖着，门口传来欢快的脚步声，一个粉雕玉琢的小人儿跑着跳着进来喊：“母后，母后，儿臣今天又得先生夸奖了。”

宋云辞看到自己的儿子，立刻换了一副笑脸，又端庄又暖意融融地一把抱住皇子：“衍儿得了夸奖自然是好的，但母后不是跟你说凡事不骄傲吗？凡事也要有规矩有礼貌，快跟国巫大人打个招呼。”

姬泽衍只有四岁，但十分乖巧懂事，听了宋云辞的话立刻转过身整理了衣服，给姬沉鳞作了个揖。

宋云辞慈爱地摸了摸姬泽衍的头说：“衍儿乖，去书房看书吧。母后还有话与国巫大人说。”

姬泽衍点了点头，但又扭着圆圆的身体似乎有些不肯走。

姬沉鳞看出了姬泽衍的踌躇，便蹲下来问他：“殿下是还有什么话要与你母后说吗？”

姬泽衍摇了摇头说：“不，泽衍是有话想跟姬大人您说。”

姬沉鳞一愣，看着小脸涨得通红的姬泽衍，轻轻地笑了起来，温和地说：“殿下您问，臣知无不言。”

“我想……”姬泽衍有些紧张，虽然努力维持一个皇子的样子，但还是如普通孩童一样，下意识地扯着袖子，“我想问问姬大人，是不是泽衍哪里做得不好？”

“怎么会，皇子读书、骑射样样拔尖，样样都做得好。”

"那……那为什么姬大人您要说父皇没有帝星相继？难道是泽衍德行不够没有资格做父皇的后继吗？"

姬泽衍的脸涨得通红，连眼眶都红红的，定定地望着姬沉鳞。

这样一个童言无忌几乎要将姬沉鳞问得哑口无言。

宋云辞一把揽过姬泽衍严肃地说："这是大人们的事情，你太小还不懂。你现在要做的就是让自己更好，快去读书吧。"

姬泽衍面色暗淡地点了点头，跟着小宫女往书房的方向去了，一路上都低垂着头。

姬沉鳞望着他，心中立刻涌起不忍，自己是他的姑姑啊。

为了那个秘密，她一把刀举起来，就伤了这么多人。

宋云辞又坐回到榻上，她一个人坐在正殿中央，即使在这种情况下她的妆容衣饰仍是精致得体，只有眼角的一丝疲惫透露出了她的心绪。

她说："衍儿说的话，姬大人你不要太在意，这些都是神意。"

"大皇子天资聪颖，懂事也懂得早。"

"姬大人，其实本宫是后宫中的妇人，本不该妄议朝政。只是这样一个卜算结果，为了堵住悠悠众口，不能说陛下不贤，就只能说大人你不祥了。"

宋云辞每一句都说得婉转，但每个字都将要害说得清楚。她的意思是，姬天渊不可能让这样一个卜算结果动摇他的统治，那就要推翻姬沉鳞的卜算结果。如果要推翻卜算结果，唯一的办法就是，说国巫不是护国兽而是妖兽。

妖兽卜算出来的结果定然不会是真正的神意。

倘若姬沉鳞被定性成妖兽，那么，朝夕之间她就要蛟头落地。

"如今的国巫与乱时的国巫不一样了，陛下与大人没有什么战友情谊，在国家和国巫之间只取一个的话，陛下肯定会取前者。"

楚国一开始并不是一个统一的国家，百年前，楚国还在与周边国家争夺领土，那是个乱世，光靠人的力量是很难支撑年复一年的征战的。

所以那时候的国巫与帝王是结下盟约的战友，异兽国巫的第一要务不是为国家占卜，而是作为护国兽与帝王在战场上杀敌。

那时的国巫是帝王的左膀右臂，是帝王皇座下最坚实的奠基。

但，如今的国巫，就只是一个国巫罢了。

姬沉鳞终于明白了长央君当日所说的"更大的凶险"是什么。

"娘娘跟我说这些又是为了什么呢？"

宋云辞站了起来握住了姬沉鳞的手，轻柔地说："本宫告诉大人这些，无非是让大人明白这些利害，然后……"

"然后什么？"

"然后快逃。"

姬沉鳞还以为自己听错了，宋云辞召她入宫，跟她说了这么多，最后竟然让她逃？

"怎么逃？"

"出了妖兽对本朝的名声也不好，两全其美的方法是放出话去说陛下登基时间太短，上天需要看到陛下更多的诚意，把这当作上天对明君的考验；另一方面由国巫亲自去民间为陛下祈福，为国家祈福。这么说，实际上就是需要姬大人你放弃国巫的一切权与利，去到民间。时间会冲淡这一切的。"

"要多久？"

"如果姬大人你同意这个方案的话，那你将永远不能再以国巫身份归朝。"

的确这样一个局面没有什么比逃走更安全的方法了，但她不明白为什么这些话会由宋云辞来跟她说。

姬沉鳞问："娘娘，您为什么要帮我？"

宋云辞理了理步摇下面的琉璃珠，又坐回了榻上，端庄而高远。

"本宫是陛下的妻子，本宫自然要为他考虑。但另一方面，本宫又不忍，不忍姬大人你做无辜的牺牲。"

　　姬沉鳞深吸了一口气，其实宋云辞的这个提议正中姬沉鳞心意，她手上最大的线索就是那张帝女陵寝图。要查清这个线索，无疑就要奔赴山川。

　　她唯一不明白的就是宋云辞到底为了什么要帮她，一个不忍根本不足以做解释。

　　"姬大人，你只有两天时间考虑了。如果同意，就正式上奏请求陛下让你离开国都去祈福。"

　　姬沉鳞虽然满腹狐疑，但面上却沉敛如水，恭敬地谢恩告辞。

　　宋云辞一个人端坐在榻上，看着姬沉鳞的背影渐渐消失在了层层宫墙外。她叹了一口气朝内室唤了句："陛下，可以出来了。"

　　姬天渊应声从内室走了出来，帝王的眉头上有威严也有如释重负。

　　宋云辞问他："陛下，是因为……因为国巫大人长了一副帝女的样貌，才不忍的吗？"

　　姬天渊叹了口气说："朕欠天伐的，没地方还。这样朕能好受些。"

　　望着宫墙外苍茫的天空，姬天渊冥想了许久后才在虚空中喃喃地念了句："天伐啊，哥哥欠你的，还不了了。"

第八章　**重回东海**

一、"天伐啊，你就是我的宿命。"

姬沉鳞出了宫，第一个想到的就是要去问一问长央君的意见。但等她到了驿馆的时候，却发现驿馆里只剩下雁姨在收拾包裹。

"雁姨，长央君呢？"

雁姨给最后一个包裹用力扎了个结，回答说："长央君今早回昆吾了，我是留下来收拾东西的，收拾完便也要走了。"

"怎么这么急？"

"听说是未央君出关了。长央君和未央君都是这样的，一旦对方出关，另一个就火急火燎地赶回去。两个双生子，跟仇人似的。"

"长央君和未央君是双胞胎？"

"他们没说，但长这么像，整个昆吾都觉得他们是双胞胎，大概兄弟俩小时候有什么矛盾，才弄得现在这样。"

那日姬沉鳞看到了长央君伤口旁的鳞片后，就存了疑心。满昆吾的异兽，《山海异兽录》上都有记载，大家也都相互见过本体。但只有长央君和未央君，从来都是以人身出现，没有人见过他们的本体，也没有人知道他们从什么时候开始执掌昆吾山。

至于长央君和未央君的关系，也是扑朔迷离，每每一个出关，另一个就会什么都顾不得地往昆吾赶，用长央君的话说就是"逼回"另一个。其实他们那样相像，又从来不同时出现，姬沉鳞在一开始便怀疑长央君和未央君根本就是同一个异兽。到昆吾的第三年，姬沉鳞用自己独一无二的蛟鳞片在长央君的脖子上做了记号，那记号除了姬沉鳞，没有其他异兽可以发现，也不可能移除。但在长央君闭关后，姬沉鳞见到出关的未央君，却发现未央君的脖子光洁如初。

他们不是同一个异兽。

长央君和未央君似乎是除了帝女之外，另一个巨大的秘密。

雁姨当然不会知道姬沉鳞脑子里的想法，收拾完后拍了拍姬沉鳞的手说："沉鳞，雁姨要回去了。你在这里，要多加小心……人世不比昆吾那样直来直去。"

姬沉鳞鼻子一酸，感动地点了点头。雁姨作为异兽，在没有长央君出现的情况下，不能在人世逗留太久，她收拾完了后便化作本体向昆吾方向飞去。

"唉……"姬沉鳞坐在空空的驿馆里，深深地叹了一口气。这个人世本就容不得异兽，现在又只剩下她一个，前路茫茫啊！

姬沉鳞要去的第二处地方，便是丞相府。其实"安知鱼"这三个字反而是在她想到长央君之前冒出来的。

姬沉鳞告诉自己，自己只是要去告诉安知鱼，自己不干了。而不是因为好几天都没有见他了，自己为了去见他找的由头。

虽然，这看起来有些自欺欺人。

姬沉鳞一个人穿过长街，看见"陈记肉铺"四个字，酱蹄膀的香气像是认得她一样，拼命地往姬沉鳞鼻孔里钻。

安知鱼每天都会带点小吃给姬沉鳞，陈记肉铺的酱蹄膀是姬沉鳞最爱吃的小吃之一。她想着，安知鱼或许心情不好，今天自己也给他带个酱蹄膀好了。

到了店里，姬沉鳞却得到了这样一个答案——"酱蹄膀现在哪儿还有啊，天刚刚亮就被那些排队的人抢空了。"

那店主似乎不认得姬沉鳞，刚好店里清闲，就拉着姬沉鳞吹嘘了一番："要说我们店里这酱蹄膀，那可是国都里一等一的。说出来你都不信，左相安大人每天早上都亲自来买我店里的酱蹄膀，就为了挑那最好的一个。你说安大人又要处理国家大事还特意来买我们的……"

每天早上亲自来。

他早早地起来买了酱蹄膀，让焚琴、煮鹤他们拿回去热着，然后再到国巫府等自己一起上朝。中午的时候又假装毫不费力地将吃食递给她。

这些，他本可以不做，若是做也可以让小厮去做。

但他都做了。

姬沉鳞心里一暖，鼻子一酸，然后就一掏荷包，把街上能买的小吃都买了个遍。因为不好拿，还特地去买了两个巨大的食盒，堂堂楚国国巫像一个卖杂货的商贩一样挑着两个食盒进了丞相府。

进了门，却被焚琴拦了下来："姬大人，我们家大人暂时不见客。"

"哦，那你拦我干什么，我是客人吗？"

"姬大人，我家大人说暂时不想见您……"

字句一一落地，姬沉鳞脸色一僵，唰的一下扔下了食盒，吓得焚琴膝盖一软差点跪在了地上。但焚琴还没开始哀号就听到姬沉鳞哇的一声喊了起来："我的脊骨啊，不好不好，要断了，要断了。"

话音才落，安知鱼就从书房里冲出来扶住了姬沉鳞，一摸到姬沉鳞的腰好好的，迅速冷了脸撒了手准备走。

"哎哎哎，安大人，你先别走啊。看这样子，你是在生我的气？"

安知鱼停下来问："你知道我因为什么生气了？"

"不知道。"

安知鱼迅速地转身就走。

"哎哎哎，安大人我不知道你因为什么生气，但我带了东西来赔罪啊！"

焚琴和煮鹤两个十分懂察言观色，立刻把吃的摆进了屋里。姬沉鳞也不顾什么形象，使出吃奶的力气把安知鱼扯进屋。

"安大人，你看这是东街的莲花糕。

"安大人，这是徐嫂家的藕粉桂花汤圆。

"安大人，来笑一个，这是振华楼的糖蒸酥酪。"

安知鱼看着姬沉鳞异常的谄媚样，无奈地笑了起来问："姬沉鳞，你要干吗？"

"安大人你这么聪明，不知道我要干吗？"

"不知道。"

姬沉鳞放了碗筷，认真地盯着安知鱼盯了好久，说："本官这是在哄你啊！"

焚琴在旁边听到姬沉鳞脸不红心不跳地说出这样的话，一个没绷住，笑了出来。煮鹤一感受到自家大人的一瞥，迅速地拉着焚琴跑了出去。

其实安知鱼在姬沉鳞进门的那一刻，心就软了。他这辈子，遇见姬天伐便什么也顾不得了。

他想，倘若姬沉鳞真的还念念不忘宋迟苏，那他就陪着她等。

倘若姬沉鳞真的对长央君朝朝仰慕，那他就陪着她仰慕。

但姬沉鳞没看出安知鱼内心的缓和，仍旧小心翼翼地问："你觉得本官这样哄对吗？要不本官再换个姿势哄？"

安知鱼勾起嘴角笑了起来，望着姬沉鳞说："姬沉鳞，你看起来宛如一个智障。"

"安知鱼！你不要敬酒不吃吃罚酒！"

安知鱼低头抿了一口酒酿玫瑰羹，颇为无赖地说："这敬酒还挺好喝的，下回你换个姿势来给我送点罚酒。"

姬沉鳞捧着脸看着安知鱼吃东西，有些踌躇犹豫地说："安知鱼……

我知道你对我很好。"

"嗯，你知道就好。"

也是一如既往的不要脸。

姬沉鳞腹诽后又继续说道："但我，可能要离开了。"姬沉鳞将宋云辞说的话，和她自己的打算都一一告诉了安知鱼。

她原以为安知鱼会反应激动地挽留她，但安知鱼出奇平静，还点了点头说："这样很好，你会很安全。"

说起来，她唯一怀有歉疚的就是安知鱼。他对姬天伐一片赤子之心，但如今她却无以为报。如果最后，能这样平静地告别，安知鱼能够安然地接受这一切，这就是姬沉鳞所能设想的最好结局。

姬沉鳞想像当年姬天伐那样帮安知鱼理一理衣襟，仗着长他几岁教他些道理时，却发现安知鱼早已不是当年那个小屁孩，他眉目里含着岚川，手指修长如梅骨，自己站起来连他的下巴都不到。

安知鱼，早已经长成一个成年男子了。

只是姬沉鳞以前恍然不知，等她意识到的时候，她却已经要离开了。姬沉鳞走时回头望了一眼丞相府，悄然地说："小鱼儿，再见。"

当年，她就是这样唤他。

当年的自己没能与他好好告别，今日就要认真地说一句再见。

可能此生都很难再见。

姬沉鳞当晚就写好了要前往各地祈福的请奏折子，第二天递上去，便是各处都欢喜。姬天渊表面上先是挽留了她几日，走了个过场，就顺水推舟地允了。

忙完这些，离除夕就只还有四天了。

姬沉鳞已经八年没有过除夕了，在昆吾都是异兽，都不会过人世的节日。所以虽然已经决定了要走，但姬沉鳞还是决定留几天感受一下过年的氛围。

惊鸿什么也没有多问，姬沉鳞说了要走，她就开始手脚麻利地收拾包裹。看到惊鸿把什么暖手炉子、香片都往包裹里塞的时候，姬沉鳞忍不住制止了她："我是出门祈福，又不是去玩，你给我带这么些东西我怎么拿啊？"

"在外面会冷啊，大人您冷血……哦不对，大人您是冷血异兽，得暖着。大人您不好拿，惊鸿帮您拿着啊。"

姬沉鳞这才看到惊鸿也为自己准备了一个小小的包裹，忙说："惊鸿，这些东西你留着吧，置办点房产，等你哥哥回来。"

惊鸿一脸错愕，但在一瞬间又明白了过来："大人您这是……不要惊鸿了吗？"

姬沉鳞看着惊鸿，感动又心疼，但却不能表现出离别的伤感，不然惊鸿肯定眼皮一垂就哭出来了。她半开玩笑地说："你说我出门在外还带个侍女，被人看到还以为我多不能自理呢。你留在国都帮我看房子也好啊。"

惊鸿又塞了一个汤婆子进包裹里，昂着头说："焚琴说安大人会带着他，安大人都不怕丢人，大人您怕什么？"

姬沉鳞一下子没反应过来，问："什么？安知鱼他为什么要带着焚琴，焚琴和煮鹤不是一直在他府里吗？"

惊鸿吐了吐舌头，小声地说："安大人……不让我说的。"

"说！"

"安大人递了告老还乡的折子。"

告老还乡？！

姬沉鳞听到这四个字，简直像是被雷击中了一般。世上竟有如此胡说八道之人，官场上年龄最高的七十多岁还死守着位子不放，他安知鱼才二十岁就告老？安家世代簪缨，是皇城望族，皇城外十里就是他们家祖籍，还乡还到哪里去？

想到当日自己跟安知鱼告别时，安知鱼异常平静，姬沉鳞就觉得自己被摆了一道。

姬沉鳞望着日头，刚好是下朝的时间，当即就冲到了对面丞相府。焚琴看到来势汹汹的姬沉鳞急忙拦住她说："姬大人姬大人，我家大人……"

"你家大人又不想见本官？不行，今儿他不见也得见。"

姬沉鳞甩开了焚琴，一脚踹开了安知鱼的房门，留着焚琴在后面无奈地说完了后半句："我家大人……在换衣服。"

姬沉鳞进了房才发现安知鱼刚刚松了官帽的缨带，一身赤红官袍，忽地又有了另一番风流婉转之姿。

安知鱼像是知道姬沉鳞一定会闯进来一样，笑着揶揄道："姬大人不顾焚琴阻拦，执意要闯进本官的寝屋，是要来看本官脱衣服吗？"

姬沉鳞却没有理会安知鱼的玩笑，认真地望着安知鱼问："你辞官了？"

"嗯。"

"皇帝允了？"

"陛下自然是欣然应允，朝堂上少一个安家的人，陛下就少一分顾忌。我也没什么遗憾，先帝赏识我让我十二岁入朝，十五岁拜相。如今我也算做了两朝宰相，算得上两朝元老，告老还乡不是刚刚好吗？"

姬沉鳞深吸了一口气，然而并没能平复自己的心情，冲着安知鱼吼道："我不想待在朝廷，是因为我不想再被俗务纠缠。我自有宿命。但是你，安知鱼，你跟着辞官辞个什么劲？"

安知鱼也不顾姬沉鳞就在身旁，直接扔了头上的官帽，扯了扯官袍的领口，低头喃喃道："这领口怎么这么紧？"

姬沉鳞望着答非所问的安知鱼，有些气恼地就想去瞪他一抬头却恰好撞上安知鱼深如潭底的眼眸。安知鱼面上冷淡如水，但口中不经意的热气却吹起了姬沉鳞的鬓角，他弯下腰在姬沉鳞的耳边又温柔低声地说了句："这领口怎么这么紧？"

望着少年青色的胡楂和棱角分明的下巴，姬沉鳞不争气地红了脸，跺了跺脚骂了句："你！"

安知鱼静静地看着红着脸奔逃而出的姬沉鳞，低眉笑了起来，一用力扯了官袍扔在了地上，自言自语道："你当然有你的宿命，我安知鱼又何尝没有宿命。我入这朝堂，出这山河，无非也是为了我的宿命。"

布帛落在地上，激起一层尘土。

安知鱼站在槛窗的阴影里，看着光柱里的灰尘从喧嚣重归寂静，过了好久才又开口。

"天伐啊，你就是我的宿命。"

二、"不要丢下我。"

姬沉鳞知道如果不提前走，到时候一定甩不掉安知鱼了。于是她年也不准备过了，东西也不准备带了，而且不能告诉惊鸿，所以姬沉鳞在夜里揣了帝女陵寝图和盘缠就要翻墙走。

刚翻上墙，姬沉鳞就觉得有些不对劲，总觉得有人在看自己。但她看了看墙外和墙内都没有人，以为是自己想多了的时候，忽然就听到有人唤了一声："姬沉鳞。"

姬沉鳞吓得差点从墙上掉下去："安知鱼，你大晚上的坐在屋檐上吓人吗？！"

"不是，我来吓蛟的。"

姬沉鳞也是被安知鱼气得没脾气了，爬到安知鱼身边问："你怎么知道我要跑？"

安知鱼解下身上的狐裘，披在了姬沉鳞身上说："第一，因为我聪明；第二，因为你蠢。知道我辞官了，你就肯定想跑。"

狐裘里全是安知鱼的体温，干燥又带着一点茶墨香气，姬沉鳞无奈地笑着说："安知鱼，你在这里也拦不住我啊，我化成了蛟身这就飞走了啊。"

"是，你真的要走我也拦不住。但是……"安知鱼一把抓住了姬沉鳞的手，一字一句地说，"不要丢下我。"

山河湖海，万丈天涯，你都不要再丢下我。

你以前丢下我八年，我度过了怎样荒芜孤独的八年，姬沉鳞你知道吗？

但安知鱼没有将这一切都说出来，他只是把千言万语都融化在了那一句"不要丢下我"里。

姬沉鳞的心陡然一沉，安知鱼的眼睛映出了月亮的光芒，像个执拗的孩子，用尽了一切无赖的方法只是为了留住她。

越是感受到安知鱼的情谊，姬沉鳞就越发坚决："不行，太危险了。"

"你来楚国这一年多，遇到的危险还少吗？我安知鱼何曾怕过，我怕的不过是绝望和了无生趣的生活。"

"安知鱼，我……"

"况且你也不能就这么走，你只带着一张帝女陵寝图又能干什么？一处一处地找过去，你要找多少年？"

安知鱼所说的正中要害，姬沉鳞虽然知道要去找，但怎么找却毫无头绪。

安知鱼看着姬沉鳞紧锁的眉头，得逞一般地笑了起来："但我，找到了那张地图上的线索。"

"什么线索？"

"你不让我跟你一起走，我是不会告诉你的。"

"安知鱼，你这是敲诈！这是勒索！这是威胁！这是不道德的，你知不知道！"姬沉鳞显然低估了安知鱼无赖的程度，一人一蛟在墙头上对峙了许久。过了好久之后，姬沉鳞终于软了下来说，"好。但是，你只能跟着我，不能干涉其他的，一切危险的事情我不需要你救也不准你救我，懂吗？"

安知鱼孩童般地笑了起来，说："好！"

姬沉鳞叹了一口气，转身就准备跳下墙头，却被安知鱼一把抓住："不能这么跳，要是把脊骨摔断了怎么办？"

果然刚拟定的协议，一转眼就被安知鱼无视了。

"那怎么走？你背我？"

"从这个梯子下去。"

也对，安知鱼这么一个文弱书生也上不了墙，肯定是爬梯子上来的。姬沉鳞顺着梯子一步一步地走下去，心想自己一个能飞会水的蛟，居然为了一堵数米高的墙爬了梯子。

真是丢脸！丢蛟脸！

安知鱼十分守诺地就准备告诉姬沉鳞他所发现的线索。

安知鱼翻开皱旧的地图，昏黄的灯光下姬沉鳞的指尖拂过每一处帝女陵墓，嘴里念着每个帝女留下的历史痕迹："辞颜帝女，五岁而夭；折缨帝女，十岁而夭；覆海帝女，十三天夭亡。"

这些帝女的名字似乎生来就带有戾气，朱颜辞镜，折载断长缨，天翻海覆，好像从一开始就预示了悲剧，好像冥冥中应了那句：帝女是神赐，也是诅咒。

安知鱼看着那张帝女陵寝图，问："帝女的陵寝地址是怎么决定的？"

"是国巫卜算的。国巫一生中最重要的两次卜算，一个是卜算栖神躯，一个就是卜算帝女的陵寝位置。帝女的陵寝是国之命脉，任何人都不能知道，哪怕是继任的帝王也不可以。这张地图大概是历代国巫所密传的吧，国巫会带着这个秘密直至回到昆吾终老。所有参与陵寝修建的工人，也都会殉葬。"

安知鱼听到殉葬两个字，一惊，忙问："历代帝女病重后，朝廷都会莫名地从军队抽走一万人，是为了修建帝女陵寝？"

"是。"

整整万人，为了遵守神意，为了保存秘密，永远地长眠在了葬坑之下。

姬沉鳞那么执着地想要查清这一切，都是因为这背负血债的秘密，唯有揭示出来，才能制止，才能赎罪。

一处一处地指过去，安知鱼拧着眉头，又抓住姬沉鳞的手，又从头按着一个个陵寝位置画过去。

"你干什么？"

"这就是我发现的线索，你把这些地方连起来看，连着周围的山和水一起看。"

陵寝的选址在姬沉鳞看来基本上是违反风水的，大多面山背海，有的甚至直接填了一块海造了陵寝，这实在是太不符合常理了。沿着安知鱼的指向，姬沉鳞看了片刻，心下一惊。

"蛇？"

帝女陵寝连起来的那条线，像是一条蜿蜒的蛇，连绵层叠的山峦像是蛇背上的鳞片。

安知鱼却摇了摇头，指着蛇头的部位说："应该不是蛇，你看这两处，一处叫作启陵，一处是孤鸾女帝的陵寝，恰好在蛇的头上。"

姬沉鳞接着他的话说了下去："像角……"

"是的，所以，像是你。"

蛇身，额上有角，像是蛟。

像是你。

姬沉鳞曾为帝女，今为国巫。她是唯一一个担负了这两个身份的存在，也是如今陷入疑云最深的那一个。

安知鱼指着孤鸾女帝的陵寝问："孤鸾女帝，指的是圣武高宗？"

"是的，圣武是她的谥号。"

"她和启陵各占了一角，启陵占地极广，而且其他的陵墓旁都写了陵寝主人的名字，而启陵却只是光秃秃的两个字。孤鸾女帝与这座奇怪的陵寝并肩，倘若知道了孤鸾女帝的特别之处，也能推算这启陵的秘密。"

姬沉鳞像一本帝女的活史书，她讲述着孤鸾女帝的一生，却又像是在讲一场波澜起伏的故事："我朝共有五位女帝，其中孤鸾女帝功绩最显。

她十四岁披甲上阵，十六岁得护国兽，十七岁登基。孤鸾女帝一生波折，她的母亲也就是那朝的栖神躯，是个浣纱局的低等宫女。所以她从一开始就不像其他帝女一样受宠，所有人都觉得她活不过十五岁，或者直白点说，不想让她活过十五岁。"

安知鱼看着孤鸾二字，叹息道："孤鸾，孤鸾，孤鸾之星，倒也配这彻骨孤独。"

"孤鸾女帝十四岁时，她的父皇已经病重，彼时外族犯境，她的叔叔又起兵造反，内忧外患。孤鸾女帝的长兄懦弱，幼弟尚在襁褓之中，唯有孤鸾女帝以帝女身份提枪上马。那场战争打了许久，打了两年的仗，楚国的军马都已疲惫不堪，所以在泱水之战中，孤鸾所带的军队被外族包围，差点全军覆灭。"

"但她遇到了她的国巫？"

"是，在那场战役中孤鸾女帝遇到了她的国巫，也就是她的护国兽。孤鸾女帝是自己找到她的护国兽的，这是楚国历史上唯一一次帝王与护国兽私下结定盟约的例子。没有人知道到底他们是如何相遇的，只知道有了护国兽之力的孤鸾女帝迅速扭转了战局，但刺厄实际上不是护国兽，他是妖兽。"

安知鱼回想着史书里对圣武高宗的记载，震惊地问道："你说的国巫是帝师刺厄？他是妖兽？"

"是。"姬沉鳞点了点头，"刺厄是妖兽，这个没有在楚国的史书中记载。应该是被孤鸾女帝抹去了，刺厄是妖兽的事实只有昆吾的史书上有记载。他是唯一一个护国妖兽，也是唯一一个在帝王死后还留下来辅佐下一任帝王的国巫。"

"为了辅佐孤鸾女帝的幼弟吗？"

"是。孤鸾女帝二十七岁战死于沙场，国家在她的治理下版图整整大了一倍。她终身未嫁，只有一个十三岁的幼弟可堪大任，偌大的帝国和稚子在外敌的虎视眈眈之下，没有任何损伤，都是因为刺厄。刺厄被拜为国师，荣宠不亚于孤鸾女帝在位时，但在孤鸾女帝的弟弟亲政后，他便离开了国都。他不是昆吾异兽所以也没有回昆吾，走得悄无声息，无影无踪。"

为了孤鸾女帝，刺厄隐去妖兽本性，又因为是孤鸾女帝所打下的江山，安心辅佐他人十年。

姬沉鳞想：这样的君臣情谊，比起如今，真是云泥之别。

安知鱼又迅速地抛出了另一个疑问："历史上记载，孤鸾女帝的陵寝地址是她自己选的？"

"原则上，卜算出帝女的那个国巫也要卜算这个帝女的陵寝。但是成为女帝的帝女不一样，因为登基后的帝女就会拥有新的国巫，所以女帝的陵寝地址卜算都是由她自己的护国兽卜算的，但……"姬沉鳞顿了顿，沉默了片刻才又继续说道，"但妖兽是不能卜算的。"

相传妖兽是被神意抛弃的异兽，所以他们只能拥有力量，而不能参与神意的卜算。

"那就可以解释得通了，既然刺厄不能卜算，那他所传承的国巫秘密包括这张地图，一定给孤鸾女帝看过了。史书上说孤鸾女帝在征战的间隙游览过四海，我猜孤鸾女帝一定也看出了我们所发现的，她所谓的游览四海应该是去勘察这些陵寝了。"

"你的意思是她发现了蛟角处陵寝的绝佳位置，所以将自己葬在了那里！"

楚国三智中的两智，时隔多年仍旧默契。

安知鱼微笑着点了点头，舒了一口气说："所以，我们如果知道了孤鸾女帝陵寝的秘密，那就能掌握整个帝女陵寝分布的规律。"

姬沉鳞看了一眼孤鸾女帝的陵寝所在地，缓慢地合上卷轴，朝屋外唤了一句："惊鸿，准备准备，我们后日便走。"

惊鸿从门外探出头来问："好！去哪儿？我让焚琴去找个识路的车夫。"

"东海。"

那个她以蛟身诞生的地方。

三、他与她拥有了一个共同的秘密

焚琴手脚麻利，只用了两天的时间便准备好了车马和车夫，走的那天恰好是元宵节。安知鱼和姬沉鳞走得很早，本意是想悄无声息地走掉，不必有惊扰。

但到了门口却发现宋迟苏带了竹邑，姜眠禾裹着厚厚的斗篷都等在了门外。

他们都不知道姬沉鳞和安知鱼是要去调查帝女陵寝，还以为姬沉鳞是要去东海念一念旧。

天有小雪，宋迟苏一身青灰立在簌簌的薄雪中，只是微笑没说什么话，只是最后告别的时候唤了姬沉鳞一声："沉鳞。"惊得姬沉鳞睫毛上的雪猛然一落，这一声沉鳞与他当日唤容青芜的口气何其相似。

但是她早已不是那个希冀那声温存的少女了。

时光磨去了她的曾经，如今也的确是道别的时候了。

她闪躲掉了宋迟苏的眼神，轻轻地说了一句："保重身体，后会有期。"留得宋迟苏在雪中默然。

宋迟苏是含蓄的人，但姜眠禾却是冬天里的一把烈火。她上来便抓住了安知鱼，仿佛质问般问道"你就这样走了？就这样悄无声息地走了？把我姜眠禾就这样干干脆脆地甩掉了？"

"我们的十年之期还有……"安知鱼每次对姜眠禾无可奈何的时候，总是会提到这个他根本不想履行的十年之期。

安知鱼知道自己是负了姜眠禾，每次提到这个十年之期，总是带着愧疚。

　　然而姜眠禾听到他说的这句话陡然松掉了安知鱼的手，大笑一声说：
"我给你一年之期，一年后你不能娶我，那我便嫁人了。你当我姜眠禾
是什么人？我等你等得够久了。安知鱼你要记得，十年之期不是你给我
的恩典，是我……是我姜眠禾给了你允诺的资格。"

　　安知鱼被姜眠禾的一番话说得一愣，由衷地笑了起来说："这么多年，
谢谢你。"幸好他没有耽误姜眠禾太多年华。

　　人如果释然了某种东西，就会变得可爱，姜眠禾乖张又傲气，像只
嫣然的孔雀。

　　她放了安知鱼一马，也放了自己一条生路。

　　姜眠禾从小丫鬟的怀里抱出了个食盒，上面裹了好几层棉罩，用力
地递给了姬沉鳞说："今天元宵，想来你府里也做不出什么好的元宵，
这是我们姜府秘不外传的元宵方子，便宜你了，拿着路上吃吧。"

　　虽然语气里带了傲气，但还是掩盖不住最后告别的善意。

　　姬沉鳞笑着接过了食盒，诚心诚意地说了句："谢谢你，姜眠禾。"

　　一只手伸出马车外挥手告别，一只手在车里捧住食盒。一侧寒风，
一侧温暖。

　　安知鱼坐在车门口对她说："说再见也不知道什么时候能再见。"

　　安知鱼拿过姬沉鳞手上的食盒，从里面取出还热乎的小盅自问自答
说："会很快回来的，既然找到孤鸾女帝这个关键点，那就离真相越来
越近了。"

　　"你倒是很有信心。"

　　"毕竟你很聪明。"

　　姬沉鳞一听安知鱼破天荒地夸了自己，立马笑逐颜开地接过了安知
鱼手中的元宵。

　　安知鱼又是歪嘴一笑："毕竟你很聪明，带上了楚国最聪明的我。"

　　果然，跟安知鱼这么不要脸的人聊天，一般是占不到便宜的。姬沉
鳞反击了安知鱼一个大大的白眼，然后把精力都放在了手中的元宵，四

个白嫩白嫩的绵糯团子挤在一起，姬沉鳞一筷子戳下去就流出了红褐色的豆沙馅。

姬沉鳞立刻哭丧了脸："啊啊啊，居然是豆沙馅，生无可恋。"

"来，我们换。"

"可我这个被我戳破了……你不嫌弃？"

看着安知鱼仗义地把他那碗红糖玫瑰馅的元宵塞到了自己手中，姬沉鳞像个孩子一样对安知鱼的好感骤然上升了十个梯度。

元宵的热气在狭小的车厢里蒸腾，姬沉鳞捧着这碗元宵，想起曾经自己的母亲月嵘夫人每年都会给自己做这种元宵，甜甜的幸福感迅速充满口腔。姬沉鳞一时忘了形，热烈地说："姜家这个元宵是秘方，自古传女不传男，最好吃的就是这红糖玫瑰馅的，要先把玫瑰腌渍十天，玫瑰要选取最嫩的玫瑰苞……"

安知鱼一挑眉，似笑非笑地望着姬沉鳞问："你怎么知道？"

姬沉鳞脸上一僵，差点被元宵噎到，忙说："我喜欢吃嘛，我……我偷偷找人去问的。"

"好。"安知鱼轻轻地说了一个好字，似乎每一个字都带着难以自持的笑意。姬沉鳞偶尔的露马脚，偶尔的掩饰，他每一分每一秒都看在眼里，都觉得可爱至极。

她不知道他已经知道她是姬天伐。

他与她拥有了一个共同的秘密。

这让他欢喜。

似乎连空气中的尘埃与热气都无法自持地欢快叫嚣起来。

从国都到东海整整走了半个月，这半个月姬沉鳞一行人在路上借宿，沿路休息都很仓促。安知鱼生怕车子一颠簸，就把姬沉鳞的脊骨给颠断了，所以在车上放了许多软垫。

姬沉鳞整个人被挤在垫子中央，只能勉强露出一小半的脸，像只小老鼠。

所以姬沉鳞每天都会偷偷地往车外面扔垫子，到了第十六天的早上，姬沉鳞迷迷糊糊地在睡梦中又要往外扔垫子，被掀起门帘的安知鱼一把抓住。

"别扔了，我们到了。"

姬沉鳞一个激灵从车上跳了下去，虽然还是冬天，但是东海的气候却比国都温润许多，迎面而来便是腥味满满的海风。

惊鸿和煮鹤第一次见到海，一下车就激动得无以复加，四处张望。焚琴的家乡就在海边，所以对这些一点都不感兴趣，拉着煮鹤就要去找住的地方。

煮鹤愤慨地说："焚琴你越来越没意思了，你闻闻这海风味道，就不能享受享受吗？我们终于能吃到活的海鲜了！"

"海鲜好吃个屁，我小时候吃腻歪了，肯定没有煮只鹤好吃！"

"你！"

焚琴和煮鹤打打闹闹地往镇子中心走去，惊鸿守着车马整理行李，翻出一堆的暖炉、汤婆子，一看到东海这温度，简直气得想把这些东西一股脑儿地扔掉。

姬沉鳞凑到安知鱼身边，不动声色地扯了扯他的袖子。安知鱼眉头一凛，和姬沉鳞退到没人处。原以为她要说些关于孤鸾女帝陵寝的调查计划，谁知姬沉鳞一开口就是："这里是不是真的有很多海鲜？"

"……"安知鱼不明白，遇大事有王者风范的姬沉鳞为什么遇到这种生活常识时智商就骤降为零，"这里的海鲜比米多，但你当时不是从东海飘过来的吗？没吃过？"

姬沉鳞一想到那段被唤作蛇女的日子，就不寒而栗，噩梦如附骨之疽，她缓缓地说："我那时被关押着，没吃过饭，也没吃过海鲜。"

海风卷起酒楼里的锅铲声与烟火气息，安知鱼牵起姬沉鳞的手说：

"你知道吗，我安知鱼除了聪明，还有钱。"

"哦……"

虽然说得如此不要脸，但又好像是实话。

"所以今天就带你去吃，吃完才有力气干正事。"

姬沉鳞被安知鱼握着手，这是姬沉鳞人生中第一次真正意义上的牵手。她是帝女的时候很少人敢碰她，因为她是高高在上的殿下，她的手是圣体；她是国巫的时候也没有人敢碰她，因为她是昆吾异兽，她的手是利爪。

姬沉鳞是条有原则的蛟，大事不折腰，小吃必摇尾。根据她的原则，姬沉鳞觉得就这样牵着吧，反正安知鱼的手又好看又温柔。

安知鱼走在前面，发现姬沉鳞没有松开手，又悄悄地握紧了些。

他等了八年，此后无论八十年还是八百年，哪怕前路荆棘密布哪怕火海刀山，他都不会松手了。

安知鱼随身只带了两锭银子，本以为够了，但当姬沉鳞吃完了整整两大桌鱼虾贝螺后，安知鱼想：结账的时候，大概要焚琴他们来送钱赎人了。

"姬沉鳞，你不是水生异兽吗？你就这么残忍地吃着这些鱼？"

"是啊，正因为我是水生异兽，才吃这些啊。毕竟在水里是大鱼吃小鱼的嘛。"姬沉鳞说完拍了拍安知鱼的头，笑说，"安知鱼，你知道吗，像你这样的小鱼是要被我这样的'大鱼'吃掉的。"

安知鱼低头抿了口茶，坏笑道："哦，我竟是没有这样的觉悟，国巫大人原来是存了要吃我的心意啊。"

"……"

要不是想到安知鱼会付钱，姬沉鳞差点就要把一盆子的壳扔在他的脸上了。

不过这样的安知鱼，何其可爱。

第九章

女帝孤鸾

一、"像是一条要游入海底的蛟。"

焚琴和煮鹤寻了间干净的客栈，等到安知鱼和姬沉鳞到的时候，惊鸿已经将一应床铺衣物都准备好了。

安知鱼放他们三人出门逛逛，姬沉鳞说："我们现在去找孤鸾帝女的陵寝吗？"

但安知鱼却摇了摇头，拿出了一张楚国地图说："其实当初我看你那张地图的时候，就觉得有些不对劲。我原本以为很久之前所绘制的地图有些粗糙，所以一些边界线、海界线不精细。但我今天沿路来的时候，看了东海的海滩，终于发现了问题。"

姬沉鳞拿出了帝女陵寝图，放在了安知鱼铺开的楚国地图旁，沿着海岸线的线条一路看过去。

孤鸾女帝的陵寝叫作孤陵，在看到孤鸾那两个字时，姬沉鳞的心骤然一冷。

因为，现在孤陵所在的位置已经完全沉入海底了。

安知鱼又面色阴郁地道："而且，更令人不解的是，在孤鸾女帝下葬后的第二年那片地就被淹没了。根据史料记载，朝廷早就计算了海水猛涨之时，并且提前两三年就把那一片的居民撤走了。"

"你的意思是……孤鸾女帝是故意让自己的陵寝被淹没的。"

"是，这正是让我不解的地方，孤鸾女帝若只是不想让自己的陵墓被人发现，根本不必如此。帝女的陵寝本就是秘密，古往今来没有任何一处帝女陵寝被人发现。"

姬沉鳞又仔细地比对了那两张地图，看到了在陵寝连线所成的两个角的另一个角上面什么都没有注明，只写了启陵两个字，与孤陵并驾齐驱。

并驾齐驱地被淹没进海里。

"在孤鸾女帝的时代，启陵这一块应该已经沉进海了。孤鸾女帝会不会是为了和启陵一样，才特意这样安排的？"

安知鱼的面色更沉重了些："那这就更可怕了，为什么恰好是两个角的这里，都能恰好被淹没进海里。一切都像是被算好的。"

姬沉鳞扶着桌子坐了下来，声音都带了颤抖："不，那不是最可怕的，你看其他的帝女陵寝。"安知鱼顺着姬沉鳞手指着的方向看过去，发现虽然这些陵寝都排列叠错，但随着东海还有泽海两大海的逐渐融合，原本不动的陵寝却像是越来越靠近海洋一样。

姬沉鳞的声音甚至带了一丝恐惧："这所有的陵寝都是被算好的，它们都会沉入海底。"

两人对视一眼，不知为何只觉得脖子后蔓延起凉意，如果说神意真的存在，那么神意是不是早已经操控了这些帝女的生死。

"像是一条要游入海底的蛟。"

姬沉鳞将地图细细地卷起来说："整个昆吾山只有我一条蛟，也就是说这千百年来没有出现过蛟这种异兽。既然这些陵寝分布这样像蛟，那么所谓神意的秘密，也一定跟我的出现有关。不管了，先去孤陵探个究竟。"

"怎么去？孤陵已经沉到海底了。"

"沉到海底当然就去海底啊，你不是安知鱼吗？"

"我是安知鱼也不能像鱼一样游下去啊。"

姬沉鳞看着安知鱼翻了个巨大的白眼，幻化出了自己手上的鳞片说："安知鱼，你是傻的吗？我说你是安知鱼是在肯定你的智商，但结果证明我错了。"

"……"

"当然是我游下去了，你当我只会蹭你的饭吃啊？"

安知鱼被姬沉鳞扯着就往外走，恰好遇到从外面回来的惊鸿和焚琴、煮鹤。

惊鸿站在门口有些担心地问："大概什么时候回来？"

姬沉鳞算了算一来一回，粗粗地勘察一下，应该只要半天："我们大概晚饭前回来，给我多准备点海鲜。"

按照地图上的标示，孤陵位于东海岸的最南端，那里原本是一片礁石群，百年前就人烟稀少，而如今陵寝被淹没，而大的礁石断裂成悬壁更是人迹罕至。

姬沉鳞和安知鱼站在悬崖上望着平静的海面，有三两只海鸥点水而过，澈蓝的水面与苍穹之底相连恍若一体。

谁又能料想在这样的盛景之下会埋葬着千年的秘密与诡谲。

"你就这么跳下去？"安知鱼望着陡峭的悬崖壁，每一个字音都带着殷切的担心。

"不跳下去，难道还飞下去？不过，我还有个重要的事要交给你。"

"我能做什么？"

"替本蛟看好衣服。"

话音才落，安知鱼就看到姬沉鳞幻化出了蛟身，雪色无瑕的蛟从玄黑色的衣袍里缓慢地蜕出来，扭头朝安知鱼僵硬地挥了挥自己的爪子。

安知鱼捧着姬沉鳞的衣服对她说："你要小心。"

姬沉鳞一跃而入跳进海里，水花溅出数丈高，夕阳的光映在姬沉鳞沾着水珠的鳞片一片璀璨。安知鱼第一次理解了书上所描写的所谓浮光跃金是怎样一番景象，伴随着姬沉鳞入海前说的那句"放心，我姬沉鳞是谁"，仿佛一切都是神祇的光辉。

但是，安知鱼还没感叹完，就看到水下银光一闪，依旧是数丈高的水花。

姬沉鳞像是被人从水底扔了上来，在地上滚了两三圈，然后迅速地站了起来，说："别管我，刚刚是个失误，我再下去一趟。"

半盏茶过后，姬沉鳞又如上一次一样从水里弹了上来，蛟身上还带着瘀痕。姬沉鳞艰难地伸出爪来说："给我，衣服。"

姬沉鳞化为人身，穿好衣服转过身来，安知鱼刚想开口询问，姬沉鳞便哇的一声吐了一口血。

"怎么回事？！"

鲜血混着海水的咸腥气味，吓得安知鱼一身冷汗，他忙问："你看到陵寝了吗？陵寝外侧就有机关？伤得重吗？脊骨有没有事？"

"你一下子问这么多问题，倒是让我喘喘气啊。"

虽然姬沉鳞脸上勉强地笑着，但整个人看起来非常虚弱。安知鱼忙扶着她坐在了旁边一块礁石上，站在她的身侧好让她靠着自己。

落日渐渐坠入海底，姬沉鳞休息了许久，气息才平稳起来。

然而她开口的第一句话便是："我没有看到陵寝。"

"什么？"

"陵寝就在那里，但是它的外面包裹了一个巨大的黑色结界。"

"是那个结界伤了你？"

"是，第一次下去的时候我以为我是眼花，或者遇到了海底的某种风暴。但是第二次我再努力靠近时，那个结界的力量骤然增加，我没有什么防备，所以受了伤。只是很奇怪，过了四百年，这个结界仍旧如此强大，实在有些不可思议。"

"你能看出那是谁设的结界吗？"

"看不出，我连它的样子都看不清。越是遮掩，才越说明其中有秘密。"

安知鱼担心地看着受伤的姬沉鳞，说："先回客栈吧，不然马上涨潮了不好走。"

姬沉鳞被安知鱼扶着，面上装作若无其事的模样，但每走一步就能感觉到五脏六腑被扯裂似的剧痛。

她努力地回想着在水下见到的那个结界，想追寻到什么蛛丝马迹。

第一次潜入水中的时候，姬沉鳞就看到了被淹没的那一片礁石滩。而在那礁石滩的中央，很明显的有一大片空洞，只不过上面覆着一层黑黢黢的微光。当时的姬沉鳞以为那是因为她离空洞太远，所以看不清导致。所以她就往下游了游，才靠近了一点，周围的海水便开始躁动，宛若风暴一样迅速把姬沉鳞裹挟，然后扔出了水面。

直到第二次，姬沉鳞铆足了劲往空洞冲时，才意识到自己遇到的根本不是海底风暴，而是一个可怕的结界。那黑色的微光中隐隐约约透着蓝光，像是孔雀羽毛上的炫耀与威胁。说它可怕是因为，那结界从一开始就不是一个普通的保护结界，而是一个下了杀招的结界。倘若不是姬沉鳞反应机敏，再在那个结界中多待一刻，她就可能已经被巨大的水流和结界中的刃口绞碎了。

那是一个黑暗而充满杀戮的结界。

二、东海的诅咒

正思索着，姬沉鳞才发现已经走到了客栈。惊鸿奔出来一副要哭出来的模样："大人，你们总算回来了。惊鸿还以为你们……"

"放心，有我在，不会让姬沉鳞出事的，先扶她进去休息一下吧。"

惊鸿看到姬沉鳞安然无恙地回来，激动得根本没有发现姬沉鳞的不适，指着窗外说："今天刚好镇子上有人家结亲，难得这么巧遇到了，不如凑个热闹。"

姬沉鳞刚想拒绝，却看到窗外的迎亲队伍，与楚国其他地方都不一样。虽然队伍里的人都喜气洋洋，也锣鼓喧天，但队伍里没有一个人穿红色。

姬沉鳞疑惑地问："这是结亲？怎么连新娘新郎都没有穿红的？"

惊鸿像个小孩子一样开心地解释，仿佛知道了一件十分了不得的事情："我问了老板娘，她说这是这里结婚的风俗，结婚的时候新郎新娘的礼服穿什么颜色都可以，唯独不能穿红色，新娘也不能像国都那样戴盖头。"

"这风俗倒是奇怪。"

"老板娘说，这风俗有好几百年了。传说如果有人在结亲的时候触犯了穿红色戴盖头的禁忌，就会发生不好的事情……"

"什么不好的事情？"

惊鸿一脸害怕惊恐的模样，躲在姬沉鳞的身旁小声地说："据说穿了红衣的新娘会暴毙……"

姬沉鳞戳了戳惊鸿的额头笑说："这种鬼神之事，我都不信，你瞎害怕个什么劲。"

"不是的，老板娘跟我说，她的姐姐当年就是不信邪，戴了块红色的盖头，说想学学其他地方的女子给丈夫一个惊喜。但洞房的那天夜里，她的丈夫还没有来得及掀盖头，她就死了……"

安知鱼安慰惊鸿说："鬼神之事，信则有不信则无。再说了，要真有什么，我们楚国的国巫这不是在吗？怕什么？"

"是啊，别怕。一般遇到这种事，只要搞个祭祀啊什么的就好了，之后我们就把安大人拿去献祭。你想，我们一献祭就献个前任左相，那肯定就没事了。"

安知鱼和姬沉鳞两个人斗嘴般地哄了惊鸿一会儿，她才缓过来，开开心心地去准备姬沉鳞梳洗的热水。

看着窗外在灯火中渐渐远去的送亲队伍，姬沉鳞忽然开口："你信吗？"

"不敢妄信，不过我总觉得冥冥之中，我们所遇到的一切，都似乎跟孤鸾女帝有着一些联系。"

姬沉鳞在窗口轻声地说："明天去查一查吧。"

为了查清所谓的神意，那么所谓的鬼神之事，便分毫不能放过。

姬沉鳞泡了个热水澡，坐在桌前梳头，桌子上放了一块巨大的镜子。姬沉鳞看着镜子想笑：惊鸿大概是把整个国巫府都搬过来了，这么大块镜子居然没在路上碎掉。

看着看着，忽然在镜子里看到一团黑影，姬沉鳞一惊，再看时镜子里什么也没有。她自嘲地说道："真是有些太疑神疑鬼了。"

在睡梦中，姬沉鳞又梦到了今天在海里的场景。她梦到了巨大的黑色漩涡，在那漩涡中有无数刃口，又听到许多人的唏嘘声嘲笑声，他们握着刀笑着插进姬沉鳞的心脏里。

在梦里姬沉鳞觉得他们无比熟悉，但又看不清他们的脸，只能在水中挣扎，通红的血与海水相融。然后那漩涡骤然收紧，她被用力地吸了进去。像是时空交错，她在另一片水域中醒来，周围万籁俱寂，她已变成人首蛟尾缓缓地漂浮在水面上，没有声音也没有动作，那一刹那姬沉鳞几乎就想这样永生不醒。

在梦里，她迷迷糊糊地听到一个声音说："把尾巴切断，把骨头抽出来。不然她死不掉。"

姬沉鳞在梦里定睛一看，那片水域，早已不是东海，而是未央湖！

一湖赤红。

"啪！"一声玻璃碎裂的脆响，这脆响将姬沉鳞从梦魇中拖了出来。

惊鸿披着衣服从侧面的房里进来问："大人，您没事吧？"

"我没事，你看看什么东西碎了。"

"呀，镜子碎了。窗户没关紧，大概风把镜子吹倒了吧，我明天再出去买一块。"

姬沉鳞躺在床上，没有一点力气移动，只是说了一个字："好。"她浑身冷汗，整个床褥都似乎被汗浸透，像极了梦里的湖水与血水，黏腻又冰凉。

翌日，安知鱼来叫姬沉鳞时特意带了海边特有的海鲜粥，在帐外说："你当时在东海没有吃过的吃食，这趟都好好补上。"

惊鸿边掀帘子边说："大人，我先服侍您洗漱，您吃点东西。我出去买块镜子，再来给您梳发髻。"

姬沉鳞穿着单衣，披了件外衣有气无力地说："你先去吧，我自己来就好。"

惊鸿出了门后，姬沉鳞拿起床头的茶喝了一口，将满口的血腥味漱了个干净吐了出来。

冷不防安知鱼站在身后问："怎么了？"姬沉鳞刚想开口说没事，安知鱼便俯下身来看着她眼睛下的乌青说，"不要说没有事。"

"我昨天……梦见了一些往事，并不是什么了不得的事情。"

姬沉鳞在桌前默默地喝完了海鲜粥，什么也没有再说。倒是惊鸿有些愤愤地从外面回来，打破了静默。

"真是气死我了，这么大的镇子，居然没有镜子卖。"

"没有货了？"

"不是，老板说他们这里不能用镜子，说用镜子就会得到诅咒所以不卖镜子。大人您说这里岂不奇怪，这又是诅咒那又是禁忌的。"

安知鱼目光扫过姬沉鳞窗前的梳妆台上问："你的镜子呢？"

惊鸿嘴快回答说："昨天夜里被风吹得，掉在地上打碎了。"

安知鱼看了看窗子，有些奇怪地问："姬沉鳞，你晚上又自己开了窗户？你不是睡觉时都爱关着窗户吗？"

"没有啊，我并没有开窗户，可能是昨晚太累我忘记关了吧。"

安知鱼面色一沉："不可能，我昨天走的时候，特地帮你把窗户关紧了的。"

"那也可能……不对，惊鸿，那个老板有没有给你讲这个镜子有什么诅咒？"

"哦，这个倒没什么可怕的。就是说几百年前，他们本来也用镜子的，但不知为什么，忽然有一天全城的镜子在一夜之间都碎了。即使是又新买了镜子，还是会在夜里碎掉，没有任何一块镜子可以完整地保存下来。后来有许多女子说在镜子的碎片中看到自己的脸上出现可怕的疤痕，久而久之，这里就没有人用镜子了。"

疤痕。

镜子。

姬沉鳞的脑中忽然浮现出一个大胆而可怕的设想，她陷在椅子里朝安知鱼说了一句："孤鸾女帝的宫中也是禁止有镜子的。"

惊鸿疑惑地端着碗碟出门清洗，而安知鱼却在顷刻间明白了姬沉鳞的设想，他问："你们异兽最长的寿命是多长？"

"至今见过最长的是两百岁。"

"可孤鸾女帝去世至今有五百多年了。"

"是，可是只有刺厄才会在她的陵寝旁设下那么强大的结界，也只有刺厄会记得孤鸾女帝脸上有疤，见不得镜子。"

姬沉鳞猜想，刺厄没有死，刺厄忍受了五百年的漫长岁月，只是为了守护孤鸾女帝而活着。

妖兽，本就是失去了自控能力的异兽。

可刺厄为了孤鸾女帝，以一种强大而孤绝的自控力完成了这一切。

姬沉鳞跳起来套了衣服就往外跑："去找刺厄。"却被安知鱼一把抓住："不准下水，刺厄可能面对孤鸾女帝时有所控制，但面对其他人，他还是一个妖兽。"

"不，不下水。我们去海边喊他。"

一路小跑到了峭壁上，安知鱼警戒地将姬沉鳞护在了自己身后。姬沉鳞朝着孤陵方向大喊："刺厄——刺——厄。"

涛声将姬沉鳞的声音卷起又淹没进大海，没有任何回应，一切又归于寂静。

一连一个月都是如此。

三、妖兽刺厄

第三十一天，姬沉鳞哑着嗓子瘫坐在地上，沮丧地问身旁的安知鱼："是不是我们猜想错了？毕竟没有异兽能活那么久的，当然除了长央君和未央君。"

"但是只有这个解释最贴合，我想刺厄可能并不想见我们，按照史书上的记载他辅佐新帝到亲政便立刻离开了，一天也没有多留。书上说他不慕权势，心胸宽阔。现在想来，他可能……只是无情，对除了孤鸾女帝之外的所有人都无情。"

"他不来，那我就去找他。"姬沉鳞说着就要幻化出原形，要跃入海里，却被安知鱼一把抓住。

"你想去送死？"

"那怎么办？"

"你想，除了镜子的禁忌，这里还有什么风俗？"

"嫁娶时不能穿红，不能戴盖头。"

安知鱼望着汪洋的最远方，点了点头说："是。孤鸾女帝终身未嫁，所以这个禁忌不是针对孤鸾女帝的，而是刺厄心底的禁忌。如果我没有猜错的话，他爱孤鸾女帝。他恨自己不能给孤鸾女帝一场婚礼，恨自己情深不得。"

他太懂刺厄的这种心情了，情到深处，所有她厌恶的都是禁忌，所有她要的，全都百无禁忌。

"不能喊刺厄，他的心里他的脑海里，只记得孤鸾的名字，他听不见自己的名字。所以，要这样喊……"

深爱忘己。

安知鱼朝着大海的方向大喊："孤——鸾，孤鸾——鸾。"

在鸾字落地的那一刹那，群鸥惊起，海水骤然翻涌掀起数十人高的巨浪，然后水忽然从中间劈开，空出了一条从海底往人间的道路。

从水下走来一个赤发黑袍的男子，因为轮廓太过深邃，以至于姬沉鳞看他的眼眶与面颊都是黢黑的阴影。

但他的黑袍姬沉鳞是认得的，那是国巫特有的朝服，刺厄朝服上的暗纹是山与火纹，是陆兽的意思。这样一个陆生异兽，为了孤鸾女帝，居然在海底待了五百多年。过了几百年，刺厄身上的衣袍都已开始腐朽，露出他布满伤痕的躯体。

刺厄一步踏上悬崖，不带任何感情地问："你们是来找鸾儿的？"

姬沉鳞本能地觉察到了巨大的压迫感，周遭就像是那结界一样弥漫着充沛的杀戮之意。

但为了谜底，她只能镇定地问："你是刺厄？"

刺厄的脸上仍旧无悲无喜，他说："你们要找鸾儿，又问我做什么？你是谁，为什么要找鸾儿？"

"我是楚国现任的国巫，想查清一些有关尘封的帝女的秘密。但帝女已经安息百年，我们不可能去打扰她，所以刺厄大人你既然在，可否为我们解答一些疑惑？"

"你们跟我来吧。"

刺厄的爽快让姬沉鳞十分震惊，也让姬沉鳞警觉。

刺厄说完就要领着姬沉鳞和安知鱼往水里走，姬沉鳞扯了扯安知鱼的袖子，小声地说："你，回头。不然马上水合起来，我们就在海底了。"

"别怕，史书上说刺厄是陆生异兽，既然他能在水下，那就说明下面有玄机。再说，我不能将你一个人丢下。"

"你！你……一觉得不对就要跑啊。"姬沉鳞又气又恼，但心里又猛地涌起一股暖流，让她出口的话都变得异常温柔。

而刺厄却仍是沉默不语地往前走着，走着走着，姬沉鳞才发现刺厄正带着他们往深海处的孤陵走去。

刺厄所到之处，不仅是他设下的结界，连海水也迅速地退散。直到亲眼看到，姬沉鳞才意识到妖兽的力量是多么的惊人和可怕。

他们拥有的力量是颠覆的力量，是随意将自然玩弄于股掌间的力量。

他们不是被神意和人类抛弃，而是神意和人类一直不敢靠近他们。

"到了。"

海水散去，青铜色的铜门就这样横在眼前，刺厄像是回家一般寻常，推开了那门。里面的长明灯晦暗明灭，闪着青幽的光。

姬沉鳞有些难以置信地问："这里是，孤鸾女帝的……陵寝？"

刺厄似乎从来都没有认真听过姬沉鳞的话，也根本无意回答她的问题，只是站在门内又问了一遍："你们是来找鸾儿的？"

"实际上，我们是想查清一些关于孤鸾女帝的……"

"那进来吧。"

姬沉鳞和安知鱼跟着刺厄往那陵寝的通道里走了一步，才进去，后面的青铜巨门便轰然关闭，然后又是一阵汹涌的嘈杂声，是海水倾泻下来的声音。

姬沉鳞立刻警觉："这是什么意思？"

刺厄转过身来，幻化出利爪和獠牙，冷冷地说："你们要找鸾儿，自然要去地下找她。"

安知鱼握了握藏在袖中的短刃和那个不到万不得已一定不能用的小盒子，但是短刃还没有抽出，姬沉鳞还未来得及幻化出真身，两人都被刺厄一爪掀翻在地。

"前些年，也有一些人来打扰鸾儿。"

安知鱼捂着胸口的伤口，一边观察着四周，一边艰难地问："什么时候？什么人？"

"记不太清了，大概八九年前，看起来跟你们的衣着很像，"刺厄走到安知鱼和姬沉鳞面前，"跟你们一样烦人。"

刺厄抬起了他的脚，安知鱼这才发现刺厄的脚心钉了三根巨硕的铁钉，像是过了太久，那钉子连着他皮肉都上了锈。

安知鱼看到主墓室的两边都有暗室，就在离他们五步远的地方。在刺厄的脚就要踩下来的时候，他迅速扔出了袖子里的那个盒子，盒子里滚出一块圆石，瞬间就吸附在了刺厄的脚上。

那是一块特制的磁石。

刺厄的脚一下子被磁石的巨大重量所拖住，安知鱼抱起跌躺在地上的姬沉鳞，拼尽一身的力气就往那暗室冲。

但一摸到姬沉鳞的腰时，安知鱼心想："不会真的这么背吧？"就在这心念的一瞬间，安知鱼慢了半刻，一道红色的光刃从他的腰侧而过，砍了半刀。

安知鱼滑进暗室，推下了关门的机关，将刺厄隔绝在了门外，他怀里搂着姬沉鳞倚着门喘了一口气。

"幸亏以前看过点墓室构造的书，所以说姬沉鳞你带上我这么聪明的人真是明智之选。"安知鱼对着黑暗中的姬沉鳞开着玩笑，但他自己知道，他按下的那道门是死门，千斤重的巨石门轰然闭合，再也不能打开。但如果不这么做，他们当时就完了。

姬沉鳞还是以同一个姿势躺在他的怀中，幽幽地叹了一口气说："我的脊骨断了。"

是真的这么背。

四、"小鱼儿，我回来了，你别死……"

他们被困在一个漆黑的墓室里，姬沉鳞断了脊骨，而安知鱼的腰侧血流不止。

其实姬沉鳞很疼，但是她早已经习惯了这种骨头断裂的痛感，只是说话时不由自主地抽冷气。她问："你怎么会带了磁石？那块磁石，不是普通的磁石。"

"五年前鹿刃给我的，他说如果我将来遇到可怕的异兽，就拿出这个，这是秘密武器。当时我没信他，只是当个护身符带着，没想到今天真的有了用处。"

姬沉鳞解释说："所有的妖兽身上都会被钉下碎骨钉以作记号。那磁石叫作堕，是专门用来对付妖兽的，堕遇到碎骨钉会立刻吸合，也会立刻变成千斤重。"

姬沉鳞顿了顿又说："这个东西只对妖兽有用。所以说，鹿刃在五年前就预料到你可能会与刺厄有交锋。"

"你是说……"

"刺厄所说的八九年前也有人来过这里，大概这群人中也有鹿刃吧，衣着跟我们很像应该也是国都……"姬沉鳞说到鹿刃仍旧有些不忍，但真相的残酷总是该要面对。

安知鱼一愣，想起鹿刃笑呵呵的脸，摸着自己身上黏腻的血液，忽然不知道该说什么，他想问这是真的吗？但他知道，这个结论有理有据。他想问鹿刃为什么这么做？但他知道，这个问题本没有意义。

什么是善，对自己好就是善吗？什么是恶，对他人不好就是恶吗？

安知鱼与姬沉鳞躺在密闭的墓室里，听着血液在缓慢地流淌，就像在听死神的脚步声。

过了许久，当姬沉鳞看到有微弱的光时，以为自己眼花，一晃眼看到暗室的墙壁，忙说："等等这墙上好像不是砖壁，你看有些暗色的荧光在闪。"

安知鱼闻言立刻从袖子中掏出了一个火折子,火苗蹿起,照亮了狭小墓室的墙壁。

这本该是放着祭祀礼器的一个墓室,但里面却空无一物,只有绘制细腻的壁画。几百年过去了,壁画有些脱落,但仍旧能大致看出壁画上所画的内容。

前几幅壁画描绘了孤鸾女帝广为人知的事迹,上战场,平乱党,但从孤鸾女帝遇见刺厄开始,壁画上所绘的便都是史料没有任何记载的。

比如,孤鸾女帝身中数箭跪在刺厄的面前。

比如,孤鸾女帝站在海滩上看着海里巨浪滔天,而她的脚下是一个巨大的墓坑,不是陵墓而是一个巨大的坑体,里面的骨头看起来不像是人类的。

而最后一张壁画,上面赫然画着帝女陵寝图,与姬沉鳞手上那一张不同的是,它在这条看起来像是蛟形布局的尾巴上,多了一个陵寝,还多了线条将这条蛟形描绘了出来。

恰恰是姬沉鳞的地图上被涂黑的那一块,上面写着两个字:终陵。

从启陵到终陵,一条完整的蛟,但那终陵的陵寝构图跟其他的陵寝完全不同,看起来根本不像是蛟尾。蛟尾光滑与蛇尾无异,而那图上的尾巴却更为宽硕参差。

"安知鱼,你还曾听过什么与蛇很像的异兽吗?"

"没……有。"

姬沉鳞听到安知鱼声音中的虚浮,忙问:"安知鱼,你怎么了?"

"我好冷……"安知鱼手里的火折子从手里松了掉在了地上,映着青石板上一片斑驳血渍,竟比壁画还要绚烂些。安知鱼还是抱着姬沉鳞,姬沉鳞与人类不同,虽然脊骨断裂但是手依然能活动,她伸手捂住了安知鱼的腰,触碰到温热的血和新鲜的伤口。

"天伐……我好冷。"安知鱼握住了姬沉鳞的手,姬沉鳞的手温暖又熟悉，像极了当年他们牵着手昂着头去受先生的罚。

他从小锦衣玉食，天赋异禀。所有人都觉得他是天之骄子，所有人都羡慕他得到了常人无法得到的。但没有人关心他过得是否快乐，小的时候他最害怕听到的就是"神童"两个字。因为没有同龄人能理解他的思想、他的境界，而年长的又没有人能体谅他的孩童心性。

他因为"神童"而万众瞩目，也因为"神童"而深陷孤独。

直到他遇到当时的姬天伐，他才知道这个世上原来也有和他一样的"神童"。但她比他更聪明，她明白如何与世间诸多人与事握手言和。

那时的安知鱼还小，但他已经能清晰地分清朋友和知己的含义。姬天伐不是他安知鱼的朋友，而是他在这漫漫孤独的人生路中所寻找的那一个与自己一样的灵魂知己。

八年后，他终于又再一次握住了那一缕温暖。

他如此桀骜、如此冷漠、如此孤独，所以他才愿意牺牲他所有的一切去换取这稀薄的温暖。

安知鱼在虚空中又唤了一句："天伐啊。"

姬沉鳞浑身控制不住地发冷，忍着汹涌的泪意，说："安知鱼，你不能睡。安知鱼……你要保持清醒，我不是姬天伐，你想你还没查出她的死因，你怎么能睡？"

姬沉鳞唯一的念头就是：用安知鱼唯一的念想留住他的意志。这么重的伤，只要昏睡过去，就不会再醒过来了。

安知鱼气若游丝地笑了一声："傻子，我从再见到你第一眼开始就知道，你就是姬天伐。卜算大典那天，惊鸿告诉我你的头发被剪了一截，那次不是刚好没有了帝女的胎发吗，你是剪了去焚了吧？"

血从姬沉鳞的指尖肆虐而出："别说话，别乱动，安知鱼你……不能有事啊！"

"不，我有好多话想跟你说，可能再不说就没有机会了。知道我为什么那么确信你就是天伐吗？因为你看宋迟苏的心疼与温柔，你躲着月嵘夫人不让她见你睹貌思人，情感可以克制，但不能掩饰。我一开始其实有些难过，因为你回来……没有对我有过这样的克制，或者说没有需要克制的情感。"

"小鱼儿……"

十几年，姬沉鳞没有这样哭过，哭得鼻涕和眼泪不知从何处奔逃，一股脑儿地滞留在脸上，堵在心上。

安知鱼十分艰难地笑了起来，说："但我现在不难过，只有我一个人相信你还在，也终究只有我一个人等到了你。我只是想听你亲口跟我说一句，你是姬天伐……"

"小鱼儿，你撑住。小鱼儿，我是姬天伐啊，我回来了……"

听到这句话，安知鱼像是得到了此生最大的安慰，安然地闭上了眼睛。

他想，他何其有幸，终于等到他爱的那个少女归来。

他为她付出了整个少年时光，在官场上尔虞我诈，在心上披甲设防。过了这么多年，终于等到姬天伐回来了，为他解下了心上的重重壁垒，让他终于可以用心脏最软的那一块，耗尽毕生温柔与力气唤她一句："天伐啊。"

姬沉鳞看着安知鱼这个样子，在一瞬间陷入崩溃，无意识地幻化出蛟身。巨大异兽原形在狭小的墓室里翻滚，鳞片与砖石相击，银白色的鳞片与飞舞溅起的血花。

她已经死过一次了，她不惧怕死亡，但倘若安知鱼今天死在这里，她就要刺厄要孤陵，要整个东海为他陪葬。

她握着的这个少年，为她付出了少年最恣意的时光，是唯一坚信她还活着的那个人。

她不能让他死。

绝不能。

不知道过了多久，姬沉鳞仿佛听到了墓室外海水翻滚的声音，仿佛听到了石门轰然倒塌的巨响。

刺厄站在门口，看见一条雪色的蛟蟒曲着身体护着安知鱼，而她身后的脊骨甚至已经戳破了血肉露在了外面。

"你是帝女？"

那是姬沉鳞在昏死前听到的最后一句话，一个莫名其妙的问题。

五、"所有的帝女生来都是龙。"

"安知鱼！"等到姬沉鳞再次醒来的时候，发现自己躺在一具棺椁旁，周遭弥漫着药味和潮湿的海水咸味。

刺厄没有理她，只是自顾自地捣着药说："你身旁是鸢儿，别吵醒了她。"

醒来的姬沉鳞忽然发现自己已经成了人身，而且她的脊骨已经接好，还用木板固定住了，被绑在了棺椁一旁的台阶上："安知鱼呢？"

"醒了，但是他太吵了，我就把他打晕了。"

"什么？你又打了他？"姬沉鳞一激动差点从台阶上滚了下去。

刺厄面无表情地转过来，擦了擦手说："他失血太多，昏躺着比他疯了一般找你好。这里潮，我把他放在右侧暗室里了。他吵得挺烦的，但其实我有点羡慕。"

刺厄坐到了姬沉鳞旁边，仍旧面无表情："他能发疯一般地把你刻在眼里，刻在心里，刻在世人能看到的每个角落，但我不行。"但姬沉鳞能感觉到他全身各处散发出来的孤独，彻骨的孤独。那一瞬间姬沉鳞明白了刺厄作为一个妖兽为什么能为孤鸢女帝牺牲那么多，她问："你什么时候开始爱上孤鸢女帝的？"

"从我的爪子在她脸上划下那道伤疤时。"

史书上记载孤鸢女帝脸上有数寸长的疤痕，姬沉鳞一直以为那是孤鸾女帝在征战时受的伤，却没想到是剌厄所伤。

他又开口："你可能不明白，作为一个妖兽所面对的世界是什么样的。我们是被世界抛弃的弃儿，我们被世界诅咒，也诅咒这个世界。是鸾儿把我从炼狱里拉出来，告诉我，原来我可以不成为魔鬼。"

剌厄缓慢地回忆起当年初遇孤鸾女帝的场景，时至今日，他的耳边也能清晰地回荡着那个少女清脆而坚韧的声音："我，是楚国帝女，姬孤鸾。"

当时他在山石中沉睡，忽然冲进来一队人马惊醒了他。他在巨大的焦躁和愤怒中醒来，嘶吼了一声就奔过去要踩踏尽这群冒失的人类。

但为首那个身着戎装的少女，举着长枪却不逃跑，对后面零零散散的军士说："我拦着，你们快撤退。"

他一爪撕破了那少女的脸，血腥气在空气中迅速爆炸开来，但那少女却仍旧挺立在马上毫无畏惧。

他问她："你为什么不逃？"

她答："我是楚国帝女，姬孤鸾，所以我必须战斗到最后。"他忽然心念一动，决定救她。

姬孤鸾与他遇到的所有人类都不一样，她有傲骨却不傲气，她能为了她的责任而誓死不从，也能为了她的子民卑躬屈膝。姬孤鸾也能在知道了他的身份后，弯下自己的膝盖请求与他结下盟约："若你能助我平定叛乱，我便许你国巫之职。"

很多年后，在战场上剌厄问姬孤鸾："为什么当时能那样轻易地跪下来，你们人不是说膝下有黄金吗？"

她回答说："与苍生相比，没有什么东西是高贵不可屈服的，下跪又何妨，当时你愿意帮朕，朕把这膝盖剜下来给你又如何。"

当年姬孤鸾带着剌厄回朝时，他才发觉那样骄傲的帝女孤鸾其实根本没能活在骄傲的环境里。姬孤鸾带着他穿过长长的宫廊时，耳边掠过的风都混合着宫妃低低的嗤笑声。

在朝堂上，刺厄垂手立于一旁，却感到所有看向自己和姬孤鸾的眼神都是居高临下的。有大臣站出来直言不讳："他是妖兽。"

而姬孤鸾孤身站在朝堂上，只说了一句："他不是妖兽，他将是楚国下一任国巫。"

背负一个妖兽之名，与绑上诅咒毫无差别。但是姬孤鸾对他说："我许下过承诺，所以这一辈子我都不会抛弃你。"

其实刺厄不是在意那一个国巫的位置，他在意的是他被赐了姬姓。

姬孤鸾，姬刺厄，听起来像是一家人。

姬孤鸾是浑身都带着热血的存在，她明明遭遇无数苦难，却仍旧对苍生怀抱着善意，她不畏惧牺牲，也从不惮于黑暗。

刺厄第一次觉得这个世上除了厮杀与争夺还有许多其他更为重要的东西，姬孤鸾让他见到了地狱以外的景象，给了他可以不成为魔鬼的机会。

刺厄在阴影里沉默了许久，才又继续开口："我羡慕安知鱼，是因为他从一开始就告诉了你他的心意。但我，直到鸾儿在战场上战死我也没能告诉她我爱她。"

姬沉鳞听着刺厄絮絮叨叨地说了许多，看着他坐在孤鸾女帝的棺椁下，像一个迅速苍老的影子。

姬沉鳞想转移话题缓和一下沉郁的气氛，恰好闻到刺厄手上的药味，惊疑地问："你懂医术？"

刺厄顿了片刻，开口道："鸾儿征战时总会受伤，她不能给军医医治。"

"为什么？孤鸾女帝不信任军医？"

刺厄看着她，忽然笑了一下，吓得姬沉鳞出了一身冷汗，他问："你知道我为什么又救了你吗？我在这陵寝里等了五百多年，就只是为了等一个人。"

"这么多年，你一直在陵寝里？"

"是，我在替鸾儿等一个人，准确地说我不是在等一个人，我是在等一个帝女。幸好你现出了真身，我才知道你是帝女，不然你们今天必死无疑。"

"什么？你……怎么知道我是帝女？"姬沉鳞躺在地上，看见自己胳膊伤口旁的鳞片，笑叹，"不，我现在不是帝女了，我曾经是，只不过现在我已经是一个异兽了。"

刺厄站了起来，细细地抚过身后的青铜棺，背对着姬沉鳞说："你曾经既是帝女，又是国巫。你同时担任了这个世上唯一知道这个秘密的两个身份，却连自己到底是什么都不知道。真是可笑又可悲。"

"什么意思？"

刺厄扶着姬沉鳞勉强站起来，说："好好看着。"

说完他猛然推开了孤鸾女帝的棺盖。

姬沉鳞从未想过谜底来得如此直接，直接得让她看不懂，让她不知道该如何接受。在看到棺内的情景时，姬沉鳞仿佛被密集的谎言扼住了喉咙，喘不上气来，没有力气思考，也没有力气在真相的泥潭中挣扎。

"这……是孤鸾女帝？"

"是。"

刺厄的回答简单又肯定，将姬沉鳞心中的侥幸击落得一点不剩。

孤鸾的遗体被刺厄设的结界保护着，还是生前的模样，血肉俱在。

但，那棺内不是一个英姿飒爽的女帝。

而是一条巨大的赤红色的，蛟。

姬沉鳞的声音带着克制不住的颤抖，问："孤鸾女帝是……蛟？"

"不，是龙。"

"龙？"

这个名字姬沉鳞不是第一次听到，但她只是在小时候偶然听不着调的云游修道者说过，龙是一种生活在洪荒时代的异兽，但没有人知道它是什么样。姬沉鳞在昆吾记载异兽的《山海异兽录》上也从没有看过关于龙的记载。

"孤鸾女帝……为什么会变成龙？"

"你还不明白？不是鸾儿是龙，而是所有的帝女生来都是龙，但只有到了她们及笄之后才会显现出龙身。"

姬沉鳞低头看着自己伤口旁细碎的鳞片与棺中的赤龙孤鸾："所以……所以我不是由人变成龙，而是我本来就是龙？"

"是，上一任国巫临死前没有告诉你关于帝女传承的秘密？你怎么成的国巫？"

姬沉鳞简单地告诉了刺厄自己所遭遇的事，刺厄望着她，像是看一场跌宕起伏的笑话，他说："那你够幸运，还能遇到我这么老的国巫，能告诉你，帝女究竟是什么。"

刺厄告诉姬沉鳞，楚国的帝女与其他子嗣最大的不同就在于，她们生来就不是人，而是龙。

但因为她们诞生于人的体内，所以龙体非常虚弱，要到及笄后才能显现出龙身。也正因为过于虚弱，大多帝女都早夭而亡，以人的身体死去，这就是人们所传的及笄之劫。最后成为真正的龙的只有五位，也就是称帝的五位女帝，她们与国巫一样，都是这个国家的异兽。

这是楚国的诅咒还是某种神秘的契约，国巫不得而知。但当年帝女陵寝图传到刺厄与孤鸾女帝手上时，两人就猜测帝女的降生一定与那个毫无记载的上古泽国有关。

所谓的国巫卜算栖神躯，实际上是根据帝女陵寝图的五行分布去选择与下一个帝女五行相合的母亲。

从来没有什么神意，所有的神意都是那张早已被设定好了的帝女陵寝分布图。

那张陵寝分布图是龙的形状，一条奔腾入海的龙。

如果真的有神意，那就是曾有人预见了这一切，也在千百年前设定了帝女的生死。

刺厄又把姬沉鳞放躺在了地上，姬沉鳞只觉得自己的脊骨一阵又一阵地刺痛，像是不熄的金戈鸣响，混着清晰的痛意，姬沉鳞问："可是……

我是蛟？！既然我不是从人变成蛟，那我又为什么从龙变成了蛟？"

"其实，这也是我不明白的地方。我在见到你的真身第一眼时，觉得你像龙，应该是帝女。可你确实和《山海异兽录》中所记载的蛟一样，你没有龙尾，你的尾巴是如蛟一样光秃秃的蛇尾。但你与蛟不同的是，你的角是龙角，蛟的角又短又小是直的，没有龙角这样的分叉。依我之见，你当年所谓的溺水，大概不仅仅是溺水那么简单。"

她当年的"死"本就蹊跷，如今变得更加疑云重重，要弄清楚这些，唯一的途径就是搞清楚帝女的源头，她问刺厄："有关上古泽国，你们知道多少？"

但刺厄摇了摇头，说："不知道，几乎是一无所知。其实鸢儿的这处陵寝地址也是本来地图上就设定好的，并非外界所传的由她自己勘察所选。她真正勘察的是与自己陵寝并行的启陵，也就是在另一个龙角上的陵墓。"

姬沉鳞忽然就想起在暗室里看到的那幅壁画，衣袂翻飞的女帝王、汹涌的波浪与不知名的骨骸。

"启陵，是一个巨大的龙坑，里面埋葬着数以万计的龙骸。"

龙坑。

数以万计的龙骸。

刺厄又问："你知道鸢儿为什么让我在这里等帝女吗？"

"为什么？"

"她说，有启必有终，能追寻这个秘密追到她这里的帝女便一定能揭开所有的迷雾。你将会是结束这一切的帝女，你将是终陵的主人。"

姬天伐，你是终陵的主人。

刺厄短短一个下午的叙述，却让姬沉鳞消化了十几天。姬沉鳞躺在地上沉默不语，疼得虚浮时，她会幻化成蛟身，看着自己的蛟身，陷入更无尽的寂静。

十几天后，姬沉鳞的脊骨长好，安知鱼的伤口也开始渐渐愈合，能缓慢地走到姬沉鳞的身旁坐着陪她。姬沉鳞将刺厄所讲述的一切告诉了安知鱼，安知鱼虚弱而温柔地握了握姬沉鳞的手。

但刺厄却像是在十几天内迅速枯萎老去，一切行动都变得迟缓。

第二十天，刺厄甚至有些蹒跚，他走到姬沉鳞和安知鱼面前说："你们该走了。"

像是对久留的客人那样，随意地说了一句。

站在通道门口，姬沉鳞才看到刺厄的头发里已经夹杂了银丝，她问："你要怎么办？"

"不怎么办，和以前一样。我只是忽然有些困，我完成了给鸾儿的承诺。"

完成了爱人最后的嘱托，也结束了最后活下去的信念。

"那……有缘再见。"

"不必再见了，只是要小心。八九年前来查帝女的那批人，应该是宫里的。"

说完这些刺厄便自己走到了孤鸾女帝的棺椁旁，席地而睡。姬沉鳞和安知鱼退出陵寝，身后的陵寝铜门轰然关闭。

一代女帝与她的妖兽终究共眠于无人相扰的深海。

第十章　山雨欲来

一、"在爱你这件事上，百无禁忌。"

姬沉鳞给安知鱼身上设了个结界，把他与海水隔绝开来，让他抱着自己，化作蛟身的姬沉鳞从海底纵身而出。

几十天未见天日，忽然见到阳光，竟有些不适应。到了客栈时，姬沉鳞见到眼圈红红的惊鸿整个人都瘦了一半。

看到姬沉鳞归来，惊鸿整个人扑了过来，也不顾什么主仆身份抱着姬沉鳞就呜呜地哭了起来，哽咽地说："大人您回来了……惊鸿以为，以为大人您又……出事了。"

又？

姬沉鳞拍了拍惊鸿的背，望着安知鱼哑着嗓子用口型问："她也知道我是姬天伐？"

安知鱼以他常有的那种不羁的模样，笑着点了点头，像是戏弄的笑容里，又分明带着心满意足。

惊鸿前前后后地看了看姬沉鳞，确认她没有缺胳膊少腿后，噔噔噔地就出门去买肉买酒说要庆祝一下。

安知鱼看着惊鸿的背影笑着说："惊鸿这丫头真忘恩负义，只晓得查看你有没有受伤，却一点都不问问我了。"

"焚琴和煮鹤不是立刻就奔出去给你买药买补品去了吗？和我争一个惊鸿做什么？不过，惊鸿是怎么知道的？"

安知鱼告诉姬沉鳞，当年姬天伐出事后，惊鸿十七岁，以她帝女大宫女的身份，去哪个宫里当差身份都不会太低，倘若以后熬出头熬成个尚宫再出宫，也算得上衣锦还乡。但是惊鸿偏偏求了月嵘夫人，说要出宫。月嵘夫人以为她要出宫归家，谁知惊鸿出了宫成了自由身后，说是不相信帝女已死，她要去寻帝女。惊鸿出宫后第一个去找了宋迟苏，但宋迟苏只劝了她节哀。

安知鱼讲到这里的时候冷笑道："节哀？活生生的人上一刻还谈笑风生，下一刻便已下葬，这种哀怎么节？"

惊鸿寻不到人帮她，自己又势单力薄，她试图告诉别人帝女去得有多突然，帝女有多贤能，那样璀璨光华的帝女是不可能被神意抛弃的。

但所有人都觉得她疯魔了。

直到她遇到安知鱼，另一个不相信姬天伐之死的存在，那之后安知鱼收留了惊鸿。后来姬沉鳞入朝，安知鱼一眼就认定姬沉鳞便是姬天伐，但苦于没有确凿的证据，也不敢妄下定论。所以他便安排惊鸿进了国巫府。

"一方面，我想让惊鸿在你的生活习惯中得到更为肯定的答案，但当时入府时你对姜和葱的喜好和假装完全不认识惊鸿的样子，真的让我犹疑了一段日子；另一方面，只有惊鸿来照顾你，我才能放心。"

姬沉鳞鼻子一酸，拼命忍住眼眶中的滚烫说："当时的我，早已不是我，前途艰险，我不能拖累你们。"

"什么叫当时的你，早已不是你。"

"小鱼儿，我不是人。"

"我早已说过，在爱你这件事上，百无禁忌。你是人还是异兽，与你是姬天伐并不冲突。"

姬沉鳞觉得安知鱼说得很有道理，刚要点头，才发现安知鱼这是在肆无忌惮地表白啊。她心想：安知鱼果然还是那样不要脸。

姬沉鳞脸一红，只好继续安静地喝粥。

安知鱼倚着姬沉鳞的床沿半躺在她的床上，带了一些冷意说："你该问的是，为什么有人不相信你是姬天伐？当日你入朝，分明所有人都看出了姬沉鳞和姬天伐长得一模一样。那么明显的事，但为什么那些人不相信？"

姬沉鳞冷静地搁下了手里的勺子问："你的意思是？"

"要么他们根本不在意你的死活，要么就是他们参与了害死姬天伐的阴谋，所以对姬天伐的死深信不疑。"

其实姬沉鳞回朝前也曾担心被人认出是姬天伐，所以她在朝堂上第一时间就露出了自己的蛟爪，后来也通过姜眠禾之口谎称自己是见过帝女模样心生敬佩才变得与姬天伐相像的。

她以为自己的这一切都能被很好地掩饰了，但安知鱼这么一说，姬沉鳞才发现这个漏洞，如此显而易见。

"鹿刃和迟苏都说他们亲眼见到我下葬入棺的。"

"我当时回来得太迟，没能见到当时的葬礼。"

"这就是我所奇怪的地方，帝女的葬礼历来隆重，百官和周围的小国都会前来吊唁，不可能是一个衣冠冢。他们口口声声说见到了我的尸体，但我又活生生地站在这里。所以他们到底葬的是什么？"

姬沉鳞站起来，走到安知鱼面前认真地说："小鱼儿，我要去找我的陵墓。查出下葬的到底是谁？我到底是怎么从龙变成蛟的？而他们又为什么要置我于死地？幕后的黑手是谁？所有的秘密应该都在那个墓里。"

安知鱼点了点头，但又问："不过怎么找？帝女陵寝图上那块本属于你的陵墓被涂黑，虽然能看出大概的位置，但我觉得……他们不会真的将你的陵寝安置在那里。"

"是，我的陵寝肯定不在那里。我算过了，涂黑的那块大致在南海，从国都到南海最少要一个月。因为帝女陵寝的位置是绝密，所以送葬队伍是要国巫跟着的，一来是需要用国巫的秘术保护帝女尸体不腐，二来也是要用障眼的结界保证送葬队伍不被人看到。而我查了鹿刃当年的一年出行纪录，送葬后十天不到，他就开始上朝了。"

"那么短的时间，大概就在国都周围。"

"不管怎么说，还是要先回一趟国都。"

焚琴和煮鹤出门买药过了半个时辰就回来了，但惊鸿却一直到了傍晚才匆匆回到客栈。姬沉鳞问："怎么这么晚才回来？"

惊鸿挠了挠头说："当时大人您出去失踪了两个多月，我没办法，就报了官。今天刚刚去官衙报备了，说您回来了。"

姬沉鳞一警觉，忙问："你报官的时候怎么说的？"

"一开始去报官，那官差爱理不理我的。然后我说了是前任国巫和丞相大人，那官差吓得跟什么似的，又是派人寻找又是立刻上报的。"

姬沉鳞一听这话，立刻就说："收拾东西，即刻走。"

惊鸿手上还拎着刚在集市上买的海鲜小吃，愣愣地问："现在？"

"是，连夜走。"

安知鱼身上的伤还未好全，所以姬沉鳞来时用的一大车垫子，全部奉还给了安知鱼。

安知鱼被塞在无数的垫子里有些无奈地说："姬沉鳞你这是报复，你知道吗？"

"君子报仇十年太晚，有仇就报！"姬沉鳞仰天大笑，拍了拍手又低声道，"别学我扔垫子，伤要紧，回程我跟你一车。"

安知鱼伸出手揉了揉姬沉鳞的头，安静地笑。焚琴和煮鹤看着像犯了花痴一样的自家大人，吓得掉了一地鸡皮疙瘩，忙去了另一辆车。

诸多线索联系在一起，姬沉鳞知道幕后黑手一定在朝堂之上。此番惊鸿报官，自己和安知鱼来查孤鸾女帝陵寝的事一定会被真正的凶手得知。所以姬沉鳞吩咐一应行李都从简，当天就离开了东海。

只不过在一车的软垫中，安知鱼抓着自己的手倚在自己肩膀上睡着了的时候，姬沉鳞才觉得有些不对。

他们难道已经确定关系了吗？

姬沉鳞低头看了看安知鱼的睫毛在英俊的脸庞上洒下一圈灰色的月华，那样好看的五官却又因为带了桀骜的冷意而不落于稠艳。

但是，虽然他此刻这样好看，但他们还只是纯洁的战友关系啊！

姬沉鳞秉承着清心寡欲的原则，悄悄地想把自己的手从安知鱼的手里拽出来，刚一动，安知鱼的手就一紧。

安知鱼保持着睡着的姿势，闭着眼睛说："我可是个病人，姬大人你就这样对待一个病人吗？"

天底下竟有如此厚颜无耻之人？

虽然安知鱼无脸，但是姬沉鳞不能无义，她无奈地说："好，好。那就给你抓一会儿本蛟的手，就当哄你睡觉了，等你睡着了我再拿出来。"

等到姬沉鳞倒在软垫堆里睡着了的时候，安知鱼才微笑着睁了眼睛，看了一眼窗外清风正好。

他笑着轻声说："傻天伐。"

二、追杀者的绞杀

行至第五天，还是风平浪静，连姬沉鳞都觉得是不是自己太过于警觉了。这几日一直都是夜里赶路，走的也是偏僻小路，一行人都没有好好休息。

休息时，惊鸿去取了水，兴冲冲地回来说："大人，前面有一处村子。"惊鸿一脸期待的模样望着姬沉鳞。

姬沉鳞想了想，夜色里飘起了小雨，心想只休息一夜也应该没事便道："你跟煮鹤去问问能不能借宿吧。"

村子民风淳朴，惊鸿找了家农户借宿，为了安全起见，还是按照分车时那样，姬沉鳞和安知鱼一起，惊鸿与焚琴、煮鹤一起。焚琴、煮鹤哭丧着脸说："咱们两个爷们又要打地铺了。"逗得惊鸿笑弯了腰，把安知鱼车上的垫子都拿出来给他们铺了个比床还软和的地铺。

那家夫妇看起来五六十岁，看到姬沉鳞他们淋了雨，特意煮了姜汤给他们驱寒。

那老婆婆端着姜汤，笑着跟他们闲聊："恰好我家儿子儿媳出门采买去了，空了两间房。这位老爷贵姓啊？"

安知鱼忙接过汤，道了谢，答说："免贵姓安。"

"安老爷，安夫人真真是模样极俊，那书上怎么说来着，就叫作一对璧人。"

安知鱼愉快地和老婆婆交谈了很久，而姬沉鳞只能在一旁尴尬地附和点头，却又被夸了一句："安夫人一看就是大家闺秀，瞧这笑不露齿的。"

安知鱼看着窘迫的姬沉鳞，无赖地笑了起来："我们安家挑媳妇，都是挑一等一的。"

老婆婆也笑，很识趣地就准备走，走时关好了门嘱咐道："喝了姜汤就早点睡，夜里恐怕有一场大雨。"

姬沉鳞本喜姜辣，以前要掩饰身份也掩饰了自己的喜好，在这荒野外忽地有姜汤喝，开心得像是孩子似的。

但却被安知鱼一把夺下，屋外风声渐起，安知鱼脸上的笑容也渐渐隐去，他低声道："我刚刚见那老妇，手上只有虎口和食指上有茧，那应该是习武人才有的手相。"

姬沉鳞吹熄了灯，在黑夜中露出了青色的蛟眼。

姜汤在碗里逐渐冷却。

整个村子仿佛都陷入了睡眠，家家户户都熄了灯，一瞬间万籁俱寂，仿佛时间都在风雨里冻结停滞。

姬沉鳞打开窗子，感受着这不对劲的安静。这么大的风雨，院子里树上的树叶却纹丝不动！

姬沉鳞转身朝安知鱼比了个"小心"的手势。

她端起那盛着姜汤的碗，轻轻向前掷去。砰的一声，碗应声碎裂成粉尘。屋外分明是极强极密的内功网，方才若是向前走一步，那透明的气流足以让姬沉鳞血肉分离，尸骸不剩。

凛冽的真气汇涌上来，然后纷纷停住。

果然不出所料，四面八方都悄无声息地冒出无数蒙面杀手来。

姬沉鳞无所畏惧地站在门口，问："你们是何人派来的？"

没有人说话没有人挑衅，这才最可怕！根本没有人在意你说了什么，只是，一心要置你于死地。

没有多余的过场，直接刀刃相接。

姬沉鳞忽然明白，对面显然太了解她是个文兽这一特点。

一个没有战斗力的文兽，她平时对付普通人还好，但对付这么一批训练有素的暗杀者，姬沉鳞的掌心骤然出了一阵冷汗。

一失神，闪着寒光的刀刃就逼到眼前，一滴毫无准备的雨滴被劈开，缓缓落下。腹背受敌，手无寸铁的姬沉鳞闪躲不及，一大片鲜红肆无忌惮地喷涌而出。

密室。

一身宽袍的人影站在窗前过了好久才开口说："本来，是想留她性命的。但是她却偏偏要去查，知道得越多，活得就越短。"

阴影里听到珠翠的声响，那珠翠所响之处有人应了句："是，人都已经派出去了，都是一等一的高手。"

"皇后你手下的天枢组织倒是越来越得力了。"

宋云辞从暗处走出，点亮了一盏灯，烛火照得她的脸幽然，像是披着佛陀像的修罗。她端庄地笑着回："臣妾的天枢，便也是陛下的天枢。"

"你说，她是不是跟天伐有关系？不然她为何要去查这些。"

"不管是不是有关系，陛下所做的一切都是为了皇妹好。"

昆吾山。

一阵鳞片的摩擦声响。

山顶上没有月光也没有灯光，漆黑得十分彻底。长央君开口问："过了这么多年，你还是不愿意告诉我你到底要干什么？"

未央君在昏暗的林间笑了一声说："告诉你，你只会破坏我的计划。因为你太蠢了，千百年竟练不出一个恨字？"

"未央，你从一开始就知道楚国帝女都是龙？那你为什么还要去屠戮帝女？"

未央君还是笑，轻佻又绵长。他说："长央，我们因异类之名差点死掉。我的计划才不是屠戮啊，是伟大的梦想啊，让这个世界上再没有异类啊。长央，你猜你那个小鳞片儿能活多久？一个文兽与一群追杀者对抗。"

未央君的微笑逐渐变成狂笑，在黑暗中成为回响，格外瘆人。

三、有人说姬沉鳞死了

时已仲夏，从外归来的却只有安知鱼。

满朝官员们都好奇姬沉鳞怎么没有同安知鱼回来，更有甚者去到处打听。但安知鱼自回京后，他们便绝口不谈姬天伐、姬沉鳞几个字。

有人说安大人与前任国巫闹矛盾了，也有人说安大人终于意识到那异兽不是他心心念念的帝女，更有人说——姬沉鳞死了。

姬沉鳞死了的这个消息，像是长翅膀一样，在安知鱼回来后的几天里就传遍了整个国都。每个茶馆酒肆里的说书人，手上又有了一本丞相与国巫的故事。

而安知鱼一概不答，只是把自己锁在曾经的丞相府里，偶尔白天的时候就买一壶酒到鹿刃的故园和坟前默默地喝一下午。

说书人在讲完这个故事后，总是会叹一句："想不到这左相安知鱼，一生所得两个异兽知己，本该命比他长，却都落得萧索收场。"

到了第十天，宋迟苏敲响了安知鱼的门，进门第一句就是："姬沉鳞呢？"

安知鱼回了个标志性的笑，带着一点无法反抗的讥讽意味："宋迟苏，你这可不符合礼法。你进门该先向我问好，说好久不见，问我此途可有劳累。然后再问姬大人在哪里，而不是这样直呼其名，倒像是没了分寸似的。"

宋迟苏一愣，他不是因为安知鱼的嘲笑，而是恰好这一切都被他说中。宋迟苏听到国都中的传言，便匆匆从青崖山赶到了安府。

他这辈子所做的失了方寸的事情，都是动了心的结果。

安知鱼又说道："宋迟苏，你知道有人要杀姬沉鳞吧？"

"你这话是什么意思？"

"要杀姬沉鳞的，和要杀姬天伐的，是同一个人。"

"什么？！"

安知鱼看着脸上闪过犹疑的宋迟苏，又笑了起来说："宋迟苏，当年其实你也是知道有人要害天伐的吧。"

"知鱼……沉鳞她真的也去世了吗？"宋迟苏没有回答安知鱼的问题，只是又问了一遍，沉鳞去了何处。

宋迟苏喊沉鳞的时候，露出了修行者本不该有的悲伤情绪，在不经意间就失去了自持。他因为姬天伐而去修行，又因姬沉鳞而毁了修行。

"宋迟苏，姬天伐的陵寝在哪儿？"

"我不知道。"

安知鱼没有送宋迟苏，他们俩的会面总是这样简短尴尬。安知鱼隔着许久才唤了一句："迟苏哥哥。"

听到这一句迟苏哥哥，宋迟苏浑身一震，如被雷霆击中，余音响彻脑海。

安知鱼问："迟苏哥哥，这么多年，你究竟知道怎么爱一个人吗？"

"我……"

"你不知道。你爱过天伐吗？没有，你只是把她当作圣命不可抗；你爱过容青芜吗，大概有，但是你太懦弱，你把她当作回忆却拿不出勇气爱她；你爱过沉鳞吗？你以为不经意地爱上了，其实那只是你对天伐的愧疚。你从来，没有认真地爱过谁。"

迟苏哥哥，你从来没有认真地爱过谁。

安知鱼又轻轻地加了一句："如果我告诉你，姬沉鳞真的就是姬天伐呢？"

宋迟苏一个"不"字说出口，却再也无话可答，他想说不可能，但却又偏偏希望这是有可能的，这个想法让他落荒而逃。

天气闷热，林子里蝉声一片，宋迟苏走过绵延的山道忽然非常难过，一种无能为力又无法排解的难过。

回到草庐的宋迟苏，拿了一坛冷酒坐在那处被称作禁地的小屋前，自斟自饮了起来。喝着喝着，一向以温和自持而著称的宋迟苏，抱着酒坛像个孩子号啕大哭。

"当年，你不该听我之言去未央湖的。"

蝉声骤静，片刻之后又恢复了此起彼伏的喧嚣。

安知鱼仍旧闭门不出，时而去鹿刃的故居喝酒，姬天渊也多次派人来慰问，请安知鱼重新回朝为国效力，安知鱼却直接地拒绝了。

世人都对安知鱼的堕落扼腕叹息，唯独只有姜眠禾气冲冲地奔到了安府，一把砸了安知鱼桌前的酒盅。

"安知鱼！"

安知鱼望着姜眠禾微微笑了一下说："我知道你要问我什么。"

姜眠禾本来有很多话要质问安知鱼，问他为什么不回去继续做丞相？问他难道没有姬沉鳞，他就要这样消沉下去？

但看到安知鱼的眼神时，姜眠禾便只能喊一句安知鱼，其他的话再也说不出。

是的，没有了姬沉鳞，没有了姬天伐，他就像被抽去了灵魂，就像当初她知晓她永远也得不到安知鱼时那样。

姜眠禾声音柔缓了许多，说："姬沉鳞不会想看到你这样的，如今江南又起乱党，此时打的可是天伐帝女的名号。你有才智，正是国乱之际，自当为国效力。"

"姬天渊让我回朝，不过是要顾着安家的面子。"安知鱼转身拿了扫帚扫尽了地上的酒盅碎片，又说，"他在试探我。"

"什么意思？"

"眠禾，我对不起你。"

姜眠禾最受不了这种拐弯抹角的谈话，气得一跺脚说："安知鱼你什么时候也这样磨磨叽叽了。你当日走的时候，我就放手了，我不要你履行那所谓的十年之约了。"

"但今日，我却要请求你再与我履行那十年之约。"

"什么？！"

那日安知鱼跟姜眠禾说了很长的故事，姜眠禾心里陡然生出一股子热血一股子侠气，回家后便求着姜寒山请了国都里最有名的裁缝铺子，来为她量身定做嫁衣。

姜眠禾抚着那赤色的锦缎霞帔笑着想：她不要安知鱼对不起她，她要安知鱼感激她。

整个国都还在奇怪，姜家小姐怎么就自己准备嫁人了时，安府的聘礼就抬进了姜府的大门。

与此同时，国都还流传着另外一个流言，说是去世的姬沉鳞国巫就是姬天伐帝女。这个传言在市井之间如病毒一般传播，几日便已传遍全国。

消息传到宫里时，姬天渊正在皇后宫里用膳，听到宋云辞说安府和姜府已经过定时，长长地舒了一口气说："安知鱼终于去履行他那十年之约了？"

"是，时间过得真快，一晃都九年多了。"

姬天渊放下筷子说："当初还担心那具在山洞里发现的尸体不是她，现在看来姬沉鳞真的是没了。"

"天枢损失了大半，臣妾着实有些心疼。"

"半个天枢换一个姬沉鳞，不亏。现在头疼的是，天枢损伤这么严重，到时候攻打昆吾山怎么办？"

宋云辞转身又给姬天渊盛了一碗银耳汤，宽慰道："这个倒不用担心，今日早晨，昆吾山的未央君已经下山来助陛下了。只是陛下你把天枢和国都兵力都调去昆吾，那万一江南那伙叛军……"

"不必如此杞人忧天，去年剑南那起流民叛乱不是半个月就平定了吗？这些不过是乌合之众，不足为惧，目前先成大业，不要被这些小事束了手脚。"

宋云辞点头应了，想了想还是没有将民间关于姬天伐和姬沉鳞的传言告诉姬天渊，毕竟当时自己也是看着姬天伐的尸体入棺的。

楚国看似一切都风平浪静，实际上平静之下是一触即发的波涛汹涌。

山雨欲来。

第十一章

猎杀

一、"你要在天上好好看着我，穹顶之下，孤然高绝，看我姬天伐君临万千。"

安知鱼又一脸颓败地拿着酒坛往鹿刃故园处去，鹿刃的院子早已没有了当年灵气，野草长满了每一处花圃。生命力极强的野草在短短一年里就扼死了那些娇嫩的花苗。

进了院子，确认身后没有人跟着后，安知鱼立刻像是变了一个人，进了鹿刃的书房，推开了布满灰尘的书柜，里面赫然是一个密室。

"沉鳞。"

姬沉鳞面色苍白地躺在密室的小床上，身上盖着厚厚的被子。虽已暮夏，但天气还是很炎热，姬沉鳞却穿得极厚，把自己包裹得严严实实。

安知鱼砸碎了酒盅，从里面拿出了各色药材，小声地问："今天怎么样？"

"还好。"

安知鱼摸着姬沉鳞冰凉的手，掀开了被子。姬沉鳞的下身仍旧是蛟身，只是整条尾巴伤痕累累，数寸长的伤口就那样露着，隐隐还有血丝渗出来。

"你怎么把绷带都剪了？"

姬沉鳞虚弱地说："绷带和金疮药没用的，那些天枢暗杀者刀刃上涂的都是昆吾对付异兽的秘药。虽然我全身发冷，但是周围的温度和绷带已经让我的伤口开始腐烂了……"

"那该怎么办？你……再这样就撑不下去了。"

"不，一切都在按我们的计划行进，我会撑下去的。江南那边一切都正常吧？"

安知鱼深吸了一口气，取了清水来帮姬沉鳞清理伤口，边清理边向姬沉鳞讲着外面的形势："江南那边的裴将军原本就是先帝培养准备辅佐你的，一听你还在世，一把白胡子激动得直抖，在招兵买马，但把实力掩饰得很好，国都这里也没有察觉，还以为是和剑南一样的乌合之众。我也跟我二叔通了气，一旦打起来，他会立刻倒戈。"

"昆吾那边呢？"

"看样子，姬天渊已经准备攻打昆吾了。你说得不错，姬天渊不只是想除掉你，他是想除掉所有的异兽。"

姬沉鳞翻了个身，将头都埋进了枕头里，姬沉鳞的身子一动就有两块暗淡的鳞片从尾巴上掉了下来，露出了鲜红色的伤口。姬沉鳞没有喊疼，只是默默地抽了口冷气。

安知鱼能理解姬沉鳞的心情，她曾经最信任的国巫、她最依赖的皇兄、她最爱的男子，都在背面狠狠插了她一刀。她不是害怕刀刃，她害怕的只是亲人手中的刀刃。

就像她溺水，高声呼救，亲人拿来长杆，却只是为了把她往水中央送。

"我查到了鹿刃为什么会参与……谋杀你了。"

姬沉鳞的头埋在枕头里，声音听起来带了一点哽咽，她问："是跟在这间密室里发现的那些小衣服和牌位有关吗？"

"是。鹿刃偷偷从昆吾山溜出来游历四海山川学习医术，他在行医的路上捡到了一个弃婴。鹿刃将他抚养成人，视如己出。但后来，那个孩子参了军，那时候鹿刃还不是国巫，只是一个殷切希望自己孩子成才的年轻父亲。但在他儿子参军的第二年，当时的归墟帝女就夭亡了，算起来归墟帝女应该是你姑姑。"

姬沉鳞听到这儿大致都猜到了，她接了话问："鹿刃的养子，被选中去修建归墟的陵寝了？"

"是，鹿刃的孩子，最后给归墟帝女陪葬了。"安知鱼看着在密室里发现的那块牌位，上面写着鹿刃之子，叹了一口气又继续说道，"鹿刃是一只独居的鹿，那个孩子是鹿刃生命里唯一的亲人。那之后，鹿刃回到昆吾潜心修炼，成了你父亲那一朝的国巫。"

"你说，鹿刃曾经是真心……待我的吗？"

安知鱼拦腰抱起姬沉鳞将她翻过来躺正，动作轻柔。他望着姬沉鳞的眼睛，肯定地说："是，鹿刃是真心待你的。他跟我谈起你的时候，总是笑得温和又慈祥。他做的那一切，不是针对你，他只是……太痛恨帝女制了吧。"

姬沉鳞的枕头上还残留着湿润，她记得鹿刃的鹿角会开出满枝丫的花。鹿刃在她小时候的时候会化作原形，猛然鹿角上开满花，仿佛挂了一个小小的春天。

那时候的姬沉鳞会咯咯地笑，姬沉鳞想学着记忆里那样笑，可一笑却吐出了一口血。

安知鱼上前紧紧地抱住了姬沉鳞："沉鳞，到底该怎么办……怎么办？"姬沉鳞伤得这样重，安知鱼生怕一松手她又走了。

姬沉鳞把头埋在安知鱼的颈窝里，说："现在我脊骨尽碎，药石无医，唯一的希望就是找到我的陵寝，看能不能找到当年我身体的秘密，以此自救。当年，我记得是宋迟苏邀我至未央湖的。"

她是多么不想说出这个事实，她曾经所深爱的那个男子，伸手将她推入了深渊。

"宋迟苏？！"

"是。我忽然想起了一些记忆，"姬沉鳞自嘲一般地惨笑了一声，又继续说，"还不如不想起。如今鹿刃已死，我们能找到参与当年那件事的人，只有宋迟苏了。"

"沉鳞，你等我，我一定从宋迟苏那里问出线索。"

看着安知鱼焦急的脸，姬沉鳞强忍着痛楚微笑地安慰了他说："没事，我会撑住的，我一定会活着的。"

是的，她一定要活下去，无论是为了她遭受的苦难，还是为了身边这些为了她所牺牲的人，她都要活下去。

那日，在村庄里被杀手包围时，姬沉鳞虽然紧张，但想着不过就是一队杀手，自己以异兽的力量倒也能抵挡。

但真正交手时，姬沉鳞才意识到自己错得有多么离谱。对方根本就是为了让自己化出原形，因为那刀刃上隐隐闪着的蓝光是昆吾的秘药——隐杀。那是对叛逃出昆吾的异兽或者妖兽所用的一种毒药，异兽一旦沾上，伤口就不会愈合。

而且那暗杀队伍也根本不止一支，姬沉鳞一直在战斗，不敢停歇，却发现暗杀者的人数不减反增。

大雨如期而至，姬沉鳞站在滂沱的大雨里，重新化为了人身，拾起了地上已经死去的暗杀者的短刃。

那短刃上刻着天枢二字。姬沉鳞身体与暗杀者们僵持着，而内心却在一瞬间溃不成军。天枢，这两个字对于她来说，实在太过于熟悉了。天枢是楚国皇室的情报机构，为皇室猎取信息，同时也为皇室猎杀一些无法摆在台面上的叛逆者。天枢里的成员，大多训练有素，任务不完成便誓不罢休。

天枢一向由皇室中的女子掌管，一来女子心思细腻更适合情报的收集整理，二来女子不会威胁帝王的位置。这一任的天枢官，是皇后宋云辞。

所以，真的是她的皇兄皇嫂对她起了杀意。

姬沉鳞从昆吾回到楚国时，见到自己曾经最喜欢的皇兄，如今却变得那样严苛冷淡。她安慰自己，皇兄只是不知道自己就是姬天伐，皇兄只是当了皇上，所以要威严。

哪怕，姬天渊再怎样以异兽的身份羞辱姬沉鳞，怎么苛刻姬沉鳞，姬沉鳞都为他开脱，毕竟一个帝王没有义务要对一只异兽怎样有情义。但姬沉鳞从未想过，姬天渊是那个谋杀曾经的自己谋杀姬天伐的人。

他是自己的皇兄啊，他从来不是贪慕权势的人，他从前是一个好学上进带着一些迂腐的好哥哥。

无论怎样，他在姬沉鳞心中的定位都是——好哥哥。

可如今，所有的自我安慰都那样无力苍白，姬天渊是要杀查帝女真相的姬沉鳞，姬天渊就是那个要杀帝女姬天伐的人啊。

姬沉鳞知道自己回到楚国，一定会遇到险恶人心。她只是没有想到原来曾经那样崇拜的人变起心来，是那样的深不可测，她所以为的深情，其实都是千疮百孔。

雨下得越来越大，厮杀更盛，安知鱼抽出了随身带的短剑就要加入战局，却被姬沉鳞一手肘撞回了屋里。

姬沉鳞低吼道："不要来添乱。"

那一撞着实撞得不轻，安知鱼倒在屋子里半天爬不起来。姬沉鳞努力回想着自己做帝女时所学的那些剑术，刀刃闪光处便是一阵血雨。

姬沉鳞疯狂地战斗着，却丝毫没有注意虽然自己的意志在燃烧，但动作却越来越缓慢，身上的伤口也越来越多。

雨更滂沱，院子里虽然只剩下十几个暗杀者，姬沉鳞却是一点力气都没有了。眼看着为首的暗杀者的刀就要落下来，忽然从雨中传来一个声音。

"你那样杀不了她的。"

　　刀在姬沉鳞的头上停住，姬沉鳞扭过头看到惊鸿从另一侧的屋子里走出来，惊鸿的身形过于单薄，以至于每一滴雨打在她的身上都似乎打得她摇摇晃晃。

　　惊鸿！

　　她身边最亲近的婢女，为了她放弃宫中荣华的惊鸿，竟也欺骗了她。

　　心里的刀刃比身上的刀刃更锐利，割得姬沉鳞喘不过气来。

　　暗杀者的刀仍是进攻的态势，他低沉地问："你出来干什么，任务完成之后，皇后娘娘就会放了你哥哥。"

　　原来惊鸿的哥哥没有去参军，而是被宋云辞抓去，成了姬沉鳞身边最近最不设防的一根刺。"惊鸿？！"姬沉鳞喊得撕心裂肺，她不知道自己是在质问惊鸿，还是质问这世间。

　　还有什么是她能相信的？

　　惊鸿没有理姬沉鳞，而是直接走到了暗杀者面前，暗杀者似乎感觉到姬沉鳞心理防线的崩溃。

　　暗杀者笑着说："看来你是很信任惊鸿啊，那你大概还不知道惊鸿是故意去报官泄露你们行踪的吧，也不知道是惊鸿故意领着你们进这个村子的吧？"

　　惊鸿毫不留情地打断了暗杀者，说："任务完成，不是要杀掉姬沉鳞吗？姬沉鳞是异兽，你以为这么一刀就能砍掉了？"

　　"可我们的刀刃上有……你……"

　　暗杀者的话还没有说完，惊鸿手中的小匕首就插进了他的腹部，但惊鸿的力量太小，根本没有造成致命伤，她喊着："姬大人，快跑啊！"

　　一句话说完，暗杀者的长刀就穿透了惊鸿单薄的胸腔。惊鸿像一片枯叶在雨中飘然而坠，暗杀者朝惊鸿啐了一口，捡起了另一把刀就要往姬沉鳞走来。

　　惊鸿倒在地上，还虚弱地喊："大人……快走啊。"

　　惊鸿没有负她。

惊鸿就要死了。

这两个念头在姬沉鳞的脑海里疯狂地撞击，悲痛与愤怒唤起了当日鹿刃传给姬沉鳞的武兽之力。姬沉鳞仰天长嘶，在力量的驱使下化为了蛟身，鹿刃的力量贯通姬沉鳞全身。

就像鹿刃的鹿角繁花那样，姬沉鳞的蛟角在一阵强光与暴雨中，骤然开出了满角血色的花朵。

一甩尾，便是一场杀戮。

血溅在姬沉鳞的脸上，还带着一点炽热，那一刻姬沉鳞忽然明白什么是异兽，这种纯粹的杀戮像是唤醒了她本能的兽性。

雨渐渐地停了下来，屠戮声都渐渐隐去归于茫野。姬沉鳞恢复了人身，也重归了冷静，连滚带爬地就去抱住惊鸿。

惊鸿分明还要比姬沉鳞长几岁，但此刻姬沉鳞抱着惊鸿却仿佛抱着一个不足月的孩子，鲜血比眼泪更加肆虐。

"大人……我是身不由己，我哥哥他……但我绝没有想害你，报官是我真的很担心……"

"惊鸿，我知道，我知道。你别睡，我……我一定能救你的，你要相信我！"

惊鸿的睫毛一颤，毫无血色地笑了起来："我……当然信天伐大人您。"

姬沉鳞摸着那汹涌而滚烫的血，分明就是无能为力，两个人却把谎言说得如此默契，几乎都令人信服。

姬沉鳞明显地感觉到惊鸿的生命迹象在极速消逝，她却只能不断地重复："对不起，对不起惊鸿。"

"天伐大人，您……听我说。惊鸿非常幸福。我第一次没能守护您，上天……上天眷顾我，让我终究守护了您一次。要说……要说遗憾……"

"惊鸿，你有什么遗憾，我一定帮你完成。"

惊鸿虚弱地抬起手，理了理姬沉鳞的领口："惊鸿最遗憾的事……

就是没能亲眼看到您君临天下……"

惊鸿的手骤然落下，毫无声息。

姬沉鳞看着惊鸿落下的手，领口赫然点点血斑。

不知是从哪儿来的力气，又或者是身体里异兽兽性的觉醒，姬沉鳞横抱起惊鸿的尸体朝天际长嘶一声，苍穹云起之处在一瞬间乍露天光。

"惊鸿，你要在天上好好看着我，穹顶之下，孤然高绝，看我姬天伐君临万千。"

那场屠杀后，姬沉鳞将自己随身的挂饰换到了惊鸿的身上，一把火将村庄烧了个干净。所有的争斗与厮杀都归于灰烬。

二、"我举刀向爱我者，所以我爱者必离我而去。"

虽然姬沉鳞最后力量觉醒，但她确实身受重伤，暗杀者刀刃上的秘药隐杀让姬沉鳞的伤势越来越严重。姬沉鳞与安知鱼秘密回了国都，但对外宣称只有安知鱼回来了，姬沉鳞则躲进了鹿刃故园的密室里，造成了一种姬沉鳞已死的假象。

也就是在鹿刃的密室里，姬沉鳞发现了一些保存完好的小衣裳和小玩具，还有一个写着鹿刃之子的牌位，从而查清了为何鹿刃会参与到那场谋杀中去的原因。

受重伤的日子里，姬沉鳞忍受着伤口溃烂的剧痛，也忍受着噩梦般的记忆。

"天伐殿下，今晚一起去未央湖吧，也算提前庆祝你十五岁生辰。"

"好啊好啊，我从母后那里拿两盏荷花灯来。"

……

"把尾巴切断，把骨头抽出来，不然她死不掉。"

……

"准备帝女的葬礼吧。"

也许是力量的觉醒，姬沉鳞的梦境越发清晰，也正是这个时候，姬沉鳞意识到这八年来，她所做的噩梦根本不是噩梦，而是当年她坠湖的记忆。

那是姬天伐及笄之礼的前天，阖宫喜庆，似乎所有人都沉浸在帝女要渡过及笄之劫，楚国又要诞生一位新女帝的欢喜中。而姬天伐欢喜的是，过了及笄之劫，宋迟苏就要按照祖制来下聘了，她终于要嫁给她心心念念的那个男子了。

那天早晨，自己与长兄姬天渊去皇后宫里请安，但却没有看到姬天渊带来他一向宠幸的侧妃容氏。请安后，姬天渊特地叫住了姬天伐，认真问她生日有什么特别想要的。

姬天伐滑头地去摸姬天渊正妃宋云辞的肚子，笑嘻嘻地说："天伐想要个小侄子。"

但奇怪的是，姬天渊没有接她的话，反而又认真地问了一遍："天伐，再认真想想，真的没有特别想完成的愿望了吗？"

"没有！"姬天伐当时回答得清脆响亮，却没有听到姬天渊在仆从间的一声叹息。

那天宋迟苏跟她说："天伐，今晚一起去未央湖吧，也算提前庆祝你十五岁生辰。"

姬沉鳞在床上躺了许久，也只能想起这么多记忆。到了未央湖后，她是怎样坠湖的，她是怎样由龙成蛟，她又是怎样从未央湖一下子到了东海的，姬沉鳞却还是一点印象都没有。

姬沉鳞躺在床上，觉得自己像一条搁浅在沙滩上的鱼，寒意像是连绵不绝的浪涛打在她的身体上。

安知鱼在一旁说："当年你下葬，我回来晚了，但宋迟苏目睹了全程，我再去问他。"

"不，他要是愿意说，当时你问他时他就告诉你了。"她仰面看着屋顶轻声地说，"小鱼儿，我害怕……"

姬沉鳞没有说完这句话，但仅仅这三个字，安知鱼便已经明白了她的意思。姬沉鳞害怕那个约她见面的又是一个她曾信任的人，她害怕背叛，她害怕自己身后再被狠狠插上一刀。

安知鱼回了府，看见姜眠禾正在安府的院子里逗乌龟大头玩，姜府和安府都开始张灯结彩，姜眠禾来见安知鱼都见得明目张胆起来。

"来找我有什么事吗？"

姜眠禾喂了大头一只虾，拍了拍手站起来说："本小姐当然没什么事找你，我就是来问问你有什么事找我吗？"

"其实，真的有。"

姜眠禾听到这话，整个人都更加欣喜得发光，她喜欢安知鱼是因为崇拜，崇拜他无所不知又对一切不屑一顾的桀骜。她所崇拜的那个人也有需要她帮忙的地方，也要感谢她，这些都让她觉得欢喜。

安知鱼想了片刻说："你能不能想到办法，让容妃出宫？"

"你疯了？我怎么可能让容青芜听我的话出宫？我姐姐在宫里做婕妤，不知道受了容青芜多少气。恨屋及乌，我怎么可能跟容青芜有交情？"

"我不是让你去找姜婕妤帮忙，我知道你们姜家在国都……很有钱。"

姜眠禾被安知鱼"很有钱"这三个字直接给逗乐了："你这话倒是不错，我姜家不仅是在国都有百余家铺子，江南、剑南、巴蜀也是有不少产业的。"

"我想让你帮我买一处酒庄。"

当安知鱼将那酒庄的名字写好递到姜眠禾手上时，姜眠禾一惊，忙问："这个对月酒庄，是宋家的产业啊！"

"是，是宋家的产业，但其实这个酒庄是当年宋迟苏买的，但宋迟苏不问俗事，由你姜家出高价去买这个小酒庄，宋家那边定然会卖的。"

"好，我去跟我哥哥讲，就说看中了这个铺子做嫁妆。"

"这是其一，其二就需要你去求一求你姐姐了。"

容青芜觉得世上有诸多不顺心之事，比如早上要早起来给皇后请安，又比如在请安后的路上与婕好姜摇筝同路。

"容妃姐姐今日气色真是不错啊。"

容青芜与宫里诸人都冷淡，跟姜摇筝更是没什么交情，冷着脸一句话没说就走。

但姜摇筝却异于平常，加快脚步跟上了容青芜："妹妹家今日得了一个酒庄，酿的酒是一等一的好，改日带给姐姐尝一尝。"

容青芜不想跟这个宫里的任何人扯上关系，就好像这些声音这些面孔都和锁住她的宫墙一样污秽，她不耐烦地回："婕好你今天的话太多了。"

姜摇筝低头娇俏地一笑说："妹妹倒是忘了姐姐本来就是个酒家女，哪会稀罕妹妹的酒。倒是可惜了那对月酒庄的酿酒师傅，连夜送过来的。"

听到"对月酒庄"几个字，容青芜脚步猛然一停，转过身来几乎要抓住姜摇筝的脖子问："你说什么？对月酒庄？"

"是啊，对月酒庄，家父刚刚从宋家买来给我妹妹做嫁妆的。"

"从宋家买来"的这几个字，如同回旋的飞刀一般插在容青芜的心头。她跟跟跄跄地回到浮欢殿，坐在梳妆台前看着自己仍稠艳的容貌，在空旷的房间里，极凄凉地笑了起来。

小宫女听容青芜笑得凄厉，忙奔进来问："娘娘您怎么了。"

容青芜却仍旧是笑着，问："明天是宫里定的例行出宫采买的日子吧？"

"是。"

"帮我准备一套宫女的行头吧。"

翌日。

容青芜跟着一队宫女十分顺利地出了宫，她抬头望见了宫外的天空，广阔湛蓝的天空似乎让她死去的灵魂重新复苏。

身旁的小宫女看见容青芜眼睛里有泪水，小心翼翼地问："娘娘，是不是这衣服您穿得不舒服？"

容青芜难得的和颜悦色，摇了摇头微笑着说："没事，我穿过比这更粗糙的衣服。"

她曾经穿着粗麻衣，但却能酿出世上最甜的酒。而今她身披华锦，却只能过着至苦的日子。

这一切，都是因为宋迟苏，哪怕他什么都没有做。

正因为他什么都没有做，才导致了她今日的悲剧。

容青芜站在迟苏草庐外看见树下修禅的宋迟苏时，她似乎像是回到了当年，情不自禁地唤了一声："迟苏。"

宋迟苏听到这一声，惊得手中的菩提子掉落在了草丛里。

但当宋迟苏开口就问："你怎么来了？"的时候，容青芜就立刻清醒了过来，从那个沉溺在儿女情长中的小女孩又变成了那个乖张孤僻的容妃娘娘，她咬着鲜红的唇问："你卖了对月酒庄？"

"什么？我怎么可能卖你的酒庄，只是我近来不怎么理俗务。"

容青芜冷笑了一声："你自然是清高不近凡尘的，连对月酒庄被宋家人卖给姜家都不知晓。"

宋迟苏无奈地喊了一声："青芜。"

但这一声呼唤，太过熟悉。人越是记得天堂的模样，就越是清晰地知道地狱有多么痛苦。宋迟苏这一声呼唤，毫不留情地将容青芜推向记忆的深渊。

彼时她是商人子女，但天生就是奇才，若没有遇到宋迟苏她可能凭借自己的手艺打拼下一番传奇家业。但命运可笑，她遇到了当时的宋氏长子宋迟苏，那样高高在上的贵公子在自家的店里捧着自己酿的酒认真地向自己道谢："你酿的酒宛如杜康在世，一饮解千愁。"

容青芜那时才知道，原来酒不仅仅是一个可以卖钱的东西，它还可以如此风雅。

　　容青芜和宋迟苏的相爱如一切话本里演的那样，她爱慕他的倜傥与才华，他喜欢她的烂漫与无瑕。她以为他们会幸福地生活下去，直到她听到了一个名字——帝女天伐，陛下下旨将宋迟苏赐婚给姬天伐。那个叫作天伐的少女拥有这个世上她容青芜想都不敢想的一切，现在甚至要抢走她的宋迟苏。

　　容青芜以为宋迟苏也会同话本里那样，带着她远走他乡。但现实永远不是话本里的故事，宋迟苏安静地接受了赐婚。

　　宋迟苏认真地跟容青芜说："青芜，我爱你，这辈子也只爱你。但圣命难违。"

　　当时容青芜就知道宋迟苏何其懦弱，爱她又如何？能给她名分，能给她安稳的生活吗？

　　爱，是强者的意志，也是懦弱者的借口。

　　后来皇长子到对月酒庄提亲，容青芜的父亲不敢拒绝，容青芜就那样嫁给了姬天渊，而宋迟苏仍旧没有任何阻拦。

　　姬天渊娶她的那晚对她说："我娶你，是为了我妹妹天伐。我知道这对你不公平，所以我会宠你。"

　　姬天渊实现了他的诺言，八年来容青芜荣宠不衰。

　　但容青芜知道，姬天渊宠她，但并不宠爱她。终其一生，被宠被骄纵，却再也不能被爱。

　　宋迟苏以爱之名，剥夺了她一生被爱的权利。

　　所以当容青芜再次听到宋迟苏叫这一声青芜时，她无法克制，变得歇斯底里。她染成孔雀蓝的长指甲陷进宋迟苏的皮肤，愤怒与无妄地嘶吼："你什么都不管不顾，你说你爱我，你爱过我什么？你拿什么爱过我？"

　　"青芜！我曾尽我最大的努力去保护你。"

　　容青芜仰天大笑："保护我？你所谓的保护就是不违抗圣命，告诉我逆来顺受？你的爱、你的保护何其廉价？"

　　宋迟苏脸涨得通红，像是将多年的隐忍都化成了一腔热气，他低吼：

"当年若不是为了保你平安，我不会听姬天渊的话让帝女天伐去未央湖！"

"什么？"容青芜手中的孔雀蓝指甲骤然折断，发出清脆的一声响。

"你以为姬天渊娶你是为了什么？他把你当成要挟我的棋子，当年姬天渊说若我不……将天伐骗至未央湖，你就会没命。"

容青芜张了张嘴，愣得不知道说什么。面无表情的安知鱼从茅庐后的丛林中走出来，他走到宋迟苏的面前，就那样直直地望着宋迟苏，然后笑了一声。

而且笑得极其嘲讽。

"我本想借容妃，从你口中打探关于陵寝的线索，没想到却听到了这般……不堪的往事。"

容青芜连告辞都没有说，便逃似的下了山。

只剩下安知鱼与宋迟苏呆愣在原地。

安知鱼冷眼看着宋迟苏弯腰拾起了那一粒落在草丛间的菩提子念了一句："我举刀向爱我者，所以我爱者必离我而去。"

宋迟苏拿起旁边石桌上的冷酒，走到了一旁的禁地小屋前，倚墙而坐。

"是的，就是你听到的那样，是我约天伐那日去未央湖的，她如约去了，我却失约了。"

宋迟苏自斟自饮道："我告诉你天伐陵寝的位置，你告诉我沉鳞是不是还活着？"

"是，她还活着。"

"那就好。"

"天伐也活着。"

宋迟苏喝着酒，毫无礼法地笑，甚至笑出了泪,他说:"那真是太好了。你明日带天伐来见我吧，我带你们去陵寝。"

"好。"安知鱼说了一个好字，转身就要走，却听到身后酒杯碎裂的声响。

宋迟苏哑着嗓子说："你们总说我懦弱，那是因为你们根本没有我背负的责任。你是安家幼子，再怎么出格还有姐姐们顶着，可我在家是长子，在朝是朝臣。我要尊君我要尊长，我从小就不能忤逆，因为我一步走错身后牵连的就是一个家族。青芜不知道我有多爱她，天伐不知道我对她有多愧疚……现在好了，她们都知道……"

宋迟苏像是瞬间老了十岁，整个人在一刹那枯槁。

但安知鱼还是走得坚决，宋迟苏是身不由己，但有些错一旦酿成就再也回不了头了。

安知鱼将一切都告诉了姬沉鳞。

姬沉鳞转过身去面对着墙，缓缓地说了句："我知道了。"

姬沉鳞只说了几个字，却累得像是经过了一场大战，她闭上眼想：人生，总是这样荒诞可笑。明明曾经那样炽热的爱，如今却归于疏远惊惧的荒野。

安知鱼将背对着自己的姬沉鳞抱起来，紧紧抱在怀里，沉声道："别难过，我还在呢。"

姬沉鳞像是在孤立无援的荒野上抓到一根救命稻草，她伏在安知鱼的怀里悄无声息地哭了。

"小鱼儿，谢谢你。"

幸好，幸好到最后，她的身边还有一个不离不弃。

第
十
二
章

昆
吾
殇

一、自己的陵墓

安知鱼在第二天夜里悄悄地将她接出来，赶往迟苏草庐。宋迟苏见
到姬沉鳞时，也是惊讶得说不出话来。

"天……伐？"

姬沉鳞在鹿刃的密室里待了两个多月，只剩下一口气吊着，垂着一
条伤痕累累的白色蛟尾，被安知鱼抱在怀里瑟瑟发抖。

"是，我还活着。不过你若再不告诉我陵寝在哪儿，我大概也快
活不成了。"

"跟我来。"

安知鱼说："陵寝离这儿多远？"

"陵寝在……"宋迟苏转了身走到了那处被他列为禁地的小屋前猛
地推开门，"陵寝就在这里。"

姬沉鳞看着那扇推开的门，忽然想起自己第一次来迟苏草庐的那个

晚上，竹邑说这个屋子里住着宋迟苏的一个故人，她迟疑地问："你说的里面住的故人，就是我？"

"是，这些年，我不是避世修行，我只是避世来为你守灵。天伐，是我们对不起你，其实每个人都是身不由己。"

姬沉鳞虽然极其虚弱，但每个字都带着力量，她说："我能理解鹿刃、能理解你、能理解每一个人，但我不能原谅你们，也不想原谅你们。所有加诸在我身上的苦难，都不是我的错，我若原谅了你们，谁又曾原谅过我？难道我身而为异兽，我就要为此抱歉？"

安知鱼小心地抱着姬沉鳞进了屋，里面空无一物，唯有一盏暗淡的长明灯。宋迟苏将那长明灯向下扭转，屋中央的地砖轰然开启。

"我不知道为什么天伐你还活着，只是这墓中的确葬着你的……遗体。你们自己下去看看吧。"宋迟苏将长明灯递到了姬沉鳞手中，沉默地退了出去。

安知鱼顺着台阶往陵寝的中央走，每往下走一步，姬沉鳞的心就一紧。不是因为进自己陵寝的新奇，而是熟悉。

这种诡异的熟悉让姬沉鳞感到恐惧。

姬沉鳞每一次脊骨断裂，都会在昏睡间做同一个梦，在梦里她听见风声，看见火光，看见巨大的犹如地底洞穴的空坟。

而那个空坟与今日她见到的这个一模一样，没有正常陵寝的侧室，没有陪葬礼器，只有一个空旷的大殿。像一个巨大的洞穴，而洞穴的中央摆放着一具孤零零的棺椁。

姬沉鳞没有来过这个地方，却早已对这个地方了如指掌，仿佛在这座陵寝里真的住了另外一个她。

姬沉鳞颤颤巍巍地问："小鱼儿，你说里面真的葬的是我怎么办？"

"你跟我说过，鬼神之事不可信。"安知鱼用力地抱紧了姬沉鳞继续说，"你在我怀里，那里面不可能是你。"

但当安知鱼用力推开棺盖时，连他都恍惚了。

棺里的遗体保存完好，宛如生时。棺里的"姬天伐"穿着帝女最隆重的赤色礼服，她的眉她的眼无一不与站在棺外的姬沉鳞相同。

"沉鳞……你真的是，天伐吗？"

安知鱼的问话如轰雷一般在姬沉鳞的耳内炸开，但姬沉鳞不仅仅是难过于安知鱼的怀疑。

因为看到眼前的这一幕，看到棺里躺着的那个"姬天伐"，连姬沉鳞自己都动摇了。

姬沉鳞靠着棺椁瘫坐在地上，像是被抽去了灵魂。

她看着自己那条斑驳的蛟尾默默地想：是不是她真的记错了？是不是她本来就只是诞生于东海的一条白蛟？是不是她真的只是偶然见过一次帝女天伐，在此后的岁月里就把自己当成了她？

毕竟自己根本没有了当年未央湖的记忆。

也许，自己只是一个妄想自己是姬天伐的姬沉鳞。

这个念头让姬沉鳞不禁打了个冷战，如果真的是这样，她这九年就是在为了一个妄想而伪装而争夺？

安知鱼松开了姬沉鳞的手，站在棺前，低头去看棺里的人。但棺内和棺外的人那样的相像，分不清彼此。

周遭静得能听见呼吸的声音。

过了许久，仿佛过了几百年那样漫长，安知鱼拉起姬沉鳞激动地说："我发现了！不是我们想的那样！天伐你来看，你死时才十五岁。棺里的人本该是十五岁的模样，但她确实与现在的你一模一样。"

"你说有人放了一个假的姬天伐在里面迷惑我？"

"不，不是这样的，怎么可能会有两个一模一样的人。我们做个假设，倘若棺内这个天伐是与你一起生长的。那你在脊骨断了之后，能见到这里的情景，也就完全解释得通了。"

安知鱼的解释乍听起来十分荒诞，但是细想起来也并无道理。可眼前仍是一团迷雾，姬沉鳞索性往那棺里伸出了手："与其站在这里猜来猜去，不如直接看看她到底是个什么吧。"

"小……"安知鱼"小心"两个字还没有说完，就看到了姬沉鳞与棺内"天伐"相接触的灼目光芒。

姬沉鳞碰上"姬天伐"时，仿佛听到了隐隐的哭声，那种感觉就和她脊骨断了之后做的梦一样。

除了哭声姬沉鳞还感受到奇异的震感，她忽然想起那夜留宿在草庐时的情景，那阵猛烈的震动就是这棺内的震动。

它在呼唤姬沉鳞。

棺内"姬天伐"的身体在被姬沉鳞触碰后，躯体迅速消弭成光亮的尘埃。随着"姬天伐"身体的消失，最后剩下了一根极长的脊骨。

姬沉鳞握住了这根骨头，她想不到其他形容词来形容，只是脑中忽然闪现出四个字——久别重逢。

"这是？"

"我想，这应该是我的脊骨。"姬沉鳞脱下自己的外袍裹起这根骨头，抱在了怀里，"我一直在想为什么我的脊骨那么容易断，现在想来……这八年来我根本就没有了脊骨。"

"现在关键的是，怎么拿这个救你？它……还能再重新长回去吗？"

"陪我去一趟昆吾。"

安知鱼抱着姬沉鳞从地下陵寝走出来，与宋迟苏擦身而过，没有再说一句。

楚国三智终于重聚，却早已不负当年意气，草庐里种的梨花树空有满树枝丫，在一夜间死去。

二、"他们总说，这终究是一个人的世界。"

时隔一年多再回到昆吾时，姬沉鳞觉得周围的一草一木还是如此熟悉。

昆吾，仿佛千年未变。

安知鱼是第一次来到昆吾，对山路旁随意晾晒的蛇皮，对在山石间长出獠牙的飞兽还抱着极大的好奇。

姬沉鳞躺在安知鱼的怀里，笑着说："你大概是千百年来第一个进昆吾的人类，你看他们觉得稀奇，他们看你也是觉得稀奇呢。"

"昆吾山上这些异兽都是什么？"

"有上古遗留下的一些异兽，比如尚付、化蛇、混沌等，我看当日刺厄所露出的獠牙和爪子，猜测他可能是混沌，这些异兽在《山海异兽录》中都有记载；另一部分异兽就是寻常动物中有灵性的，他们通过修行或者一些机缘成为异兽，比如说鹿刃。"

雁姨看到姬沉鳞拖着半个废了的身子回来，忙给她收拾了屋子，边收拾还边念叨："我从楚国走的时候跟你说什么来着？要你小心，这才过了多久，你这小心得命都快没了。"

姬沉鳞撒娇似的蹭了蹭雁姨说："我这不是回昆吾来救命来了吗？长央君呢？"

"你这鬼滑头，跟前院狸猫学了这般撒娇。不过，近来昆吾都是未央君在，前几日未央君也下山去了。"

姬沉鳞一听这话，立刻就泄了气，等雁姨走了，安知鱼给姬沉鳞盖好了被子问："怎么了？你以前不是说未央君是你的死对头吗？现在他走了，你直接去找长央君岂不更好。"

"不是这样的，长央君未央君两个，只会有一个露面，只要未央君出现，长央君就一定会闭关修炼谁也不见的。"

"那就去长央君修炼的地方去寻他，他不会见死不救的。"

姬沉鳞无奈地叹了口气答说："问题的关键就在于，在昆吾，没有人知道长央君与未央君修炼的地方在哪儿。"

"什么都能等，但你的身子怎么等得起？"

"不必担心，昆吾山水养异兽，我来这儿后也觉得好了许多。即使未央君不在，也可以去昆吾的书库查一查蛟还有龙，如今脊骨在我手上，总是有办法的。"

"嗯，明日我陪你去。"

昆吾的夜晚月色亮得醉人，银辉照在安知鱼焦急的脸上，姬沉鳞把半个脸都埋在被子里只露了两个眼睛，望着安知鱼。

她一直笑，也不说话。

安知鱼把姬沉鳞从被子里捞出来问："姬大人，你又在想什么？"

"小鱼儿。"姬沉鳞笑着喊了安知鱼一声后，便又笑着看他。

"大晚上的不要这样看我，不然我这么好看，你看多了睡不着怎么办？"安知鱼歪嘴一笑，俯身将姬沉鳞的尾巴也蜷进了被子，附在姬沉鳞耳畔轻声地说，"你有很多年没有这样欢喜地喊我了。"

姬沉鳞脸火烧似的一红，她低估了安知鱼的不要脸程度，也高估了自己脸皮厚的程度。

安知鱼帮姬沉鳞掖好了被角，关好了窗户，揉了揉她额前的碎发温柔地说："早些睡吧，我在隔壁，你有事就喊我。"

姬沉鳞想：世上怎么有如此翩然之人，狂狷时自有一股桀骜风骨，正经时又自有一番温润如玉。

"小鱼儿！"安知鱼刚准备关门离去，听到姬沉鳞一声喊，然后看到姬沉鳞从被子里伸出了尾巴，笨拙地摇了摇。

安知鱼径直走到自己的屋子里，才绷不住，莞尔一笑，默默地唤了一声："天伐啊，我等这种日子像是等了大半个人生。"

姬沉鳞不过在昆吾休息了一晚，喝了一大壶雁姨拿来的凝神草药，便能精气十足地下床行走了。

昆吾山实际是一处山群，有大小峰十数处。书库在最高的那座云女峰上，所以吃完早点姬沉鳞就和安知鱼动身了。

安知鱼看着姬沉鳞肆无忌惮地露出了额头上的角，笑着问："当日你就是拿这两个角把我撞得鼻血横流？"

姬沉鳞晃了晃自己的角说："那时候是人形，只是头硬一些，你要是真被我这角撞倒恐怕命都没了。不过回到昆吾真是好啊，可以随便化为原形，自在多了。"

"昆吾异兽均可化为人形，怎么我这两天只看到雁姨是人的模样？"

"你以为雁姨愿意化成人形啊？她是怕吓到你。"

安知鱼闻言伸手弹了一下姬沉鳞的角，说："我像是这么不经吓的吗，你看我何时怕过你。"

姬沉鳞的角被弹得一抖，像是极有韧性的糯米棒，惹得安知鱼又是一阵笑："姬大人，你这角还真是可爱得我又要鼻血横流了。"

姬沉鳞转过身望着安知鱼认真地说了一句："小鱼儿，你跟大多数人不一样。"

"如何不一样？因为我不怕你们？"

"不。因为你不把异兽当异类。"

"大家一起活在这世上，吃一样的肉、喝一样的酒、看一样的山水，并不是什么异类。"

姬沉鳞的声音沉敛如水，带着一点悲哀又含着庆幸："你我都是这样想的，但天下人并非如此。我们被称之为异兽，便是异于人的意思。这昆吾山说大不大说小不小，大到可以让每个异兽都无所顾忌地释放本性，又小到根本是人禁锢异兽的一处牢笼。偌大一个楚国，你可见到过国巫以外的异兽？我身为帝女时，时常听到这样一句话……"

"什么话？"

"他们总说，这终究是一个人的世界。"

安知鱼看见风从山间呼啸而来，姬沉鳞的睫毛轻轻扇动，他揉了揉姬沉鳞的角，缓声道："这是众生的世界。"

姬沉鳞与安知鱼并肩走着，越往高处，露气越重，但她听了安知鱼这简单的一个回答忽然生出诸多暖意。

姬沉鳞极自然地从宽袍中伸出手去牵了安知鱼。

山中清冷，云气中藏了安知鱼与姬沉鳞的双份笑意。

她曾众叛亲离，又曾疲于奔命，终于还是有人在身旁并肩而行。

三、"有人想掩盖龙这个存在。"

姬沉鳞和安知鱼花了两个时辰上了云女峰，但在藏卷阁却只翻找了一盏茶的工夫。

因为姬沉鳞坐在书库里翻遍了所有的藏书也没有查到有关于龙的描写，对于蛟也只是草草数笔。

"这样不行，这些书还有我们找到的这些《山海异兽录》，都是后来的拓本，都有些不齐全，把那些少见的或者绝迹的异兽都删去了。我们要去拿《山海异兽录》的原本。"

"原本？"

姬沉鳞从书堆里爬起来，拍了拍身上的灰说："原本在长央君的书房里，就在旁边。不过……"

"不过什么？"

"不过，长央君的书柜有机关，我不确定是不是可以打开。"

长央君和未央君共用一个书房，在藏卷阁的东南角上。云女峰上只有藏卷阁和书房，平日里不会有异兽上来，即使上来也不会进书房，所以长央君的书房从来不上锁。

姬沉鳞轻轻一推，书房的门便开了。

书柜上面花纹繁复，密密匝匝刻着符文一样的沟壑，但仔细一看书柜的构造，却让原本准备试试运气或者直接来硬的姬沉鳞彻底坠入了冰谷。

长央君的书柜是以千年圆木所制，坚硬无比非凡物所能破。而更令姬沉鳞无从下手的是书柜上的锁眼，那锁眼跟正常的锁眼完全不一样，足有两指宽，姬沉鳞从书桌上拿了一支笔往里面捅了捅。

锁孔里立刻传出"咔咔咔"的声响，姬沉鳞开心地扭头对安知鱼说："看我多聪明，用支笔就打开了这么精密的锁。"

安知鱼叹了一口气，他实在想不明白为什么姬沉鳞在犯蠢的时候特别自信，他把姬沉鳞插进锁孔里的笔小心翼翼地拿了出来。

笔上面全是刀痕，刚把笔竖起来，那笔就咔嚓一声断掉了。

"这种锁是刀刃锁，真正的钥匙会填满这个锁孔，将刀刃堵住。而其他的东西塞进去就会被锁里的刀刃绞碎，所以才会发出咔咔的声音。"

姬沉鳞吓得手一抖，她刚刚差点就把自己的手指伸进去了，幸好现在断的是这支笔，而不是她的手指。

"那怎么办？这锁长得奇形怪状的，我们找不到钥匙也找不到符合锁孔的东西啊。"

安知鱼蹲了下来，仔细往锁眼里看了看，那锁眼里纵横交错，竟有些像树枝的形状，但长央君既然设了这么一个奇特的锁，肯定不会那么随便用根树枝的构造。

不是树枝，却越看越熟悉，但还是想不起到底在哪里见过。

姬沉鳞在书房里翻找了许久，将一切可能的东西都拿来试了试，小半日后书柜下面又多了一堆断了的笔架、纸压……

"长央君回来看到整个书房都被你弄断得差不多了，那倒也是一番奇景。"

姬沉鳞忙把那一地的残骸收拾起来，足足堆了座小山："不行，这样不是个办法，既然平常的东西不能砸开千年圆木，不如拿我的蛟角试试？我的蛟角平时虽然看起来软软的，但关键时刻还是硬得不得了的。"

说罢姬沉鳞就化出了蛟角要往那书柜上撞，要不是安知鱼眼疾手快，他想大概姬沉鳞就要一头撞死在这书柜上了。

"慢着！"安知鱼拉下姬沉鳞的那一刻，终于想起看锁孔时那一股熟悉感到底是什么了，"我知道锁孔是什么了。"

"是什么？"

"是你的角。"

那锁孔参差交错，像树枝又有点像是小型的鹿角，再一细想，分明就是姬沉鳞额上蛟角的形状。

姬沉鳞看着那一地被切割得碎裂的纸笔，发怵地问："你确定？要是不是我的角怎么办？我会不会变成一条无角蛟。"

安知鱼认真地看着姬沉鳞，点了点头。

"确定就好。"姬沉鳞长长舒了一口气。

"我点头的意思是，你真的有可能会变成一条无角蛟。不过，少两个角不会死吧？"

"安知鱼！"

安知鱼看着发怒的姬沉鳞，微笑着揉了揉她的角，说："逗你玩呢，别担心，有我在。"

其实说实话姬沉鳞一点都不怕，她只是等着安知鱼喂她吃一颗定心丸，从口到心都吃得热乎乎甜蜜蜜的，然后她便义无反顾地歪着头将自己的两个角插进了锁孔里。

蛟角插进锁孔的那一瞬间，没有任何声响，然后柜门打开，露出一柜子的书，平静顺利得超乎姬沉鳞的预期。

安知鱼摸着锁开后里面的机巧，疑云骤起："这锁，为什么会是蛟角的形状？长央君跟你……什么关系？"

安知鱼的问题恰恰是姬沉鳞所疑惑的，但是姬沉鳞的直觉又让她听到了这话里的醋味。她有点恼怒又有点开心，更不好意思，她低头快速地说了句："先不管这些了，先拿《山海异兽录》吧。"

姬沉鳞踮着脚想去够最上面一层的匣子，试了好久仍是于事无补。安知鱼在她身后温柔地笑了，一伸手就将那锦匣取了下来。姬沉鳞望着越过她头顶的修长手臂，一阵恍神，原来她当年认识的小鱼儿早已翩翩如玉。

"给。"

安知鱼将匣子中保存完好的书递给了姬沉鳞，姬沉鳞手里捧着这一本《山海异兽录》，忽然觉得手感有些熟悉："小鱼儿，这本书……"

安知鱼只是看了一眼书页便看出来这熟悉感来自何处，他从姬沉鳞手中接过书说："这本书的书页，和帝女陵寝图是同样的材质，而且你看这页脚注写的也是——泽国。"

"又是上古泽国，不过《山海异兽录》上没有写上古两个字。"

"说明这本书就是泽国时记录的，当时泽国还在，所以并不需要加上古这两个字。如今这么多线索都指向上古泽国，我们却连上古泽国到底是个什么样的国家都不知道。"

"这是一个从楚国历史上被抹去的存在，要查上古泽国，先要查到龙是什么，知道龙与泽国的关系，也就不难推测泽国是什么样的了。"

安知鱼点了点头，翻开了《山海异兽录》，《山海异兽录》以异兽力量排序，而第一页便是蛟，上面写着："蛟，龙之属也。池鱼，满三千六百，蛟来为之长，能率鱼飞置笱水，即蛟去。"

安知鱼指着页面上绘制的蛟问："这蛟和你很不像啊，除了尾巴一样，你额上的角跟这蛟完全不同。"

姬沉鳞摸了摸自己的角说："你看这书上写虺五百年为蛟，蛟千年为龙。按照刺厄说的，我为帝女本该是龙，难道我死了一次反而往回倒了一千年？不管了，既然蛟是龙之属，那龙应该就在这几页，快找找。"

但安知鱼将《山海异兽录》从头翻到尾，却连描写龙的一块鳞片都没有见到。

"怎么可能没有？既然有龙的存在，那《山海异兽录》上就一定会有记载。"姬沉鳞夺过安知鱼手上的书，上下左右又仔细地看了一遍，却发现在第一页处赫然有一页被撕掉的痕迹。

姬沉鳞用力地掰开书脊，里面的撕痕修整得很隐蔽，姬沉鳞握着书说："有人想掩盖龙这个存在。"

"你说的这个人指的是长央君还是未央君？他们是人吗？"

虽然姬沉鳞一直在回避这个事实，但却只有长央君和未央君能做到撕掉《山海异兽录》原本中对龙的记载，在后来的拓本中让龙销声匿迹。

"还有一个问题，你有没有想过，为什么未央湖叫作未央湖？楚国宫里的湖竟与昆吾主人之一同名？"

姬沉鳞没有再说话，只是抱着《山海异兽录》，默默地往回走。

长央君和未央君到底是什么异兽，他们又到底为什么要掩盖龙的秘密？长央君与未央君又到底是什么关系？这些原本只是好奇的问题，终究还是与自己将行之路纠缠在了一起。

而如今更重要的问题是，找不到长央君，也查不到龙的记载。姬沉鳞空握脊骨，却不能救自己。虽然昆吾山水充满灵气，但姬沉鳞一身是伤，再这么下去也撑不了几日了。

四、"人，终究容不下我们。"

安知鱼和姬沉鳞回到昆吾主峰半山腰时，已是深夜。但昆吾的议事广场上却灯火通明，喧嚣不止。

"不好，可能出事了。"

"怎么了？"

姬沉鳞望着山顶上那根赤红的铁柱说："那是昆吾的'烙魂柱'，平常时候它只是根普通的铁柱子。但一旦遇到危急的时候，山上的火兽们便会将其烧红，越是赤红便越是紧急。小鱼儿，我们两条腿走得太慢了。我化成原形，你抓紧我的角，我带你飞上去。"

但姬沉鳞刚腾空了数十米，便被虚空中的一道光影狠狠打了下来。

安知鱼看见姬沉鳞原本伤痕累累的背上又多了一条青紫，一步急跨上前就抱起了她："怎么回事？"

"现在看来不是可能出事了，是一定出大事了。昆吾山的上方被覆了结界。"

姬沉鳞听到满山的喧嚣，感受到浓烈的恐惧气息，她看到半空中泛紫的结界正在缓慢地收紧，拉着安知鱼就往山顶跑。

广场上挤满了异兽，一些体型较大的异兽还化成了人形给其他异兽让地方。

站在烙魂柱下一个狐尾妇人正在安抚异兽的情绪，安知鱼低声问："那是谁？我怎么看着有些眼熟？"

"是槐紫，那日卜算大典从昆吾来的三位侍神官中的一位，我唤的大尾巴奶奶正是她。槐紫是上古异兽里排得上名号的九尾狐，年纪也长，如今出了事长央君和未央君都不在，也只有她来出面了。"

烙魂柱烧得通红，像是要烧化了一般，但烙魂柱周围的四只火兽仍在喷着火，丝毫没有停下来的意思。

槐紫面色严肃，姬沉鳞没敢再喊她大尾巴奶奶，而是上去行了个礼恭恭敬敬地唤了一声："槐紫君。"

"你个丫头，可吓死我了，去云女峰去了这么久，还以为你在路上遇到楚国的军队了。"

"楚国的军队？"

"是，这烙魂柱百年未烧了，如今重新又烧起，却是因为山下的那些人要围剿昆吾山。"槐紫长叹一口气，握住了姬沉鳞的手说，"人，终究容不下我们。"

槐紫历经百年沧桑，见惯了世事无常，如今却在楚国军队之下隐隐流露出大势已去的语气。但姬沉鳞却不明白，这一山的异兽，几乎是世上最强大的力量所在，怎么会惧怕楚国的军队？

看见姬沉鳞脸上难以置信的表情，槐紫拉着姬沉鳞走到山崖处，指着山下十数里的兵营说："昆吾山上有异兽三千，而你看那黑压压一片的楚国军队，足足有十万人。"

"十万人？！"姬沉鳞从未想过姬天渊会出兵攻打昆吾，更没有想到姬天渊会拿出十万人来攻打这世上最后的异兽。巨大的数量差距，让昆吾山几乎一点赢的胜算都没有，姬沉鳞忙问，"未央君呢？未央君半月前不是才下山的吗？"

槐紫听到这个名字，抬头望了望带着暗紫色结界的天空，轻笑了一声说："未央君啊，未央君就在那楚国人的军队里——就是他带人来剿灭我们。"

"什么？！"槐紫的这句话，对姬沉鳞造成的震惊程度比得知姬天渊倾全力攻打昆吾大得多。

槐紫仍笑着，看世间万象如同看一个笑话，她反问："不然你以为这结界是谁设的？我昆吾异兽无人能解，这般能力也就只有昆吾之主未央君了。而且这结界正在一点一点地缩小，倘若我们不能冲出去，半月之内这结界就会将我们一一扼死在这昆吾山上。"

"长央君呢？"

"找不到他，或许也不必去找，未央君这样，我怕长央君……唉。"

槐紫修行百年，威望是有，但终究没有遇过战乱也不知该如何突围，只是安排了大家各自休息，有情况再做应变。

广场上的异兽忧心忡忡了大半夜，后半夜竟也安稳地睡下了。

然而异兽睡下了，但山下的楚军却没有。后半夜万籁俱寂，姬沉鳞和安知鱼看着红彤彤的烙魂柱，久不能眠。

姬沉鳞的脸被烙魂柱的光芒映照得通红，看不清面色，她似是若无其事地说："小鱼儿你说我哥……姬天渊他倾尽全力来攻打昆吾山，会是因为我吗？"

自从知道姬天渊就是当年谋害姬天伐的幕后黑手后，安知鱼便极少与姬沉鳞提到姬天渊这三个字。可没想到姬天渊的动作如此快，快得让安知鱼还没想好措辞去安慰姬沉鳞，就已经将杀戮的现实摆在了他们眼前。安知鱼轻声地回应："姬天渊他不知道你还活着。"

"你说他当日要置我于死地，是厌恶我还是厌恶异兽？他今日攻打昆吾，会不会是因为我曾是异兽，才令他如此不顾一切地要灭尽异兽？"

但姬天渊是因为姬天伐而厌恶异兽，还是因为异兽而厌恶姬天伐，这些都不重要了。姬沉鳞和安知鱼听到有利刃刺透风与结界的呼啸声，顺着烙魂柱望到天空。

有数以万计的飞箭，射向昆吾山。

姬沉鳞下意识地站起来喊："小心！小心！"

然而，反应总是比灾难来得慢一步，一些靠近山口的异兽不是被姬沉鳞喊醒的，而是被身后的箭刺醒的。

槐紫和鲤姬等一些修为高的异兽本想在未央君的结界下再化出一个保护结界，却发现根本无济于事，那些箭头能迅速地破开结界之力射中毫无准备的异兽。

姬沉鳞扶着一只蛊雕，看见蛊雕背上被射中的那一块伤口迅速地腐化，转身对槐紫摇了摇头："没用的，这些箭上沾了专门对付异兽的毒……结界没有用的。"

槐紫和鲤姬顷刻间失了方寸，望着那一阵箭雨损伤了一半有余的异兽，鲤姬泫然欲泣地抱着一旁的幼子喃喃说："想不到我丹鲤一族历经千年，今朝却要命丧于此。"

姬沉鳞凛着眉目，快速走到了烙魂柱下，高声道："大家先不能慌，慌则乱，乱则必败，先听我一言。"

场上的异兽看了一眼烙魂柱下的单薄人形女子，仍有些不屑，心想这白蛟几年前才来昆吾，竟也敢指挥他们？姬沉鳞的话迅速地被淹没在了众多异兽的嘶吼低叫中。

五、"你看这昆吾，再迟就要没了啊。"

"不好！"只过了半刻钟，山下的下一轮箭雨便又攻来，山上的异兽仍旧是乱作一团。

姬沉鳞在顷刻间化作了蛟身，长嘶一声，腾飞到半空中便用蛟尾扫下了一大片箭。姬沉鳞边挡着箭边指挥着慌乱的异兽："坚甲的异兽护着幼兽们去屋里，伤员也去屋里躲避！飞兽与我一起将这箭雨扫下，与我撞开这结界！快！"

又一阵箭雨之后，广场上一片混乱，朱狸族最后一只幼狸直接被一支箭从背后贯穿了腹部，倒在刚刚受伤的蛊雕旁，呜咽了半声就没了。

烙魂柱红得可怕，如血似火。

那蛊雕原是那昆吾山上最不服管的莽汉，隔三岔五地去其他族群挑衅。此刻他的背后已经腐蚀得不成样子，他伸出粗糙的翅膀尖轻轻合上了那朱狸的湖色眼睛，然后腾空而起大吼一声："今儿咱们都要死绝了，你们还在嫌弃白蛟丫头资历不够？你们是想着等到了地底下再论资排辈，看谁死得早是吧？都给老子站起来，几个人就把你们吓成这熊样。"

姬沉鳞冷静又快速地说："快，下一波箭就快来了。"

场上的异兽先是犹豫，但看到姬沉鳞和蛊雕身上的伤，全都站了起来与姬沉鳞和蛊雕汇成一股力量。

蛊雕不顾身后的伤大声笑道："老子自从被收入昆吾可多少年没犯过事了，今儿可要再开开杀戒，多吃几个人了。"

今朝你我，杀身成仁。

这场异兽与箭的战斗断断续续持续了四天四夜，昆吾山平日都是从山下取的水，此刻食物仍充足，水却所剩无几。

安知鱼在这几天里一直默默地帮忙照顾着伤员，连一些对人格外有偏见的异兽私底下都承认了一句："人里面也是有好人的。"

安知鱼擦了擦手上的血迹，将姬沉鳞从半空中唤了下来："你先休息休息。"

姬沉鳞筋疲力尽也一筹莫展，她也听到了安知鱼声音中的命令和心疼，却只能摇了摇头："再这么下去，昆吾就完了。我想派其他异兽去寻长央君，但一无所获……"

安知鱼不顾姬沉鳞的拒绝，拦腰将她抱起搂在了怀里，说："屋子少，里面已经没有休息的地方了，你在我怀里先睡一会儿吧。如何救昆吾，我想到方法了。"

"什么方法？"

"釜底抽薪。"

釜底抽薪，安知鱼一说姬沉鳞便懂了，这是只有安知鱼和姬沉鳞才能知晓的方法。安知鱼和姬沉鳞清楚地知道除去守卫边疆的士兵，以及江南早已暗中倒戈的守国军，姬天渊在国都内真正能调动的只有十五万兵力，而姬天渊派出了十万人来昆吾，那国都里仅剩下五万人。

此时，是最好的时机。

是釜底抽薪亦为围魏救赵，通知江南守国军和安家手下的军队攻打国都，打姬天渊一个措手不及。国都有危险，姬天渊必会将昆吾这里的军队召回。

安知鱼一接触这些政务便像是变了个人一样，沉着冷冽："不过现在唯一的问题就是……"

"怎么了？"一听到有问题，姬沉鳞就神经一紧，差点从安知鱼的怀里跳起来。

"昆吾送信的青鸟飞不出这结界。"

昆吾送信的青鸟都是没什么修为的，这么多异兽想尽办法想撞破这结界都没有成功，更不必说那些送信的青鸟了。

安知鱼把姬沉鳞又按回了怀里说："不过槐紫和雁姨说她们会想出办法的，这四天下来，他们带的箭也该用得差不多了，应该是要消停一段时间。你先休息一下，这么熬着我怕你身体受不了。"

安知鱼轻轻地拍着姬沉鳞的背哄着她入睡，姬沉鳞只睡了一个多时辰却又做了一个极其冗长的梦。

梦里她听到有人喊她蛇女，有人喊她白蛟，喊她异兽，纷纷杂杂仿佛要把她的耳膜炸裂开来，在喧嚣中有一个声音由弱渐强地对她说："你是龙，你是龙……"

她猛地辨清了那声音的主人，在梦中恍然抓住了说话的那人影，唤了句："长央君。"但人影转过身来却是满身的鳞片。

正是那日她在长央君伤口处看到的鳞片模样。

姬沉鳞在梦中刚想开口问长央君在哪里，就被一阵急促的呼唤声唤醒了。她迷迷糊糊地睁开眼睛，发现是雁姨。

雁姨攥着安知鱼写给江南裴将军和安家叔父的密信，有些激动地对姬沉鳞说："小鳞，我刚刚想到怎么出去的方法了。"

姬沉鳞也激动地从安知鱼怀里站起来，抓着雁姨的手问："什么方法？"但姬沉鳞看着一旁的安知鱼还坐在树下，不发一言，心里油然升起一股不好的预感。

"这结界无坚不摧，但却有个东西能来去自如。"雁姨微笑着捡起了落在一旁的箭，那箭头上闪着幽蓝的光，"我们只要收集这箭上的毒，涂到我的身上，我便能飞出去。"

"什么！雁姨你疯了吗？！这样根本必死无疑。"

"除了这个方法，根本没有办法出去了。"

"不行！"

姬沉鳞强硬地反对，雁姨更强硬了起来："不行也得行，白蛟丫头你进昆吾才多长时间，要下命令也轮不到你给我下。都这个时候了，妇人之仁就是在害整个昆吾！"

姬沉鳞深知雁姨所说的每一个字都对，却无法眼睁睁地看着雁姨去送死，哽咽着喊了一声："雁姨……"

看着失态的姬沉鳞，雁姨叹了一口气摸了摸姬沉鳞额前的碎发说：

"你看这昆吾，再迟就要没了啊。"

满地的飞箭，收集得很快。姬沉鳞站在一旁看着雁姨用小刀将箭头上的毒刮下浸入水中，刀刃划过箭上的钢铁咔咔声如同剃骨，她眼睁睁地看着那一盆水由清变蓝，直至黑得不见底。

雁姨化为本体，温柔地看了看姬沉鳞、槐紫一众兄弟姐妹，又看了看昆吾诸草木，笑着跳进了那盆毒水里说："我生于鸿雁一族，多年未受托过书信，而今也算了我心愿了。"

毒液在雁姨的身上迅速漫开，她身上的羽翼开始腐化，雁姨让安知鱼将密信绑在了她的脚踝上，然后快速地说了句："我走了，不然来不及。"

雁姨飞得极快，生怕耽误了一刻便不能在毒入全身前将信送到。白色的羽影直冲云霄，一飞便撞破了结界层飞了出去，飘飘忽忽地落下一片腐化了一半的翅羽。

雁姨走后的第十天，昆吾山下的军队便开始有异动，又过了五天后，山下十万大军全数撤退，但雁姨却再也没有飞回。

安知鱼给一只玃如包扎完了之后，走到站在崖边发呆的姬沉鳞身旁。姬沉鳞伸出手，手中的羽毛飘飘忽忽随风出了结界，飘向邈远的天涯。

安知鱼也望着那羽毛，叹道："他们是勇士。"

"小鱼儿，没有勇士是理应付出性命的。"姬沉鳞静默了一会儿，声音很小却极有力量地说了句，"这不该只是人的世间，这是众生的世间。"

安知鱼看着眼前的少女，额上的角如白玉耀目，眉目间英气逼人。安知鱼曾很多次地问过自己，他为什么那么喜欢姬天伐，也许就是这一份傲然与宽广，明明曾享受了人的至尊荣华，却终究愿意为了众生去征战。

与此同时昆吾山上的结界却时强时弱，仿佛未央君的力量十分不稳定。姬沉鳞协助槐紫在楚国大军撤退后安顿了幸存的异兽，槐紫望着半空中的结界仍旧忧心忡忡："白蛟丫头，你说过了这么多天，楚军都走了，未央君还在？"

之前的结界一直在缩小，但这几天覆盖着昆吾的结界却丝毫未动，甚至有往外扩散的模样。

"如今之计，只有我下山去看看了。"

"怎么下山？这结界还在。"槐紫话才出口就迅速反应过来，"白蛟丫头，你要硬闯结界？这昆吾刚受大创，昆吾山中如你这般有胆识的不多，万万不可。况且之前那么多异兽想冲破这结界都没有成功，以你一己之力肯定不行的。"

"大尾巴奶奶，"姬沉鳞这段时间都唤槐紫为槐紫君，此刻又喊回了大尾巴奶奶，像是撒娇又像是无奈，"倘若我们不能将这结界完全除去，那昆吾的灾难便还没有结束。我看着结界时强时弱，我在弱的时候猛地冲出去，也不是没有可能。"

槐紫本想去找安知鱼也来劝一劝姬沉鳞，却没有想到安知鱼反过来却劝了槐紫道："她想做，只要是对的，我便会支持她。槐紫君，我们与其在这里想怎么阻止沉鳞，不如想想怎么让她更顺利地出去吧。"

说是支持姬沉鳞的决定，但姬沉鳞第二日化为蛟身准备冲破结界时，安知鱼的手心却是攥了一手的冷汗。

姬沉鳞看着结界在强弱之间无序的变化，在结界逐渐变淡的那一刻猛地冲了出去，但那结界在姬沉鳞撞上时却骤然变强，姬沉鳞跌下来的那一刻，听到自己的脊骨清脆地一响。

安知鱼几乎是本能地喊了一句："小心！"但又看到了姬沉鳞坚毅的眼神，他走到姬沉鳞身边轻轻地说，"小心，把你本来这根骨头带上，若是……若是遇到什么，说不定能……天伐啊，我已经没有勇气再面对你的死亡了。"

"放心。"姬沉鳞故意忍住了背上的痛，用开玩笑的语气说，"放心，我姬沉鳞是谁，这么容易死以后还怎么出去吹牛？"

姬沉鳞用后爪抓住了那根在陵寝中找到的骨头，头也不回地腾飞而起，往那结界外飞去。

在飞的时候，其实姬沉鳞已经抱了必死的决心。

她跟安知鱼，也许就是这种超脱于私情之外的爱情吧。分明已经知道她拼死一搏，分明知道已经退无可退，但安知鱼绝不为了个人的情感去阻止。

姬沉鳞闭上眼睛不顾一切地冲上那结界，那一刹那只觉得浑身如撕裂一般剧痛。再睁眼时，她惊喜地发现自己已然出了结界。

她转身欢喜地朝安知鱼拼命摇了摇尾巴，喊道："小鱼儿，等我回来啊。"

安知鱼在异兽中，松开了握得指节青紫的手，默默地说了一个字。

"好。"

我能等得了你八年，这点等待又算得了什么？

第十三章

谜底

一、末代皇子

姬沉鳞到山下的时候，发现山下一片狼藉。楚军兵营已撤，但方圆数十里草木却尽摧折，分明不是人为所致。

落地，化为人身。

周遭连虫鸣鸟叫都没有，静得吓人，姬沉鳞踩到一根枯枝，在平地中炸起一声惊雷，吓了她一跳。

在诡异的寂静中，姬沉鳞听到一声微弱的喘息，喘息之后那声音居然在唤她："沉鳞，沉鳞。"

四下无人，这声音如此熟悉。姬沉鳞第一个念头就是未央君，但转念一想，未央君从来不曾喊过她沉鳞。

这声音？

姬沉鳞循声而去，在草丛间见到一个白衣人影，姬沉鳞站在远处看着那浑身是伤的人，惊呼："长央君？！"

长央君像是经历过一场大战，虚弱地朝她点了点头。姬沉鳞满腹疑云,长央君为何在此处?周遭空无人兽他身上这么重的伤又是如何而来?而未央君又在何处?

"长央君……你和未央君是?"姬沉鳞其实是想问长央君实际上是不是未央君,他们总是一个出现一个消失,这个时候本该未央君在此出现的却是长央君,但话到嘴边,却又被她咽了下去。

曾救她于水火的长央君,曾授她业解她惑的长央君说过他愿意帮她。

纵使姬沉鳞遭遇过无数背叛,但她仍旧怀着诚恳的希望,希望她的诸多疑惑都只是自己想多了。长央君说过他不会骗她,她便信,拼尽全力地想去信。

"不,我不是未央君……未央是我哥哥。楚国宫里的未央湖,也就是你坠落的那个湖,便是祭奠未央的。"

"祭奠?"在这种四周空旷的地方,长央君用祭奠这个词去形容还活着的未央君,着实有些诡异。

忽地长央君的身体开始剧烈地颤抖,像是陷入了混乱。在混乱中,姬沉鳞听到了长央君的身体里发出了未央君的声音:"你知道的还不如我知晓的一个零头多,还想给小鳞片儿讲这些?"

姬沉鳞吓得猛然退后:"未央君?"

长央君的声音也断断续续地从那身体里传出:"沉鳞,快跑。"

姬沉鳞转身爬起来就跑,跑了两步又觉得两条腿跑得太慢,迅速地幻化出蛟身就欲腾飞而去。

"想跑?"但还没飞出多远,姬沉鳞就听到未央君娇俏的声音,自己的背后被一条尾巴狠狠地甩中,然后将自己卷起。

在窒息的痛楚中,姬沉鳞非常不幸地听到自己的脊骨发出"咔嚓"一声。

本来昂扬的一条白蛟,在瞬间就变成了一条软趴趴的白绫缎。

姬沉鳞扭头一看,看到了缠绕在自己身上巨大的黑色的——龙尾。

就如同当日看到的孤鸾女帝的尾巴。

未央君人身龙尾，披散着头发，仍旧色若春晓，笑着说："小鳞片儿，骨头又断了？再断一次，你大概也活不了了吧。"

姬沉鳞小心地想把自己的后爪缩起来，不让未央君发现自己拿的这根骨头，却被未央君尾尖用力一甩打掉了骨头。

"真是了不得，居然被你拿到了自己的龙骨？要不是你去查姬孤鸾的陵寝，我还想不到你是姬天伐。那未央湖湖底的绞龙柱，果然一条龙都杀不死。当年杀不死我和长央，如今也杀不死你。"

"什么绞龙柱？你到底是什么？长央君呢？"

未央君的龙尾缠得越来越紧，姬沉鳞只觉得自己浑身的肉与骨都要被绞烂。看着姬沉鳞生不如死的样子，未央君轻蔑地笑了一声："这个时候你还相信长央君不是害你的？"

"够了！"长央君的声音。

姬沉鳞从未听过长央君那样暴怒的声音，还没有反应过来，就看到未央君的人身从脖子那处开始撕裂开来。

在片刻之间，姬沉鳞就看到那黑色龙尾的恢宏龙首。

如黑夜一般璀璨的鳞与龙角。

但不是一个龙首，是两个。

姬沉鳞惊得说不出话来，未央君瞬间像是对玩具失去兴趣的孩子，松开了姬沉鳞语气冷淡地说："我不是长央君，长央君也不是我，你也看到了，我们是双头龙。"

姬沉鳞扑通一声从半空狠狠摔在了地上。

这时候，姬沉鳞才明白为什么长央君和未央君从来不同时出现，她当年在长央君脖子上做的记号而在未央君出现时并没有发现。

长央君和未央君不是同一个异兽，却共用着同一个身体。

"我们是双头龙，是上古泽国的末代皇子。"

未央君嘲讽道："皇子？你也说得出口，你见过哪个皇子被自己父亲处心积虑要绞死在水底的？"

　　“父皇他……是不对，但是他终究还是想让后人记住你，楚国存了多少年，未央湖也就存了多少年。”

　　未央君眸光骤亮，冷漠中带着不加克制的癫狂，他猛地凑到长央君头前说：“你什么都不知道，你知道泽国为什么而亡吗？你知道我为什么要帮姬天渊吗？你只知道守着你的昆吾山。我们是被当作异类处死的，我们不是泽国皇子，我们是泽国怪胎！”

　　长央君看着与自己同身的哥哥，默然不语。而姬沉鳞在未央君近乎疯狂的絮语中理清了关于上古泽国的一切。

　　上古泽国是洪荒时代唯一的王朝，上古泽国的百姓，便是《山海异兽录》上所记载的诸多异兽，而泽国的统治者便是——龙。

　　洪荒是一个力量横流的时代，在漫长的岁月里，力量使得异兽相争，使得这个大陆上的主宰者——异兽的数量越来越少。

　　而此时，新的生物诞生了，他们的力量远比异兽小，但却学会了使用工具和陷阱。人类的部落文明迅速席卷了整个大陆，泽国不仅异兽在减少，而且作为统治者的龙族也开始衰微，龙裔稀少。

　　泽国的最后一代国君龙洸，在位近百年才老年得子，龙后才怀孕，龙洸便欢喜地给自己的孩子取名为龙央。

　　而天不遂他愿，龙洸原本以为自己后继有人，泽国终于有救。但他万万没想到最后生下的是一条双头龙，龙央一名被生生拆成两名，未央与长央。龙洸不能接受自己的孩子是一个怪胎，他在北川之下建造了一个湖，取名为——未央湖。

　　未央君说到他的身世时，眼神凄离，他坠入回忆，归于平和，静静地说：“我记得当时是冬天，我与长央三岁，父……龙洸他建造了未央湖，我以为他要为我们庆祝生日，但是他却不顾我们母亲的哭诉，把我们扔进了未央湖。我本以为未央湖是送给我的礼物，却不曾想到那湖底的绞龙杀才是给我和长央的。”

　　“绞龙杀，是专门为了杀死龙而存在的，龙一旦进入到绞龙杀的刀刃范围就会迅速被绞杀，直至筋骨尽碎。"长央君注意到姬沉鳞脸上疑惑的表情，接着未央君的话解释了绞龙杀为何物。

未央君说得轻描淡写，但姬沉鳞看着长央君和未央君龙尾上数寸长的巨大伤疤，后背一阵发凉。

"我们的母亲早就料到了他会如此无情，所以在未央湖下暗暗修建了一条水道一直连到了东海，并将我们送到了昆吾山。可笑的是，龙洸他一心送我们去死，却再也没有了子嗣，泽国活活断送在他的手上，而我们却因昆吾山的天地灵气而活了千年。"

龙洸活了二百年，在他亲手杀死了自己的儿子后，此后百年他再无所出。而人类的部落却在短短百年间发展迅速，各部落间逐渐融合，成为国家。但人类在大陆上始终无法与异兽抗衡，一面是掌握文明却没有洪荒力量的人类，一面是后继无人的泽国龙族。

所以，龙洸在帝国崩塌前与人的王做了一笔交易，参与这场交易的就是楚国的第一个帝王。

龙洸助人类成为这个世界的主宰，但同时要将龙之血注入楚国的皇室血脉中，此后楚国的每一代皇嗣中都必须有一个龙裔。为了保护楚国血统的纯粹，楚皇要求每一代龙裔必须是女子。龙裔由泽国异兽守护其出生，说是守护龙裔出生，实际上是监督楚国每一代中都必有龙的血脉。

此后，这些守护龙裔出生的异兽被称为国巫，而这些诞生于楚国的龙裔则被称为——帝女。

根据交易的条件，龙裔必须是楚国皇室的第一继承人，所以帝女甫一出生便比其他的皇子公主要高贵许多。但因为龙之血在人体内的排异，诞生的龙裔往往非常虚弱，所以龙裔大多早夭。而能存活下来的龙裔会在及笄那一年褪去人的骨血，成为真正的龙，继承皇位。

帝女的秘密，在楚王与龙洸死后，便成了国巫世代背负的秘密。

隐藏在千年皇权更迭里。

神意，从来都只是龙族的交易。

二、死亡的尽头才是永生

而未央君最终在鹿刃口中得知了帝女的秘密，未央君所知晓的泽国隐秘和鹿刃告知的帝女制秘密，使得未央君成了这个世上唯一一个"明白"的异兽。

未央君仰天长笑："泽国众生皆不同，可龙洸却偏偏接受不了他的儿子与他长得不同。"

姬沉鳞冷笑问："因为你被你父亲当成异类，你就要把昆吾山这一山生灵当成异类除掉？"

未央君一尾巴将姬沉鳞掀出数米远："你又懂什么？全天下都不懂我。这苍生本来就是自私而庸碌的，对谁来说其他的生物都是异类。那就都去死好了，一切都归于虚无，一切都成为废墟，谁也不要嫉恨谁，死亡的尽头才是永生。"

姬沉鳞虽然被未央君掀出很远，但是却离被扔出去的龙骨更近了。她艰难地爬过去，用前爪抓住了它。未央君又想飞过去打落，却发现自己被长央君一口咬住了脖子。

"长央你干什么？"

长央君微微松开了龙牙，一字一句地回答："想杀你。"

未央君也许从未想过自己这个温和的弟弟能说出这样的话，他分明什么都不知道，甚至都不能和他争夺身体的控制权。却在这个时候，冷静地说出了"想杀你"这三个字。

"你疯了？我死，你也必死。"

"这么多年，我不争也不问，从不去强求，也从不知道你在做什么。我甚至多年来不知道帝女的秘密是什么，我将昆吾异兽视如己出，在洪荒之后这里是异兽唯一的家。你若动他们，我便不能容你。"

姬沉鳞这才知道这里的草木摧折到底是由何而来，两龙相争，周围的树木都在他们的撕咬间断裂，未央君和长央君的龙牙在相撞间发出巨响。

未央君硬扛了长央君一击，扭头用龙爪扼住了姬沉鳞的脖颈。长央君愣在当场，昂着头问："你为何一定要置沉鳞于死地？"

"我们不能继承泽国皇位，也应该是这世上最后的龙。凭什么，凭什么她们可以是龙裔？凭什么？"

姬沉鳞看着魔怔的未央君，其实是想反抗的，但她一想到自己骨头也断了，脖子也被扼住了，完全动弹不得，忽然就有些破罐子破摔的意思，她平静地说："未央君，我现在已经不是龙了。"

未央君不屑地望着离姬沉鳞不远处的龙骨，笑着说："我倒忘了，你的龙骨早就被绞龙杀剔除，龙尾绞断。被剔除龙骨的龙退化成蛟，你倒是千古第一例。不过既然龙骨都断了，那就已经没了做龙的资格，你难道没看到你自己的陵寝吗？里面葬的是这根龙骨，葬的就是你的龙生啊，真是可怜。"

姬沉鳞看着未央君，只觉得他说的每个字都像一根冰冷的冰钉，将她往地狱的更深处又钉了钉。她扭头怀着希冀望着长央君，想听到长央君说一句："未央君说的不是真的。"

但长央君躲过了姬沉鳞的目光，满眼通红地质问未央君："是你将绞龙杀告诉姬天渊，让他去谋害自己的妹妹？"

未央君仍旧是笑："长央，怎么？还不想告诉她真相？"

"你！"长央君眼中血丝更甚，但看着姬沉鳞满是水汽的眼神，终于默然不语，点了点头。

未央君似乎尤其享受折磨姬沉鳞的这个过程，继续嘲讽道："你拿着这骨头来昆吾，难道是想让长央给你接回去？别天真了，倘若我们能有接龙骨的能力，那也不必这千年来都只能共用这一个身体一根脊骨了。"

"够了！沉鳞本是我族，你让她饱受背叛之苦，何必还要继续伤害她？"

"这又有什么？你，不也想杀你哥哥我吗？"未央君似乎极其瞧不上自己这个弟弟，他翻了一个巨大的白眼说，"妇人之仁。正是因为龙洸那龌龊的交易，才逼得异兽到今日境地。当年泽国灭国，你倒是好心好意在昆吾收留了那么多异兽。结果呢？还不是要躲躲藏藏掩饰自己龙的身份，连《山海异兽录》都被你撕了龙那一页。活得这么不堪，还妄图装什么英雄？"

姬沉鳞终于想通了，为何长央君书房里那本《山海异兽录》会缺页，又为何自己的角能打开那书柜。

本来，那就是为了防备其他异兽和人的，为了掩饰龙的存在。

由龙掩盖的秘密，也只能由龙翻开谜底。

"不是的，我不是为了成为英雄，我只是避免自己堕落成懦夫。是，我们是比其他的龙更不幸些，但这不能成为你让这个世间都不幸的理由。"

未央君一愣，他从来都知道这个与自己共用一个身体的弟弟与自己的想法大相径庭，但他从未想过，长央竟然有如此高尚的想法。

在未央君愣神的瞬间，长央君一头甩在了未央君头上，但未央君的爪子猛地一用力嵌进了姬沉鳞的肌骨里，拖着姬沉鳞滚了很远。

沿路的碎树枝、尖利的石块就那样扎进了姬沉鳞无力的躯体里，姬沉鳞受过那么多痛苦，但第一次觉得疼得没有知觉，仿佛自己五脏六腑混着碎骨头都被绞烂。

这种痛楚，像是唤醒了姬沉鳞身体上的记忆。

她不是第一次死，她也不是第一次遭遇这样极致的痛。

那一刻，记忆如同东流的潮水汹涌逆流，她想起那天宋迟苏跟她说："天伐，今晚一起去未央湖吧，也算提前庆祝你十五岁生辰。"

当时姬沉鳞还是姬天伐，如约到了未央湖。她穿着她最喜欢的那件团云锦绣襦裙，在湖畔整整等了两个时辰，但宋迟苏没有来，来的是姬天渊和未央君。

那是姬沉鳞第一次见到未央君，那也是她第一次见到异兽强大的力量。未央君只是笑着挥了挥手，她就毫无防备地落进未央湖中，像个石头一样迅速地沉入水底。

她想挣扎，但毫无用处。

姬沉鳞透过清澈的湖水看见姬天渊冷若冰霜的脸，她下意识地想喊："哥哥救我。"但是她却听见姬天渊与未央君说："这样真的死得掉吗？"那时的未央君笑得深不可测，他说："这未央湖，我最了解的。一定有效，一击必杀。"

姬沉鳞落入绞龙杀的刀刃漩涡时，睁着眼睛哭了出来，未央湖里都是彻骨冰凉的水，但她仍能清晰地感受到自己的泪，因为那尚有一点余温。

那是她的哥哥啊，她一直执拗地不喊他皇兄，就像是崇拜寻常人家一样喊他哥哥。

但是她的哥哥，却眼睁睁地看着她死。

那夜的月亮阴郁模糊，姬沉鳞浑身都是伤口与鲜血，她只觉得自己的骨与肉被生生剥离开来。那时的她只有一个念头，那就是她要活下来。

她要问问，到底为什么？

但是过了近十年，姬沉鳞仍是没能逃得过未央君的利爪。虽然姬沉鳞已经没有了力气与意识，但她觉得痛，她觉得不甘心。

她求得了因，但还没有让姬天渊、让未央君、让一切置她于死地的人得到果。

因果报应，既然神意只是龙的交易，既然天意不会为她平反，那她姬天伐就要做一回天，就要当一回神，与天相伐，报一场果。

姬沉鳞竭尽全力伸长身体，伸出手够到了那根龙骨，猛地刺穿了自己的身体。姬沉鳞有时候觉得自己像个赌徒，不顾一切的赌徒，未央君说她已经没有了做龙的资格，但她忽然想赌一赌。她以人的身份死过，她以龙的躯体死过，倘若今天她以蛟的姿态毅然赴死，那结果又会怎样？

要么生，要么死。

龙骨重入姬沉鳞的身体时，姬沉鳞知道自己赌赢了。

在剧痛之后，像是获得了重生。她的蛇尾在须臾间化鳞，长出了完整的精致绝伦的龙尾。

十年后，姬沉鳞，终为龙。

长央君用颤抖的爪子摸过姬沉鳞闪着光泽的鳞片，长叹道："金麟岂是池中物，一遇风云便化龙。"

死亡的尽头真的是永生。

未央君一副难以置信的模样，喃喃地说："这不可能，这不可能。"

姬沉鳞浑身都似乎充盈了洪荒之力，一扭头便咬住了未央君的脖子。未央君忽地狂笑起来，似乎连额上的鳞片都抖动起来，他说："咬啊，小鳞片儿快咬啊，你这一口咬下去以后晚上做梦的时候就经常能见到长央死去的模样了。"

但长央却微笑着说："沉鳞，没事我不会死的。"

但姬沉鳞却缓缓地松开了口，她知道每次长央君这样温和地微笑时，都是只顾着别人而不顾他自己。

但未央君才不管长央君和姬沉鳞想什么，猛地一个龙甩头就用龙角砸在了姬沉鳞的颈上，硬生生地给撞出了一个血窟窿。姬沉鳞刚想反击，却看到长央君卷着未央君的头往昆吾山上飞去。

等到姬沉鳞追上去时，长央君已经卷着未央君撞在了通红的烙魂柱上。槐紫与一众异兽都被那巨大诡异的双头龙吓得往后退了很远。

长央君与未央君的头分别在烙魂柱的两侧，当长央君用力地往前爬的时候，姬沉鳞才意识到发生了什么，她惊呼了一声："长央君！不要！"

但为时已晚，长央君与未央君的鳞片肌骨在滚烫赤红的烙魂柱下扬起青烟，袅袅而起。巨大的力量和热量，让长央君和未央君生生地劈成了两半。

未央君吐了一口血，以一种极度癫狂的面容死去。而长央君硬撑着化成了人身。姬沉鳞落地，忙化成了人身跪在了长央君身旁。

想哭，但看着长央君的笑脸，姬沉鳞又努力地将泪水憋了回去。

长央君的手失了血色却还带着温存，他像是多年前初救姬沉鳞那样，拍了拍她的头说："别哭，这是长央君这么多年了，第一次完全拥有……自己的身体。"

长央君仰头望着天空平静地说："我觉得自由。"不过简简单单的五个字，但长央君却用尽了毕生的力气，话音落地，腹部以下一片赤红仿佛蔓延了四海的鲜血。

"长央君！长央君！"

姬沉鳞拼命地想把长央君唤醒，但长央君却双目紧闭，永归沉寂。

长央君一直和未央君共用着一个身体，泽国灭国后又费尽心思地掩埋龙曾存在的事实，他想安静地活着，想自由地成为他自己。这些愿望在他活着的千百年里，从未实现过。

而死亡，却让他从千年的禁锢中解放出来，成了一个完整的独一无二的长央君。

姬沉鳞看着昆吾山一片狼藉，在昆吾山下隔了很远给长央君和未央君立了两座坟，简简单单的两个小土包就埋葬了昆吾主人千年的波澜。

安知鱼站在姬沉鳞的身后给她重新又扎紧了一点脖子上的绷带："未央君那一撞，真是撞得不轻。"

"未央君原本……就是不想活了吧。其实我能理解他，作为异类实在是太痛苦了。"

"因为不同而被攻击，那本就不是对的。"

"他们总说，这终究是一个人的世界，与人不同的异兽便总是低人一等，连帝女都要隐藏其龙的身份，无关乎罪孽只是因为不同。这个世界不该是这样的。"姬沉鳞望着昆吾山下的水滚滚东流，她站在水的上游说，"我要在穹顶之下，孤然高绝，君临万千。我要片语成旨，天下归元。我不要这天下仅是人的玩具，我要这天下是众生的天下。"

姬沉鳞的声音不大，却轰然震耳。

风吹起她颈上的绷带，像一条染着血的傲然长缨。

她说，我要这天下是众生的天下。

第十四章　君临天下

一、月嵘夫人的画

安知鱼提前回了国都与江南裴将军汇合，但姬沉鳞的伤很重，被安知鱼强留在昆吾养伤，用安知鱼的话说就是："我在官场上那么多年，兵法战术全在心头，但若是你再伤了，我这心头便一点计谋都放不下了。"

槐紫每天都会来帮姬沉鳞换药，也跟她说一说其他异兽的情况。

"鲤姬姑姑怎么没来？"

姬沉鳞颈上的血窟窿已经结痂，槐紫正帮她抹着药，听到姬沉鳞这一问手上一滞："鲤姬她……"

"怎么了，大尾巴奶奶你跟我还有什么不能说的吗？"

"鲤姬的儿子在那场战祸中受了伤，浑身鳞片脱落，鲤姬想带着她的儿子回丹鲤的故水汉河，那里的水对丹鲤有治愈作用。但昆吾异兽千年来不能擅自出山，鲤姬她是偷偷跑出去的。"

槐紫叹了口气继续说："长央君生前曾说过倘若昆吾无主，便将昆吾交给你。沉鳞啊，你现在是昆吾主人了，所以鲤姬她不敢告诉你。"

姬沉鳞想起鲤姬的小儿子——那条红色的小鲤鱼，浑身的鳞片一沾水就变得亮晶晶的，但那日被毒箭射中便成片成片地落鳞片。她想起了每一个被困在昆吾山的异兽，巨兽竭力地控制自己的身形，飞兽小心翼翼地生怕飞出昆吾山的地界，只有昆吾山下的昆吾河可供水兽生息。

"不，我不是昆吾主人，昆吾山将不会再有主人，异兽们也不必再局限于生活在昆吾一隅。"

姬沉鳞说得极认真，槐紫手中还有着药味，却在这一瞬间想到了九尾狐曾经生活的三山四海，那里是槐紫祖辈们生活的地方，是她只在书上见过的地方。

"真的可以吗？"

"可以的，等我。"

等我，开创一个新世。

在昆吾休息了近一个月，但一连十多日都没有得到安知鱼新的进展，姬沉鳞不顾槐紫的劝阻，拖着病体直接回到了楚国，回到楚国时，国都已经禁严封锁。

安知鱼与裴将军已经在国都百里之外驻扎多日，一举拿下国都是轻而易举的事情，但姬沉鳞看到安知鱼满布血丝的双眼和驻扎多日的营地时，便下意识地知道事有变故。

姬沉鳞忙问："怎么回事？军队已经在这里驻扎了多少天了？"

安知鱼默默地回："十天。"

她又问："军备有问题？"

安知鱼回："没有。"

她问："江北有异动？"

安知鱼说："江北很好。"

她又问："国都内有火器？"

安知鱼仍旧摇了摇头说："不足为惧。"

姬沉鳞看着安知鱼有问必答却又一副身心俱疲的模样，焦躁地问：

"既然都没有事，怎么在这里停留了十天，倘若边疆的军队赶回来怎么办？"

安知鱼没有说话，旁边的裴将军叹了一口气，猛地在桌上砸了一拳说："殿下，月嵘娘娘……被带进宫了。"

"什么？！"姬沉鳞想到了这场复仇所有可能发生的漏洞，却偏偏漏了月嵘夫人这一环。她当初在抚元寺不愿意以人身见月嵘夫人，一方面是不想让月嵘夫人看到自己的模样徒增感伤，另一方面姬沉鳞知道保护她所在意的人的唯一方法就是和他们保持距离。

但她如今是以姬天伐的名义归来，不管她当初何等刻意地与月嵘夫人保持距离，姬天渊都会以月嵘夫人作为要挟姬天伐的筹码。

"是我的疏忽，只看到了前面，却忘了身后。"

"没事，只要姬天渊的大军未到，他就不会对我母亲怎么样的。"安知鱼想安慰姬沉鳞，但看到她这样坚忍却又将所有的话都哽在了喉头。

"不过出事之后我立刻去了抚元寺，抚元寺的女尼告诉我月嵘夫人有东西留给你，但她们不肯交给我，可能需要你亲自去一趟。"

姬沉鳞伏在作战图上，看着上面沟壑纵横的山川河海，脖颈上的伤口骤然一疼。

"好，明天你陪我去一下青崖山吧。"

青崖山抚元寺。

当掌寺女尼将月嵘夫人吩咐的东西交到姬沉鳞手上时，姬沉鳞竟一时没有猜透自己母亲到底什么用意。

那是月嵘夫人当日拼死也要从火里拿出来的姬天伐的画像。

那女尼垂目合手告诉姬沉鳞："月嵘居士说，既然天伐殿下归来，那这幅画就没有再继续完整留下的必要了。"

姬沉鳞一头雾水，其实从当日月嵘夫人连性命都不顾要拿出这幅画时姬沉鳞就觉得奇怪，这幅画只是宫廷画师为姬天伐所绘的肖像，本不是姬天伐贴身之物，月嵘夫人这样看重实在出乎姬沉鳞的预料。而月嵘夫人知道自己进宫有危险，却还特地将这幅画留给姬沉鳞，还跟她说这幅画没有继续完整留下的必要。

着实奇怪。

安知鱼和姬沉鳞捧着画卷下山往回走，走到半路却看到路边猛地蹿出来一个人，扑通跪在姬沉鳞面前就磕了三个头，姬沉鳞定睛一看，发现竟是竹邑。

"竹邑，你这是干什么？"

竹邑脸上隐约有泪痕："公子说，等姬大人……不，等帝女殿下回来之后，劳烦殿下替公子他烧了迟苏草庐。"

竹邑抹了一把泪，也不顾什么尊卑拉着姬沉鳞就往迟苏草庐走。到了草庐前，姬沉鳞才看到草庐的梨花树下埋了十多坛酒，此刻已经被全部挖了出来，干枯的梨花树下突兀地空着一个土坑。

"公子进宫了。"

安知鱼冷冽着脸，听到这话手却不自禁地一颤："这个时候，宋迟苏进宫做什么？"

"公子说他欠安大人和殿下的，此番想还给你们。"竹邑从树下抱了两坛酒放到了安知鱼和姬沉鳞手中，"这是公子欠安大人的酒，公子说他在树下埋了十年，他原以为再也不会启封了，没想到如今还能拿出来给安大人和殿下尝一尝，这是他这十年里最开心的事。"

姬沉鳞一揭开酒封，酒香像是沉郁多年的记忆香气，扑鼻而来。

"啪。"安知鱼望着那酒，不知是怒意还是感伤，一股复杂的情绪涌上心头，使得他猛地摔了那酒："他宋迟苏真是可笑，喝酒难道真的喝的是酒吗？"

他宋迟苏不会不明白，安知鱼所求的酒，不过是当年三人同在的情谊，若楚国三智还如当年一般，即使喝的是一碗白开水又如何？

竹邑没有说什么，只是抹了一把泪，转身抱起了剩下的酒，统统摔碎在地上。

"公子说，酒是他欠安大人的，但安大人未必肯接受这酒。他欠帝女殿下的只能去宫里还，但他还完殿下的可能就再也没有机会来料理这草庐了。所以请安大人和殿下用这酒，一把火替他烧了这草庐。"

竹邑从怀中掏出两个火折子递到了安知鱼和姬沉鳞手中，安知鱼不想接，皱着眉一甩手。

火折子遇风即燃，落在地上碰到酒，迅速地燃烧起来。

"我去引水救火。"姬沉鳞看着那冲天的火势，就要化成龙身来救火，却被安知鱼拦了下来："算了，如他所愿吧。"

火蔓延得极快，安知鱼和姬沉鳞跑到了山腰避火，看见那棵没了叶子的梨花树在火里烧得最是妖娆。

在姬沉鳞下山时，竹邑眼睛通红地说："公子还说，请殿下放心月嵘夫人。"

姬沉鳞忽然就明白了宋迟苏说要把欠自己的还回来时怎么还，他欠姬沉鳞一条命，所以他就以月嵘夫人之命还给姬沉鳞。

宋迟苏说会还，就一定会做到。姬沉鳞悬着的一颗心，不禁安放了下来。

但回到军营时，听到裴将军的急报，姬沉鳞刚刚安放下来的心，又被吊了起来。

"殿下，探子来报，西南的边疆援军，还有两日就要抵达国都了。"

"什么？"姬沉鳞知道昆吾一战后，姬天渊一定会迅速反应，调动边疆的兵力回来救援，只是没想到会这么快。

"臣也是才知道西南军中有一支数量不小的骑兵，是先帝特地留在西南军里，说是专为王位争端而设的。"

先帝指的就是姬沉鳞的父皇，但姬沉鳞的父皇身处太平盛世，那一朝的帝女早夭，也没有叔王夺权的担忧，先帝怎么会特地训练这么一支专为国都帝业纷争的军队。

"攻打国都最快需要多久？"

"国都已被我们围了近半个月，城中储备空虚，最快两天也是能打得下来。但是打下了国都的大门，还需要再打下宫城的大门。只怕是……"

姬沉鳞清楚地知道，来不及了。即使能在两天内打开国都的门，但在他们攻打宫城时，西南的军队就已经赶到了。两军一交锋就给了姬天渊大喘气的机会，到时候想翻盘便是难上加难。

这一路走来，难道到了最后一步，真的走不下去了吗？

二、画里的密旨

楚宫，月华殿。

姬天渊坐在一旁，对端坐在榻上念经的月嵘夫人说："月娘娘，以前的宫殿，还住得习惯吗？如果觉得日子无聊，朕去让摇筝来陪您说说话。"

"先皇后去得早，你小时候也总爱这么喊我，喊我月娘娘，每次喊得越亲切我就知道你闯的祸越大。好几次先帝差点打断了你的腿，你被打了之后就硬倔跟你父皇顶嘴，然后躲在被子里哭。"

姬天渊听到月嵘夫人缓缓地说起儿时的事，不禁也笑："这些事月娘娘竟比天渊自己记得还清楚。"

"后来我生了天伐，你就不那么顽皮了，你说你要给你妹妹做个表率。你说你要好好保护妹妹，做个了不起的哥哥。"

姬天渊的笑容僵在了脸上说："月娘娘，那些都过去了，不到万不得已，朕不会伤害您的。"

月嵘夫人修行近十年，浑身上下都是一副淡然通透的气派。她微微地笑了起来，带着一点嘲意问："那什么时候才叫万不得已呢？以前的事情怎么可能就说过去了呢，有因才有果，过去是种下的因，而今是你和天伐必吃的果。"

"现在不会有万不得已了，天伐她攻不进来的。"

"你说的是西南那支骑兵？你可能知道那是你父皇为应对国都不时之需所训练的，但你不知道到底这不时之需指的是什么？"

月嵘夫人话音刚落，姬天渊脸上俱是一惊："是什么？"但很快又恢复了镇定，"算了大局已定，这些都不重要了。月娘娘您早些休息吧。"

"渊儿，收手吧。"月嵘夫人从榻上站起来，抓住了姬天渊的手，苍老的皮肤碰上帝王冰冷的骨节，让姬天渊无比心疼。

但这反而让他更狠下了心，这都是帝女制的错，倘若月嵘夫人不是栖神躯，倘若她生下的不是帝女，他此时便不会这般。

都是帝女的错。

他无论如何都要毁了帝女。

"月娘娘，已经走到这一步，来不及收手了。"

姬天渊走后，吩咐了同为姜家族女的姜摇筝来陪月嵘夫人，但晚上来的却是容青芜。月嵘夫人只记得眼前的女子是姬天渊的宠妃，桀骜乖张，喜怒无常，似乎十分厌恶自己的女儿姬天伐。

月嵘夫人举着灯，看着灯下影影绰绰的女子，完全猜不出她的来意。

安知鱼陪着姬沉鳞在作战图前，想了数种方法堵截西南骑兵，但一旦分出兵力对付骑兵，攻打国都宫城的兵力就不足。

姬沉鳞扶着额，因为焦虑额上出现了一小片白色的龙鳞。她看着作战图，宫城只在那中心小小的一块，却是最难拔的心脏，而心脏里又有她的母亲。

姬沉鳞忽然就产生了一股巨大的绝望感，她知道了真相又如何，但她还是无力去纠正。

"小鱼儿，你说我们就此放手，姬天渊会不会放过裴将军手下的这些战士，还有我母亲？"

"天伐，我们再想想，总有办法的。"

姬沉鳞看着天边的鱼肚白，她知道，其实已经没有多少时间可以让他们来想办法了。她从地图旁走开，拿起了月嵘夫人珍爱的那幅画。

画上还是姬沉鳞十四岁时的模样，稚嫩的眉眼仿佛就还是昨天。姬沉鳞笑着指给安知鱼看："当年画师画这幅画像的时候，我故意皱着鼻子，你看画上我的鼻子是不是有点歪？"

安知鱼疲惫地把视线从作战图移到那幅画像上，摸了摸画像上歪着的鼻子说："这鼻子倒有些可……不对，这画卷有些不对劲。"

"怎么不对劲？"

安知鱼忙将画卷拿过来铺在了桌上，仔细地摸了摸说："这画卷装裱得要比正常的画卷厚得多，好像中间夹了一层东西。"

姬沉鳞本来混沌的脑子一下子清醒了，想起月嵘夫人让女尼告诉她的那句莫名其妙的话——"这幅画就没有再继续完整留下的必要了。"

"小鱼儿，拿刀来。"

没有继续完整留下的必要，就是暗示姬沉鳞将画卷截开，拿到里面的东西。

姬沉鳞这才明白母亲那么豁达的一个人为什么要拼命留下这么一幅画像，她要留的，其实是画里的东西。

刀刃细细地划过，露出了中间夹层里的东西。

一张密旨。

安知鱼拿过密旨看了上面的内容，颇有些震惊："这擒王的西南军，竟不是受姬天渊控制的。"

"什么意思？"

安知鱼将密旨递给了姬沉鳞，这是一张有关西南骑兵应对不时之需的密旨：若来日帝女登基遇阻，西南军需为帝女荡清一切险阻。

那一支被姬天渊急召回来的西南军，不是先帝留给姬天渊的，而是留给帝女姬天伐的。

"看来先帝他早就看出了姬天渊的不轨，只是没想到姬天渊下手太快，在你及笄前就已下手，这西南骑兵的真实用途也就基本无人知晓了。不过月嵘夫人在以为你死了之后还舍命护着这密旨，也是……执念。"

月嵘夫人和安知鱼一样，怀着对姬天伐的执念，在漫长的绝望中又存了一点希望，但幸好命运没有辜负他们的执念。

姬沉鳞握着密旨看着作战图，指着作战图中心的宫城说："既然有了这密旨，我们就没有了这后顾之忧。那就，即刻攻城吧。"

．

三、"天伐，我欠你的算是还了。"

姬天渊面色沉重地在昌宁宫来回踱步，而宋云辞倒显得更镇定些，她问："帝女昨夜已经开始攻城了？"

"天伐昨天深夜攻城，国都的守将大概是懈怠或者根本是有心倒戈，可能不出几个时辰国都就要被攻打下来了。"

"宫城能守多久？能不能守到西南军来？"

一说到西南军，姬天渊的脸色就更加难看了，他重重地捶了一下桌子说："已经两日没有得到西南军的消息了，有探子回报，昨夜有人看到西南军大将去城外见了姬天伐。"

宋云辞站了起来，望着月华殿的方向说："既然这样，便已经到了万不得已的地步。我去请月嵘夫人。"

宋云辞到月华殿的时候，忽然觉得有些不对劲，殿外看守的宫女见了宋云辞像是见了鬼一样。

"月嵘夫人呢？"

"在……在屋里。"

宋云辞快步进了月华殿，看见月嵘夫人背对着自己坐在榻上，松了一大口气。宋云辞理了理跑乱的裙角说："月娘娘，月华殿里冷清，还是随本宫去昌宁宫住吧。"

但宋云辞很快便听到了一声她最不愿意听到的笑声，也见到了她最不愿意见到场景。

"这宫里谁不知道，皇后的昌宁宫是最冷清的，一个月里皇上去的次数一只手都数得过来。"

那"月嵘夫人"转过身来，赫然是容青芜。

容青芜一脸嘲弄地望着宋云辞，像是看一个巨大的笑话。

"月嵘夫人呢？！"

"此刻大概快与姬天伐母女团圆了吧。"

宋云辞也顾不上容青芜，急匆匆地派人去告诉姬天渊。

容青芜一身缁衣，但还是掩盖不住她的艳光和刺，她娇笑着在宋云辞的耳边说："皇后娘娘，来不及了。"

宋云辞知道，容青芜说的是对的，大势已去，来不及了。

城外，姬沉鳞的攻城十分顺利，槐紫带了数百异兽来帮姬沉鳞助阵，原本需要云梯才能登上的城楼，在飞兽和弓箭手的配合下快速被拿下。

只用了一天，国都的四个门就已被姬沉鳞占领。

姬沉鳞身着玄鳞甲，身后是属于她的千军万马，这一刻她终于有了真实感，这一刻她终于明白了什么叫作翻覆的力量，天下已在她手。

国都的大门刚被打开，姬沉鳞便看到宋迟苏护着月嵘夫人骑着马飞奔而来。

"母亲！"

姬沉鳞飞奔过去将月嵘夫人从马上抱下来，看见自己的母亲毫发无损，激动得几欲落泪。但城墙上最后一个弓箭手，却暗自举起了弓箭，那箭上隐隐闪着蓝光。

嗖的一声穿透黑夜朝姬沉鳞方向射来，还在马上的宋迟苏从马上栽了下来，扑向了姬沉鳞，为姬沉鳞挡下了那一箭。

"迟苏！"

"迟苏！你撑住。"

安知鱼和姬沉鳞几乎同时脱口而出，喊了那一声迟苏，恩怨在生死之前都渺小得不值一提。被烧尽的酒，被埋藏的少年时光在这一刻在心里拔地而起。

可宋迟苏没能撑下去，他倒在血泊里，看见姬沉鳞和安知鱼朝自己奔过来，恍惚间看到了多年前三人奔逐嬉闹的场景，但他伸出手却什么都摸不到。

他轻声说："天伐，我欠你的算是还了。"

宋迟苏知道安知鱼说得对，他根本不懂爱，他让自己的爱，让他人的爱都成了负担。他也是个懦夫，想用死去偿还这一切。

但宋迟苏觉得这一辈子都未曾这样自由过，他觉得他不堪重负的人生终于得到了解脱。他不再是宋氏长子，他不再是待婚皇夫，他不再是负心人，他就是他自己。他终于可以在想恣意时尽情地恣意了。

宋迟苏在温热的血泊中看到了逍遥快意的自己，像是坠入了一场永不醒来的美梦。

一闭目，一垂手，便是一生。

血泊将宋迟苏的白衫染得鲜红，穿红裳的宋迟苏，曾是姬沉鳞最想见到的宋迟苏的模样。她曾梦想在一片灼红中嫁给他，却没想到，最后会在这一场盛世的血红中与他告别。

安知鱼整理了宋迟苏凌乱的衣领，面无表情地说："迟苏哥哥，该整整洁洁地走。"最后一个走字出口时，泪水猝不及防地蔓延了安知鱼的脸庞。

姬沉鳞抓住宋迟苏冰凉的手，看见不远处宫墙上的弓箭手，只说了两个字。

"攻城。"

四、家宴

宋云辞在昌宁宫静静地坐了许久，才站起来往外走，玉檀便恳求似的拉着宋云辞的袖子道："娘娘，帝女天伐就要攻进来了，请您不要再往大殿去了。您是宋氏长女，帝女一定不会对您怎么样的。"

宋云辞望着不远处的大殿，灯火骤亮。她仿佛看见了那个精致的皇座，在高耸的台阶顶端，闪烁着幽暗的光泽。她望着那光愣了一下说："对，现在还不能去见陛下。"

玉檀刚刚舒了一口气，却又听到宋云辞说："玉檀，帮我梳妆。"

"娘娘！"

宋云辞坐在鸾凤梳妆镜前，抚着自己凌乱的发丝笑着说："这个样子，怎么能算得上楚国的皇后呢。"

玉檀像是知道了宋云辞的意图，眼眶瞬间就红了，却也只能拼命地忍着，生怕泪水落在宋云辞的衣服上，玷污了这一场盛世的尊严。她从衣柜最里面拿出皇后的朝服，大片的红色和金绣如同一团灼然不灭的火。

宋云辞缓慢地叙述着她的从前，她不再自称本宫，平静而温柔地说着"我"，像是讲给玉檀听，又像是讲给自己听："我小的时候，非常向往戏文里的江湖生活，一点都不想当什么宋家嫡女，在家里除了锦衣玉食就只有无数高墙。我好想脱离所谓的世家门阀，想荆钗布裙游历在江湖间。十几岁的我只有侠女梦，当时的我从未想过，我最终会在这方寸之间的宫殿度过余生，这里的墙比宋家的还高还密。但是遇到天渊的那一刻，我就在一瞬间看尽了一生。他便是我的江湖，我甘愿为了他堕落于此牢笼中。"

宋云辞第一次喊天渊，却已经到了末路。

宫门外越加通明，兵戈声像是大戏结局时的鼓点声。

宋云辞站在大殿前，又细细地理了理衣襟与头上的步摇。她扭头对玉檀道："玉檀你快走吧。剩下的，就是陛下与我的事情了。"

玉檀遥遥地朝宋云辞拜了三拜，她看到火光里皇后的笑容，宋云辞那一笑是她见过的最奢贵最尊荣的笑。

宋云辞进去的时候看到姬天渊也穿戴整齐地坐在帝座上。她笑起来，她所选中的男子终究是与众不同。

姬天渊凝着眉："你怎么来了，快走。走了你还是宋家长女。"

"陛下还记得，我当年在洞房里对你说的第一句话是什么吗？"

姬天渊不知宋云辞为何这样问，只是疑惑地望着宋云辞。

宋云辞端正得体地笑说："我在洞房里对天渊你说的第一句话只有两个字，那便是夫君二字。"她正襟危坐地坐到了姬天渊的身旁，直视前方道，"你只当我做这一切是为了宋家的利益。但你知不知道，我从嫁给你的那一刻起，我就不是宋家的人了，我是你姬天渊的人。"

姬天渊愣了一下，看了一眼宋云辞，像是第一次认识自己的皇后。

宋云辞还是目视着前方，端庄地笑道："陛下，哪怕是最后一刻，你还是楚国的皇帝，我还是你的皇后。"

姬天渊看着身侧自己的妻子，雍容华贵，生死之前仍旧处变不惊。他被那一句多年前的"夫君"击中，默默地从宽大的帝袍中握住了宋云辞的手，没有再言语，两个人默契地保持着帝后最后的尊严。

听得门外马蹄声骤响，姬天渊拿起脚边的一壶酒，端详了许久，说："来人啊，摆宴。"

姬沉鳞提着剑一步步从火光里走到帝座前，映照出一个轮廓清晰的剪影。她看到姬天渊和宋云辞穿戴整齐地坐在一桌筵席前。

姬天渊抬头道："朕的妹妹回来，这是家宴。"

安知鱼狐疑地望着姬天渊，下意识地就要拉住姬沉鳞。姬沉鳞沉默了许久，看着姬天渊，松开了安知鱼的手。

安知鱼担心地喊："天伐！"

"没事，就当为先帝践行。"

姬天渊无奈地笑了一声，为自己斟满了酒道："天伐你还是应景啊，都称朕为先帝了。你是该有多恨哥哥啊。"

姬天渊又接着说："朕知道你恨朕，朕也恨你。"他仰头饮下一杯酒，"朕恨你是朕的妹妹，却偏偏是个异类。"

姬沉鳞轻轻地放下剑，低着头问："你曾经做的那些都是装的吗，装作喜欢你的妹妹，假装说想让她称帝。"

"怎么会呢，朕要是道行那么高深，就不会被姬沉鳞伪装的姬天伐打败。你比哥哥厉害。"他又饮一杯，"你是朕唯一的妹妹，朕那时候一心想看着你登基。如果你不能登基，就代表你没能活过十五岁，朕怎么舍得……朕要看自己的妹妹寿与天齐，朕要朕的天伐千秋万代。"

"所以呢，那样的姬天渊去哪儿了？要看着我千秋万代的姬天渊为什么下了杀心？权力欲贪欲终究打败了天伐是吗？！"

姬沉鳞坐了下来，望着满桌的盛宴，恍惚间像是回到了每年中秋的家宴，父皇和一众宫妃子女坐在一起吃饭，没有架子，就像平常人家那样聊聊天，但如今她手里拿着剑，桌上萧索得只有三人。

自古，最无可奈何的便是这样的物是人非。

姬沉鳞无法克制地歇斯底里起来，她站起来猛地掀翻了桌子："说啊，你到底为什么要杀我？我是你妹妹啊，你忘了你送我的及笄礼物了吗？那是一对玉兔形状的大钗，你说等我及笄就能戴那样的钗环了。你送了我及笄礼物，却终究没能让我过得了及笄。"

"我是在你十三岁那年，知道帝女的秘密的。未央君从昆吾来告诉我，所有的帝女都是异兽，他们会在及笄之后变成龙。"姬天渊看着姬沉鳞沾着血与泪的脸，惨然一笑继续说，"但是我怎么肯信呢，后来未央君就带着鹿刃国巫来见我，鹿刃告诉我上古泽国帝女的传承，他告诉我帝女全是龙的血脉，但我仍是不肯信。我的妹妹那么天真那样高贵无瑕，怎么可能是异兽……但鹿刃和未央君带我去了东海孤陵，在那里我见到了孤鸾女帝的遗体。我明明不相信的，但现实却又狠狠地撕开我的眼睛，让我看到那么惨烈的事实。"

姬沉鳞强忍着喷薄欲出的情绪问:"然后呢?"

"然后,如你所知,我开始了两年的谋划,谋划着……"

"谋划着怎么杀死我。"

姬沉鳞都觉得可笑,他们两兄妹一人一句像极了唠家常,而这家常中却含着无法直面的残忍过去。

"当初我娶容青芜是想让宋迟苏能够真心待你,全天下都知道宋迟苏喜欢容青芜,只有我的傻妹妹不知道。"姬天渊说傻妹妹三个字时,低头自嘲般地笑了一声,却不觉地笑出了泪水,"但命运总是误人,容青芜最后却成为我要挟宋迟苏的棋子。我让宋迟苏约你那天晚上去未央湖,而未央君将你推进了未央湖的绞龙杀中。未央君说绞龙杀能将龙的筋骨尽断,我亲眼看着你的尸体在一片血红中浮出水面,那灼目的红在这十年里,总是在午夜梦回出现在我眼前。像是水上的红莲业火,一把就要将罪孽的我烧尽。"

姬沉鳞冷笑了一声,重复了姬天渊的那一句:"命运总是弄人。"

"后来,你出现在朝堂上,以国巫的身份。我很震惊,我当时想怎么有异兽跟你那么像;我又很害怕,仿佛是你转世而来报复我的。但是你从昆吾来,我和未央君都见过你死时的场景,所以所有见过你尸体的人都相信姬沉鳞就只是姬沉鳞,姬天伐早已长眠于地下。那时候,我又有点开心,仿佛我又有了一个妹妹,一方面我瞧不起异兽,另一方面我又想把国巫当成你的替身。毁灭帝女制,要杀帝女也要杀国巫,但当时我忽然狠不下心来。卜算栖神躯时,我初而高兴,我以为再也不用犯杀孽就可以结束帝女制。但你说朕无帝星相继时,我便起了疑心。我关了惊鸿的哥哥,惊鸿上报你们的行踪,同时也让云辞派出追杀你们的天枢。"

姬沉鳞吼的时候只觉得整个口腔都充斥了浓烈的血腥气味,她不觉得疼,她只觉得难受,她吼道:"你想杀我?仅仅因为我不是人?未央君想杀我,你就让他动手好了,你为什么要掺和进来。"

姬天渊那一击的伤害远远超过了肉体上的伤害，他在姬沉鳞的心上割下了一个永远无法愈合的伤口。

"不，我不是想杀你。我只是想毁灭帝女制，鹿刃的儿子因帝女陪葬制而死所以他想毁掉帝女制，而我想毁掉帝女制恰恰是因为我不想我妹妹以一个异类的身份活着，这是一种耻辱。"

姬天渊又自斟了一壶酒说："如果你真的在那场屠杀中死了，也许今天就再也没有昆吾山那个地方了。"

姬沉鳞站起来去倒酒，像是要从姬天渊手上夺走酒壶一样。

姬天渊一笑，轻巧地避开了姬沉鳞的抢夺："你小时候也常常爱这样偷馋嘴，但是从小哥哥就告诉你，酒不能乱喝。云辞，帮我解下帝冕。"

宋云辞掩面饮下酒，美艳得不可方物，纤纤双指解下姬天渊的发髻笑道："我啊，嫁进来的时候，见到帝女时就说过，您必将为帝。"

姬天渊捧着帝冕，站了起来要给姬沉鳞戴上："来，让朕看着自己的妹妹登基……"

话还未说完，手才举过姬沉鳞的头顶，姬天渊就一口血涌上来喷在了她的脸上，帝冕沉甸甸地落在了姬沉鳞的头上。

姬沉鳞的睫毛上还挂着血珠，喊着："哥！"

头上的帝冕还未戴稳，"啪"的一声跌在了地上。

姬天渊颤颤巍巍地伸出手，摸了摸姬沉鳞的脸："朕不能看着自己的妹妹以一个异类的身份活着，我总觉得这终究是一个人的世界。但如今看来……是朕……是朕太狭隘……天伐你不管是什么，都是……朕的妹妹。"

宋云辞将帝冕捧起重新戴到了姬沉鳞的头上，转身想去扶起姬天渊，但才跨出那一步血气便涌上喉头，重重地栽进了倒在地上的姬天渊的怀里。

姬天渊的死像一个过于决绝的道歉，让姬沉鳞在胜利之后仍然感受不到一点狂欢的热意。为了这一个新世，这路上铺就了太多的白骨。

在这兵荒马乱的夏秋过后，姬沉鳞登基，沿袭了姬天渊的年号，追封姬天渊为孝烈帝。

这年冬至，新帝登基再没有卜算大典，姬沉鳞下令解禁昆吾山，各州设立专门的异兽司管理异兽，异兽与其他人一样平等地成为楚国的百姓。

普天之下，万物众生，皆为楚民。

后 记

　　姬沉鳞登基后，还是初冬，却骤然下了一场大雪，时人都说瑞雪兆丰年，这是大吉之兆。

　　姬沉鳞站在楚宫最高的飞星台上，看着台下飞檐翘角，银装素裹，呵出了一口热气说："朕欠楚国一个盛世，现在终于可以还了。"

　　身后的安知鱼一只手握住了姬沉鳞的手，另一只手接住了一片雪花："这一场大雪下来天地茫茫，好干净。"

　　这是一场瑞雪，也是一场离别的雪。

　　整个国都沉浸在新帝登基和新年团圆的喜悦中，却有两个人来向姬沉鳞辞别。

　　一个是姜眠禾，她还是喜欢穿艳色的袄子，那天进宫穿了件橘色的夹袄配月白色的百褶裙。见到姬沉鳞初而不适应，然后被身后的侍女推了一把，才想起姬沉鳞已然是女帝了，有些别扭地跪了下来："陛下万岁万岁万万岁。"

　　姬沉鳞也不适应，她看姜眠禾好像还是当初那个意气用事的大小姐，但这个大小姐开口却是："陛下，我要去蜀地了。"

"你可以还喊我姬沉鳞。"

姜眠禾摸了摸袖口的白色兔毛，说："我还是喊陛下吧，说起来月嵘夫人是我的表姑姑，陛下也算是我的表姐，在陛下还是帝女时，我也只能是喊殿下。"

姬沉鳞叹了口气，赐了座。

"你怎么想起来要去蜀地？"

"我哥哥一直在外打理姜家的生意，我想着在国都也没什么意思，想出去闯闯，其实我对蜀地山水神往已久，便求我父亲此次让我跟着哥哥去蜀地，明早就走。"

"你跟……安知鱼说过了吗？"面对姜眠禾，姬沉鳞其实是怀着愧疚的。当初姜眠禾在朝堂上为她证明不在场，后来又与安知鱼假成亲，让其他人误以为姬沉鳞已死。姬沉鳞归来后，她与安知鱼的十年之约，她与安知鱼下的定聘，都成了虚妄。

姜眠禾像是一下子看穿了姬沉鳞的愧疚，笑着说："陛下不必觉得对不起我，该觉得对不起我的应该是安知鱼。但我并不恨他，因为这些都是我自愿的。陛下若真觉得要补偿我什么，那就将蜀地药材专销权给我吧。"

看着姜眠禾露出小狐狸一般的笑容，姬沉鳞也宽慰了许多，一口应了下来："好，只要你能好好打理，朕就将这专销给你，也能一并肃清蜀地药材良莠不齐的状况。"

姜眠禾谢恩后便准备离去，走时站在门口沉默了很久，最后喊了一句姬沉鳞，说："姬沉鳞，这可能是我这辈子最后一次这么放肆地喊你了。我只想告诉你，我不告诉安知鱼只是不想他愧疚，我为他做的都是心甘情愿，很多爱都是不求回报的，就像安知鱼等你的那些年岁一样。我姜眠禾爱得起也放得下，临别前我祝你们永结同心，你也祝我遇见我的良人吧。"

另一个是容青芜，她站在浮欢殿门口，卸下了高髻步摇，素衣木钗，手里捧着一个酒坛。

她站在那里好像就是在等姬沉鳞，眉上都被风雪染白，她没有朝姬沉鳞行礼，仍旧像是从前那样骄傲地昂着头说："姬天伐，谢谢你允许我出宫。"

"这楚宫于你本就是牢笼，以往的那些赏赐你都可以带走。"

"不必了，都是些身外之物。"

"你就只带壶酒？"

容青芜温婉柔和地笑了起来，说："这里面是迟苏的骨灰。"姬沉鳞第一次见到这样不带攻击性的笑容出现在容青芜的脸上，仿佛宋迟苏那毕生的温柔都在容青芜的这一抹笑中。

"其实迟苏不是你们看到的那个样子，他喜欢喝酒，但因为他的身份，他不得不克制。倘若他不是宋家长子，不必担负那么多责任，他大概也会自由自在，放浪不羁地过他想要的生活吧。但没有倘若，他只能克制，只能这样不开心地活下去。"

容青芜停顿了片刻说："所幸，迟苏他不必再背负这些了。"

"谢谢你。"

虽然容青芜从遇见姬沉鳞时就浑身带刺，但最后一刻容青芜打开宫门放出月嵘夫人时，那满身荆棘刺口上仿佛乍然开出细碎的花。

"你不必谢我，也不必谢迟苏。这本就是他欠你的。"

容青芜捧着宋迟苏的骨灰从姬沉鳞的御驾旁走过，穿过重重深宫，一身的傲然。

大雪茫茫，将离去的脚印覆盖，从此天高地远，各自天涯。

一别两宽，各生欢喜。

此后多年，茶馆的说书人嘴里总有新的故事。说书人老六变成了老老六，却还敲着扇子口齿清晰地说着书："今儿老六要给大伙说这么一段……圣上厉害，却说江南与蜀地的女子也厉害，今儿老六就给各位讲讲两位奇女子。如今江南梨花酒谁人不知谁人不晓？那对月酒庄更是开满了全国，要说那对月酒庄里的酒那个香啊……"

茶铺的老板娘换成了当年老板娘的女儿，却还是喜欢嗑着瓜子揶揄老六说："老六，你说是那对月酒庄的酒香啊，还是我们这儿的茶香？你可小心点答，不然下回可不许你来这里说书了。"

"哎，这茶有茶的香，酒有酒的香，都香都香。我们今儿不说那酒，却说那对月酒庄的老板，真真一位绝世妙人，不仅酒酿得绝妙人也长得绝美，见过她的人都说宫里的娘娘也不过如此。至今仍未成亲，江湖人称青夫人。而蜀地也有一位商中女豪杰姜家小姐，与官府合作愣是把蜀地中的名贵药材销往了全国各地。这姜小姐奇的不止是富可敌国，更奇的是她手下收了一批异兽为她干活。这姜小姐年轻时极瞧不上异兽，但后来她不仅招异兽为她干活，甚至遇到了一个异兽欢喜冤家。据说那异兽可是腾蛇一族的族长，能力非凡，这一人一兽倒也成就了一番佳话。这青夫人和姜小姐啊，曾也是国都人士……"

老板娘听得入神，瓜子嗑了一地，想了片刻问："我当姑娘时好像听过姜家小姐和当今皇夫有什么瓜葛？那青夫人和姜小姐到底以前是什么人？"

老六正讲到兴头上，却看到茶座上压着斗笠的人影，忽然在尘封的记忆里翻找出一些什么。

从门外进来一个风度翩翩的男子，拎着糖包，小心翼翼地扶着那戴着斗笠的怀孕妇人，低声责备道："这时候了还出来瞎跑。"

那女子的面容掩在斗笠下，笑着低声说："又不是第一次生，平日里太闷，得出来走走。"

老六想起了当年那个意气风发的少年宰相满城寻帝女的日子，一抚扇长喝道："这江山不改，绿水长流。欲知后事，且听下回分解。"

姬沉鳞笑着想：自己这一生都能活在说书人的故事里，倒也不亏。

❖ 日常一 ❖

　　姬沉鳞的登基大典办得极朴素，但登基后的礼部却一直在忙碌地准备这准备那，姬沉鳞每天上朝就看见礼部尚书一副"老臣好忙，老臣这把老骨头要累散了，陛下你不要再给老臣其他事情"的模样。

　　新朝初起，倒也天下太平。"众爱卿若是无事启奏，便退朝吧。"姬沉鳞话音才落，安知鱼就站了出来道："臣有事启奏。"

　　姬沉鳞看到安知鱼嘴角一扬就知道大概并不是什么好事，但碍着帝王的面子仍说了句："丞相有何事启奏。"

　　"臣请陛下下午去试婚服，虽然陛下说大婚不宜铺张，不过到底是臣娶妻，臣也不忍看臣的妻子穿得太丑，所以大婚所耗都是臣出的，还请陛下不要再借此推脱不去试婚服了。"

　　堂下的朝臣都板着脸，一两个没绷住愣是在朝堂上笑出了声，一个个脸上都写着"臣懂了""陛下你不要害羞，下臣们都懂"的表情。

　　姬沉鳞非常无奈，因为她真的是害羞，复仇是她所谋划的，登基也是她所预料到的，但偏偏爱上安知鱼，是她从未想到的。

　　从未想到的惊喜。

　　姬沉鳞在十三岁那年就有了一件嫁衣，但岁月太长，人心善变，那件嫁衣早就在废弃的帝女宫中老化。

　　所以当安知鱼将那件新的嫁衣放在姬沉鳞手中时，姬沉鳞摸着上面繁密的针脚，像个孩子一样不争气地哭了。

身侧的女官忙说："陛下，可不能哭。婚服上落了泪可不吉利。"

安知鱼揽过姬沉鳞的肩，温柔地说："没事，哭吧。往后的日子，你想哭便哭，想笑就笑。"

安知鱼想，他何其幸运，终于等到她。

姬沉鳞想，她何其幸运，没有错过他。

此生长，白头共红妆。

❋ 日常二 ❋

自异兽司创立后，异兽也可以像寻常百姓一样通过科举考试入朝为官。第一批参加科举考试，并拔得头筹的异兽便成了姬沉鳞的国巫。

国巫很能干，也很骁勇，但姬沉鳞却越来越头疼了。

一大早醒来没有看到安知鱼，上了朝又没有看到国巫，就知道又出事了。下了朝就往宫外赶，她知道安知鱼肯定又去了国巫府。

姬沉鳞不明白安知鱼怎么总是跟国巫扯上关系，坐在御驾上的姬沉鳞真是烦得头疼。

国巫滕华也不明白，为什么朝堂上那样冷静睿智的左相每次见了自己都像是街头卖馒头的大妈。

所以滕华上早朝前被安知鱼堵在家门口时，简直烦得头都要炸开了。

安知鱼一开口，滕华就知道他要说什么，他立刻先发制人："安大人，我没有成亲的打算，真的没有。"

但安知鱼仍旧不急不缓地从怀中掏出生辰八字说："国巫大人你先别急着回绝啊，我这次又带来了新的候选人，这些姑娘都很倾慕国巫大人。"

滕华是昆吾山下一条蛰伏了百年的腾蛇，生性粗犷不修边幅，他一摸脸上的胡须大大咧咧地说："安大人，你这个月是第三次来给我介绍亲事了吧。我记得你上朝的时候不是这样啊，怎么这么婆婆妈妈。我滕华像是能养得起婆娘的蛇吗？我都一百多岁了，别祸害人家小姑娘了。"

兵来将挡水来土掩，安知鱼又掏出了另外一沓生辰八字，仍旧和颜悦色地说："别急，本官怕你和人合不来，本官这里还有一些候选的异兽姑娘。你看金鹏这家的姑娘……"

滕华一听金鹏两个字，浑身都一凉，哭笑不得地说："安大人，我不去祸害人类小姑娘，你也别找异兽姑娘来祸害我啊。真要娶了金鹏那家丫头，成亲第二天安大人你就要来给我收尸了。"

"我这儿还有……"

"哎哟，我的安大人啊，你放过我吧。"

正当当朝宰相和国巫拉扯不下的时候，门口忽然传来一声娇喝："安知鱼！"

姬沉鳞把安知鱼和滕华拉开了数丈远，问："朕一早醒来上朝，宰相也不在，国巫也不在，你们是不是想造反？"

滕华忙解释："这可跟我没关系，是安大人硬堵着臣不让臣去上朝的。"

一想起早上醒来下意识地去搂安知鱼却搂到个枕头，姬沉鳞就很愤怒，她转过来问："安知鱼！怎么回事？"

安知鱼挑眉一笑，带着一点玩世不恭回答说："我是来跟国巫大人联络联络感情的。"

"谁要跟你联络感情，两个大老爷们联络什么感情。陛下我要举报，安大人偷偷搞副业。"

"什么副业？"

"安大人开始说媒做媒婆了。"

本来绷着脸的姬沉鳞听到这么一句，又想象了一下安知鱼脸上长了一颗媒婆痣的画面，实在忍不住笑了出来："小鱼儿你也操心太多了，人家滕华早就心有所属，只是那姑娘嫌滕华穷，滕华才来当国巫攒老婆本的。"

安知鱼有些不好意思地问滕华："原来国巫大人早就有了心仪的姑娘，本官只是……"

"只是什么？我活了一百多年还看不穿这个，你不就是看我跟陛下长得像嘛，怕我跟你抢陛下吗？"

姬沉鳞听到这个又羞又觉得好笑，明明那样沉着的安知鱼在遇到这种事时却仍旧像个孩子。像孩子一样护着他们的感情，初心不泯。

滕华话头一打开就没收得住，接着说道："我跟陛下只是纯洁的君臣关系，陛下作为龙的这个体型，在我们腾蛇一族里，实在是太胖了些，你说我怎么会看得……"

一听到胖这个字，姬沉鳞就知道完蛋了，自己是条大胖龙的事要暴露了。她忙朝滕华使了个眼色，滕华立刻僵硬地转了话题说："你说我怎么会看得……啊，安大人今天的天气真不错啊。"

姬沉鳞看着演技拙劣的滕华和自己的说媒夫君，又笑了起来，越笑越激烈，笑得肚子都有些疼，捂着肚子坐了下来。

安知鱼上去扶住了姬沉鳞像哄孩子一样说："你看你，笑就算了还笑得肚子疼。"

"不是啊……我好像不是笑得疼。"

滕华看到姬沉鳞疼得有些不对劲，立刻上前把了脉，手刚搭上去就兴奋地说："有了，有了。"

安知鱼还一脸茫然地扶着姬沉鳞，问："什么有了？"

滕华一掌拍在了安知鱼的肩上："说你是小屁孩你还不信，你都要当爹了你还不知道。"

安知鱼听到这一句，浑身都涌起暖流，他抱着怀里的姬沉鳞，像是守着此生未见的珍宝，轻声问："我，要当爹了？"

❋ 日常三 ❋

姬沉鳞挺着个大肚子躺在床上，看着安知鱼又捧了半人高的药材进了寝殿，后面跟着的粉面小人也抓着两包药。

"又是姜眠禾寄来的？"

"是的，她现在在蜀地的药材生意做得很好，又托人带了两车安胎的药材来。"

"姜眠禾不是前月里才送了一船药来吗？怎么又送？"

"因为她有钱。"

姬沉鳞想起富甲巴蜀的姜眠禾，十分无奈地说："我知道她姜眠禾有钱，但送这么多，我也吃不完啊。"

安知鱼歪嘴一笑说："她哪是想给你送药啊，她是想给滕华送点东西，才顺便给你带来这些药材的。"

"想不到姜眠禾居然栽在了滕华手上，真是大千世界无奇不有啊。要不我把滕华发配到蜀地算了，省得姜眠禾总找各种理由往国都送药。"

"你这次吃不完，就下次吃，吃成大胖龙我也要。"

姬沉鳞一听这话，气得额上的角都冒了出来，她吼道："这是最后一次！不能再有下一次了，朕堂堂一个帝王，一年里有十个月都在怀孩子这像话吗？安知鱼你这是让朕走上昏君的不归之路！"

安知鱼身旁的粉面团子一样的小人爬上了床捂住了姬沉鳞的嘴，脆生生地说："母皇你声音小点，要是吓到肚子里的弟弟妹妹可怎么办是好。"

姬沉鳞看到自己的儿子欢喜得不得了："稷儿真懂事，但母皇不能总给你生弟弟妹妹啊，母皇还有好多国事要忙呢。"

稷儿将圆嘟嘟的脸贴在姬沉鳞的肚皮上说："弟弟妹妹你们别信母皇的话哦，即使母皇不怀你们，她也总是起得好晚，总是上朝迟到呢。"

姬沉鳞看着和安知鱼一个模子里刻出来的儿子简直哭笑不得，稷儿得了安知鱼的天资聪颖，也得了安知鱼一身戏谑人的本事。

稷儿亲了亲姬沉鳞，认真地说："母皇你不要担心，国事就交给父亲和稷儿吧。"

"国事都交给我们稷儿了，那母皇做什么呢？"

稷儿一本正经地抚着姬沉鳞的肚子说："母皇处理国事不要太累，要是太累的话只要再多生几个像稷儿这么聪慧的皇弟皇妹就好了。"

姬沉鳞仰天长叹看着安知鱼说："完了，看来稷儿还继承了你的臭不要脸。"

安知鱼拢了拢姬沉鳞的鬓发，在她的额上温柔地吻下去，沉声说："稷儿还和我一样，深爱你。"

扫一扫看更多图书番外，作者专访

【官方QQ群：555047509】

每周丰富多彩的群活动，好礼不停送！
作者编辑齐驾到，访谈八卦聊不停！

我们秉承万物皆可撩的宗旨，
为迷茫的少女们指引方向，带着满分诚意等你常驻！

文艺少女
话题馆

【扫一扫，马上开撩】

在这里有逗比可爱的话题馆馆长鱼跳跳每天不定时在线陪聊！
（真的不是机器人哦）

在这里还有各种或甜或虐或蠢萌搞笑的戳心话题跟你分享！
（大都是黄金狗粮啦）

在这里只要你参与话题并上了微信头条就有机会领取福利！
（啊，就是这么任性）

在这里你还可以遇见心中的男神／女神，开撩八卦，游戏互动！
（嘻，反正随时有惊喜）

在这里还有最全最新的大鱼书单，最独家的作者专访、最前沿的扒剧扒书，
良心安利，内容有保障，总有一款是你的菜！

如果你觉得还挺有趣儿，不妨找我聊个二十块的 \(^o^)/

浮生若梦系列
－ 试读 －
预定上市时间：2016 年 12 月

《惊蛰月半》

画师的猫成精了，就在昨天刮着风的夜里。

少女懒懒的翻了个身子，一双眼角凌厉的挑起来，满眼都是慵懒的风情。半梦半醒的掀开眼皮瞧了瞧，看到画师呆呆的拿着一颗破珠子，嫌弃道："真蠢。"

画师气得青筋暴起，估摸着一会少女要是再说出什么大逆不道的话来画师的脑浆子恐怕就要崩出来了。

"小兔崽子，你看看你干的……"指着一旁在地上弹个没完的鱼目珠子，画师随便拎起少女的一只胳膊将其拎出被子里，被子顺势滑落，没有了毛皮的猫姑娘的身上连个半丝半缕都没有，白皙如雪的身子就这么闯入了画师的眼中，硬生生的打断了画师的话。

少女还浑然不觉，对画师的训斥也不以为意，上前一跃就挂在了画师的身上，凑上前亲昵讨好的舔了舔呆若木鸡的画师的脸，见画师没反应少女又卖力的舔了舔画师的脖子，看起来，像是某种宠物的习惯，嘴里还慢条斯理的说着："蠢货，老子饿了，老子的饭呢？"

好一会画师都没反应，猫姑娘等得不耐烦了伸出手在画师的身上打了几下，怒声质问："连个饭都准备不好，我养你何用！！"可能是还不解气吧，猫姑娘抬起头皱着鼻子对着画师狠狠地哼了一下，继续呵斥："养你何用！"

《花间异闻录》

无垠异世，浩瀚蚀海。

此间，世分五界——神界，仙界，人界，妖界，鬼界

疆分四陆：

人气昌盛，广袤辽阔的东青陆；

地凶水险，原始狂野的西六州；

极寒冻土，孤远寂寥的北靛疆；

异象迭生，神秘莫测的南陵岛……

"棳郎者，游历四海之地，通晓列国之事，行于云海之商也。"

旅行列国之间，见闻四陆奇事的【少年棳郎——叶由离】，在施阳"闲市"摆了个摊位。

"闲市"——相传，只要你出价合理，就能买到任何你想要的东西的神奇地方。

"公子可知这尘世间，万物皆有灵。其中以人灵最为人熟知，人身不过是一副皮囊，令其能够活动，并且有识有情，那便是人灵的存在……相同的，无生命之物亦有灵，其中少数修为尚高者，灵体能为人所见，此谓为'妖魔'，而多数物灵是些人类看不见的虚灵。偏偏公子你，却是能够感知到这些虚空之灵的稀有人才……"